L'ANGLAIS

de A à Z

MICHAEL SWAN
M.A. Oxon
FRANÇOISE HOUDART
Professeur agrégé d'anglais

HATIER

Introduction

Ce livre est un dictionnaire des principaux problèmes de grammaire et de vocabulaire qui se posent aux francophones. Il est destiné aux élèves de second cycle, aux étudiants de BTS et de DEUG, ainsi qu'aux adultes ayant certaines connaissances de l'anglais. Il est surtout prévu pour le travail personnel.

Description générale

On trouvera dans ce livre :

- 415 sections comportant explications, exemples et exercices,
- le corrigé de tous les exercices,
- un index très détaillé permettant de trouver rapidement le point cherché.

Caractéristiques

• Le livre décrit l'anglais d'aujourd'hui, oral et écrit.
Les exemples sont choisis dans tous les registres de langue.

• Les sections sont présentées à partir de mots anglais, de mots français, de catégories grammaticales ou sémantiques.

• Lorsqu'une section traite de points de niveaux différents, ils sont exposés par ordre de difficulté croissante.

• Les explications sont données dans une langue claire et accessible à tous.

• Les erreurs les plus fréquemment commises par les francophones sont mentionnées et barrées.

• Les exercices, variés, ont surtout pour but de vérifier la compréhension des points présentés.

Remerciements

Nous tenons à remercier Barbara Bouhours pour ses judicieux conseils, ainsi que les nombreux utilisateurs qui ont contribué à la présente réédition en nous faisant part de leurs réactions, critiques et demandes.

ISSN 1140-0048 ISBN 2-21871 797-2

Conclusion

Tout lecteur ayant des remarques ou suggestions à nous communiquer quant au contenu de ce livre est invité à nous écrire :

c/o Editions Hatier
8, rue d'Assas
75278 Paris Cedex 06

Les professeurs ou lecteurs d'un niveau avancé qui souhaiteraient trouver des explications plus approfondies sur la langue anglaise pourront se reporter à l'ouvrage de Michael Swan, *Practical English Usage,* publié par Oxford University Press.

Symboles utilisés

▶ Renvoi à un point inclus dans un paragraphe.
▶ Renvoi aux sections apparentées.

Sommaire

Exercices A à Z

Associé au livre, cet ouvrage permet :
- d'identifier ses principales lacunes à l'aide du test d'entrée,
- de faire des révisions par catégories grammaticales,
- d'approfondir la pratique des points essentiels de la langue (élémentaires ou plus avancés).

Conception graphique et mise en page : Yvette Heller.

Glossaire

actif / passif Dans *My uncle* ***makes*** *them,* le verbe est actif. Dans *They* ***are made*** *in Hong Kong,* le verbe est passif.

adjectif L'adjectif **épithète** est placé à côté du nom (ex. : *a small house*), l'adjectif **attribut** après des verbes comme *be, seem* ("sembler") (ex. : *The house is small.*)

adverbe Un adverbe peut indiquer "où", "quand" ou "comment" une action se produit (ex. : *here, often, completely*). Il peut aussi modifier un adjectif (ex. : ***very*** *big*) ou une proposition entière (ex. : ***Then*** *she got on the bus.*).

auxiliaire *Have, be* et *do* lorsqu'ils "aident" un autre verbe à former, par exemple, un temps composé ou un passif. Voir aussi **modaux.**

complément Dans *I gave my sister a disc, a disc* est un complément d'objet direct, *my sister* un complément d'objet indirect (= "à ma sœur").

conjonction Une conjonction relie deux propositions (ex. : *but, because*).

dénombrables Ce sont les noms que l'on peut comptrer (ex. : *a book, five books*). Ils peuvent être mis au pluriel.

déterminant Mot qui précède un nom, mais qui n'est pas un adjectif. Ex. : *the, a/an; my, your; this, that; whose; some; every.* (*This, that, whose, some* peuvent aussi être des pronoms.)

formel *Good morning* est formel (comme "Bonjour, Monsieur."). *Hi* est informel (comme "Salut!").

indénombrables Ce sont les noms que l'on ne peut pas compter. Ex. : *unemployment* ("chômage"). Ils ne peuvent être mis au pluriel.

modaux Les auxiliaires modaux sont *can, could, may, might, must, will, would, shall, should, ought.*

participe passé Ex. : *wanted* ("voulu"), *broken* ("cassé").

participe présent Ex. : *wanting* ("voulant"), *breaking* ("cassant").

particule Ex. : *up, on, back* dans *give up, go on, come back.*

préposition Ex. : *at, in, on* dans *at the door, in the house, on them.*

proposition Une phrase peut être formée d'une seule proposition ou de plusieurs. Ex. : *He sleeps a lot. – He sleeps a lot when he's in the country* (proposition principale + proposition subordonnée).

pronom Un pronom remplace un nom. Il existe plusieurs sortes de pronoms. Ex. : *he, him; himself; who, which; this* ("celui-ci").

tags Ce sont les petites phrases abrégées (ex. : *he is, am I?, they don't*) qu'on utilise souvent en anglais en fin de phrase et dans les réponses courtes.

a

1 About (au sujet de)

1 *About* s'emploie au sens de "au sujet de" après des mots comme *think, talk, discussion, idea, book, angry, sorry,* qui se réfèrent à la pensée, la communication ou l'émotion. L'équivalent français varie selon les cas : on trouve souvent "de", "à" ou "sur".

*What are you **thinking about**?*
A quoi pensez-vous ?

*We **talked about** her brother.*
On a parlé de son frère.

*There was a long **discussion about** the budget.*
Il y a eu une longue discussion sur le budget.

*a **book about** music*
un livre sur la musique

*I'm **sorry about** the delay.*
Je suis désolé pour le retard.

2 *What about* ou *how about* + *-ing* s'emploie pour faire une suggestion. Cette expression correspond au français "Et si ... ?"

***What about going** to see a film?*
Et si on allait au cinéma ?

Exercice

Traduisez en anglais :
1. parler d'un projet (= a plan) 2. rêver à un voyage (= a journey) 3. Je ne sais rien sur Shakespeare. 4. un bon film sur la Chine 5. Il est toujours en colère à propos de quelque chose. 6. Je pense souvent à mes vacances. 7. Et si on allait à la piscine ? 8. Et si on restait à la maison ?

2 About (environ)

About peut signifier "environ", "à peu près", "vers".

*He's **about** fifty.*
Il a environ cinquante ans.

*We arrived **about** four.*
Nous sommes arrivés vers quatre heures.

Attention à l'ordre des mots.

about *three weeks* (et non ~~*three weeks about*~~)
trois semaines, environ / environ trois semaines

Exercice

Traduisez en anglais :
1. environ cinq minutes 2. trois jours, environ 3. à peu près six mois 4. une année, environ 5. vers six heures 6. environ cent francs

3 About to

Be about to = "être sur le point de".

*Call back later : we'**re about to** go out.*
Rappelez plus tard : nous sommes sur le point de sortir.
*I **was** just **about to** go to bed when she arrived.*
J'étais juste sur le point de me coucher quand elle est arrivée.

Exercice

Traduisez en anglais :
1. Il est sur le point d'émigrer (= emigrate). 2. Elle était sur le point de pleurer. 3. Nous sommes juste sur le point de signer le contrat (= sign the contract). 4. Le film est sur le point de commencer. 5. Nous étions sur le point d'abandonner (= give up). 6. Il était juste sur le point de payer.

▶ Pour *to be going to* et les autres façons de parler de l'avenir, voir 150.

4 Accepter

1 "Accepter de" se traduit par ***to agree to*** (voir 19), et non par ~~to accept to~~.

*He **agreed to** see me.* (et non ~~*He accepted to see me*~~.)
Il a accepté de me voir.

2 "Accepter que" peut se traduire par une structure avec *let* lorsqu'il s'agit d'une permission.

*Do your parents **let you go out** in the evenings ?* (et non ~~*Do your parents accept that you go out*~~ ...)
Est-ce que tes parents acceptent que tu sortes le soir ?

They don't ***let me come*** *home late.* (et non ~~*They don't accept that*~~ ...)
Ils n'acceptent pas que je rentre tard.

Exercice

Traduisez en anglais :
1. Elle a accepté de m'aider. 2. Est-ce que tu accepterais de travailler le samedi matin? 3. Je n'ai pas accepté de payer pour tout le monde. (prétérit) 4. Son amie n'accepte pas qu'il voie d'autres filles.

5 According to

1 *According to* peut correspondre à "selon" ou "d'après". Cette expression s'emploie pour introduire ce qui a été dit par une personne **autre que soi-même** sur un fait quelconque.

According to *this journalist, the economic situation is improving.*
Selon ce journaliste, la situation économique s'améliore.

According to *her neighbour, the children were alone at home.*
D'après sa voisine, les enfants étaient seuls à la maison.

2 On ne dit pas ~~*according to me*~~ (*according to* n'introduit pas l'expression de l'opinion).

d'après/selon moi = *I think* ou *in my opinion*

I think *he's right.*
D'après moi, il a raison.

In my opinion*, it's a very bad film.*
Selon moi, c'est un très mauvais film.

Who ***do you think*** *has the best chance of winning?*
D'après toi, qui a la meilleure chance de gagner?

▶ Pour *I think* et *in my opinion*, voir aussi 240.

3 "Pour moi" (au sens familier de "à mon avis") peut se traduire par *I think* ou *in my opinion*, mais pas par ~~*for me*~~, ~~*as for me*~~ ou ~~*as to me*~~. On ne dit pas non plus ~~*for my part*~~.
To my mind est très rare en anglais moderne.

Exercice

Traduisez en anglais :
1. D'après Suzanne, Eric va déménager (= to move). 2. D'après moi, c'est un projet (= plan) très intéressant. 3. Pour moi, la vie est merveilleuse. 4. Selon le *Times*, cette guerre peut être évitée (= avoided).

6 *Across* et *through*

1 On emploie *across* quand "à travers" se réfère à un espace à deux dimensions. Pour un espace à trois dimensions, on emploie normalement *through*. (Il y a entre *across* et *through* le même rapport qu'entre *on* et *in*.)

***across** the fields*
à travers champs

***through** the forest*
à travers la forêt

Un verbe anglais suivi de *across* ou *through* se traduit souvent par "traverser".

*At that moment I **was walking across** the road.*
A ce moment-là, je traversais la rue (à pied).

2 On emploie *across* (et non *through*) lorsqu'il s'agit de traverser une rivière, un lac, etc., à la nage.

*She **swam across** the Thames.*
Elle traversa la Tamise à la nage.

Exercice

Mettez across *ou* through *:*
1. ... the desert 2. ... the crowd (= la foule) 3. ... the empty street 4. ... the jungle 5. ... the market (= le marché) 6. ... the glacier

7 Adjectifs (1) : place et accord

1 L'adjectif épithète se place avant le nom, même s'il est précédé de *very*, *more* ou *most*.

Place : adjectif épithète + nom.

*a **wild animal***
un animal sauvage

*a **very expensive restaurant***
un restaurant très cher

*a **more interesting film***
un film plus intéressant

*the **most difficult problem***
le problème le plus difficile

2 Les adjectifs ne prennent jamais d's au pluriel.

Accord : jamais de *s* aux adjectifs.

***wild** animals* (et non ~~*wilds animals*~~)
des animaux sauvages

*We were **ill**.* (et non ~~*We were ills.*~~)
Nous étions malades.

Exercice

Traduisez en anglais :
1. une opinion différente 2. de hautes montagnes 3. une robe longue 4. des jeunes gens 5. une femme très célèbre 6. les autres voitures 7. une chose très importante 8. des livres très intéressants 9. la Maison Blanche 10. Ils sont très riches. 11. l'enfant le plus intelligent 12. de bons résultats (= results)

---

3 Le premier terme d'un nom composé est aussi invariable, dans la plupart des cas, car il sert alors d'adjectif (voir 258).

*a **computer** exhibition* (et non ~~*a computers exhibition*~~)
une exposition d'ordinateurs

4 Notez qu'en général un adjectif ne peut pas se séparer du sujet pour se placer en tête de phrase comme en français.

She was annoyed and answered him ... (et non ~~*Annoyed, she*~~ ...)
Agacée, elle lui répondit ...

▶ Pour *others*, voir 277.
Pour *afraid* et *asleep*, voir 14 et 51.

0 Adjectifs (2) : ordre des épithètes

Lorsqu'un nom est précédé de plusieurs adjectifs, il est parfois difficile de savoir dans quel ordre les mettre. Les règles sont assez compliquées.
Voici juste quelques indications.

1 Les adjectifs indiquant la **couleur,** l'**origine,** la **matière** et la **fonction** (d'un objet) se placent juste avant le nom, généralement dans cet ordre lorsqu'il y en a plusieurs.

***black** boots*
***black Spanish** boots*
***black Spanish leather** boots*
***black Spanish leather walking** boots*
des chaussures de randonnée en cuir noir, d'origine espagnole

Les autres adjectifs les précèdent.

*a **big** white dog*
un grand chien blanc
*a **well-known** Japanese writer*
un écrivain japonais bien connu

2 Les adjectifs qui expriment un jugement subjectif précèdent les autres.

__remarkable__ blue eyes
des yeux bleus remarquables

a __pleasant__ modern house (et non ~~*a modern pleasant house*~~)
une maison moderne agréable

3 Notez que, en règle générale, *first*, *next* et *last* précèdent les nombres.

the __first three__ days (plus naturel que *the three first days*)
les trois premiers jours

the __next ten__ minutes
les dix minutes suivantes

my __last two__ jobs
mes deux derniers emplois

Exercice

Mettez les mots dans le bon ordre :
1. white a cat small 2. German film interesting that 3. red liquid warm a 4. songs traditional Spanish beautiful some 5. shoes plastic dirty tennis 6. old village the lovely 7. weeks the three next 8. girlfriends first my two

9 Adjectifs (3) : emploi de and

1 *And* s'emploie rarement pour séparer les adjectifs épithètes.

a dirty, torn coat
un manteau sale et déchiré

a practical economical car
une voiture pratique et économique

Mais on l'emploie toujours lorsqu'on parle des différentes parties d'un même objet.

a concrete __and__ glass building
un bâtiment en béton et en verre

red __and__ yellow socks
des chaussettes rouge et jaune

2 *And* s'emploie presque toujours pour séparer les deux derniers adjectifs attributs.

She felt lonely, tired __and__ depressed.
Elle se sentait seule, fatiguée, déprimée.

Exercice

Mettez and *lorsque c'est nécessaire :*
1. a small ... round table 2. a green ... black carpet 3. The weather was cold ... depressing. 4. a happy ... confident child 5. Her expression was cold ... enigmatic. 6. a metal ... plastic chair

10 Adjectifs (4) : *friendly* et *lovely*

Friendly et *lovely* sont des adjectifs et non des adverbes.

*a **friendly** letter*	*a **lovely** view*
une lettre amicale	une vue ravissante

Les adverbes "amicalement" et "aimablement" se traduisent par *in a friendly way.*

They were talking in a friendly way. (et non ~~*They were talking friendly.*~~)
Ils discutaient amicalement.

11 Adjectifs (5) : adjectifs composés

1 Il y a plusieurs sortes d'adjectifs composés en anglais. En voici trois types très courants :

- **Adjectif + nom + *-ed.***

dark-haired	*blue-eyed*	*old-fashioned*
aux cheveux foncés	aux yeux bleus	démodé
bad-tempered	*narrow-minded*	*absent-minded*
qui a mauvais caractère	borné	étourdi / distrait
short-sighted	*middle-aged*	*left-handed*
myope	d'âge mûr	gaucher

- **Nom, adverbe ou adjectif + participe présent.**

tennis-playing	*fast-talking*
qui joue au tennis	qui parle vite
slow-moving	*nice-looking*
qui se déplace lentement	joli / beau

- **Adjectif + adjectif (couleurs).**

red-brown	*blue-green*
grey-green	*grey-white*

Exercice

Construisez des adjectifs composés pour exprimer les idées suivantes :
1. with long hair 2. who plays football 3. who looks stupid 4. between orange and brown 5. with one eye 6. which moves fast 7. which looks interesting 8. between grey and black

2 La plupart des adjectifs des deux premiers types s'emploient surtout comme épithètes. Comparez :

*a **blue-eyed** girl*	*She's got blue eyes.*
*a **slow-moving** car*	*It moves slowly.*

Par contre, ceux du troisième type peuvent s'employer indifféremment comme épithètes ou comme attributs.

a ***red-brown*** *pullover*	*It's* ***red-brown****.*

Notez que l'on dit *He is twenty year**s** old* mais *a twenty-year-old man.*

12 Adjectifs (6) : adjectifs substantivés

En général, on ne peut pas utiliser un adjectif épithète sans nom en anglais.
"La pauvre !" = *The poor* ***woman****!* (et non ~~*The poor*~~ !)
"un mort" = *a dead* ***man*** (et non ~~*a dead*~~)
"L'important, c'est de ..." = *The important* ***thing*** *is to* ... (et non ~~*the important is to*~~...
Mais il y a des exceptions.

1 Certains adjectifs s'emploient avec *the*, sans nom, pour désigner toute une catégorie. Le verbe qui suit est au pluriel.

the dead les morts	*the sick* les malades	*the blind* les aveugles
the deaf les sourds	*the rich* les riches	*the poor* les pauvres
the old les vieux	*the young* les jeunes	*the unemployed* les chômeurs
the mentally ill les malades mentaux	*the handicapped* les handicapés	

He stole from ***the rich*** *to help t**he poor.***
Il volait les riches pour aider les pauvres.

The deaf have *more problems than* ***the blind.***
Les sourds ont plus de problèmes que les aveugles.

Cette structure est assez formelle. Dans la langue parlée, on dira plutôt *old people, young people,* etc.
La plupart des autres adjectifs ne peuvent pas s'employer sans nom : "les égoïstes" = *selfish people,* "les avares" = *mean people.*

2 *The* s'emploie aussi devant les adjectifs de nationalité terminés par *-sh*, *-ch* et *-ese* (voir 247), pour désigner **la nation entière**.

the Irish les Irlandais	*the French* les Français	*the English* les Anglais	*the Japanese* les Japonais

Mais "un Irlandais" = *an Irishman* et non ~~*an Irish*~~ ; "un Français" = *a Frenchman,* etc.

3 Notez que le cas possessif est impossible avec les adjectifs substantivés.

the future of the young (et non ~~*the young's future*~~)
l'avenir des jeunes

the role of the British in Europe (et non ~~*the British's role*~~...)
le rôle des Britanniques en Europe

Exercice

Considérez les expressions suivantes. Dans quels cas la structure ***the + adjectif sans nom*** *serait-elle également possible ?*
1. the most difficult thing 2. The poor girl! 3. a rich man 4. rich people 5. selfish people 6. unemployed people 7. unhappy people 8. Welsh people (= les Gallois) 9. American people 10. Chinese people

13 Admettre

1 "J'admets que ..." (au sens de "je veux bien que ...") = ***I don't mind ...-ing*** ou ***I don't object to ...-ing***.

I ***don't mind you playing*** */ I* ***don't object to you playing*** *video games but not all day.* (et non ~~*I admit that you play*~~ ...)
J'admets que tu joues à des jeux vidéo mais pas toute la journée.

I don't object to it = "je n'ai rien contre", "je l'admets".

He goes out every evening but his wife ***doesn't object to it****.*
Il sort tous les soirs, mais sa femme l'admet

2 "Je n'admets pas que ..." peut se traduire par ***I object to ...-ing***.

I ***object to him lying*** *to me.*
Je n'admets pas qu'il me mente.

I object to it = "je ne l'admets pas", "je suis contre".

▶ Pour les structures avec *to ...-ing*, voir 203.

Exercice

Imaginez que vous êtes un parent qui s'adresse à l'un de ses enfants. Ecrivez deux phrases commençant par I don't mind you ... *(= "J'admets que tu ...") et deux phrases commençant par* I object to you ... *(= "Je n'admets pas que tu ...").*

14 Afraid

1 *Afraid* n'est pas un verbe, c'est un adjectif.

- "Avoir peur" = *to **be** afraid.* "J'ai peur" = *I'**m** afraid.*

*I'**m** not **afraid** of mice.* (et non ~~*I don't afraid*~~ ...)
Je n'ai pas peur des souris.
***Were** you **afraid** of the dark when you were a child?*
Est-ce que tu avais peur du noir quand tu étais enfant?

- "Faire peur à quelqu'un" = *to **frighten** somebody.*

*That noise **frightened** me.*
Ce bruit m'a fait peur.

2 *Afraid* ne peut pas s'employer devant un nom. "Un enfant apeuré/qui a peur" = *a frightened child*, et non ~~*an afraid child*~~.

Exercice

Traduisez en anglais :
1. Je n'ai pas peur de l'avenir. 2. Oh! Tu m'as fait peur! (prétérit) 3. Est-ce que vous avez peur des cambrioleurs (= burglars)? 4. les choses qui nous font peur 5. des enfants apeurés

3 *I'm afraid* peut aussi vouloir dire *I'm sorry to tell you.* C'est une manière polie d'introduire une information négative. On peut le placer en tête ou en fin de phrase.

*I won't be able to come to your party, **I'm afraid**. (ou I'**m afraid** I won't be able to come ...)*
Je suis désolé mais je ne pourrai pas venir à votre soirée.
*"Did they lose?" "**I'm afraid** so."* (Pour *so*, voir 361.)
"Ils ont perdu?" "J'en ai bien peur."

Exercice

Comment diriez-vous poliment à quelqu'un que :
1. vous avez oublié d'acheter le pain? (present perfect) 2. vous ne pouvez pas l'aider? 3. vous serez en retard pour le dîner (= for dinner)?

15 Afraid of ...-ing *et* afraid + to-infinitif

On emploie *afraid of ...-ing* pour parler de ce qui peut arriver involontairement.

*I'm **afraid of having** an accident.*
J'ai peur d'avoir un accident.

*I'm **afraid of being** mugged in the street.*
J'ai peur de me faire agresser dans la rue.

Dans les autres cas, on peut employer *afraid of ...-ing* ou *afraid* + *to*-infinitif indifféremment.

*I'm not **afraid of telling / to tell** her the truth.*
Je n'ai pas peur de lui dire la vérité.

Exercice

Traduisez en anglais :
1. J'ai peur de tomber. 2. Est-ce que tu as peur de te faire cambrioler (= to burgle)? 3. Je n'ai pas peur de dire ce que je pense.

16 ***Again*** et ***back***

Ces deux mots correspondent souvent au préfixe "re-". ("Revenir" = *come again/back*, "renvoyer" = *send again/back*, etc.).
En règle générale, *again* exprime une répétition, tandis que *back* exprime un retour au point de départ. *Again* se met généralement en fin de proposition.

*We must do it **again.***
Il faut le refaire.

*Read the letter **again.*** (et non ~~*Read again the letter*~~.)
Relis la lettre.

*She gave me **back** my money.*
Elle m'a rendu mon argent.

*Can you put the plates **back** in the cupboard?*
Tu peux remettre les assiettes dans le placard?

Exercices

1. *Mettez* again *ou* back *:*
1. He didn't understand, so I asked ... 2. Could I hear the disc ... ? 3. Put my watch ... on the table, please. 4. If you do it ..., I'll be very angry.

2. *Traduisez en anglais :*
1. Il ne rejouera pas. 2. J'ai ramené votre bicyclette. (present perfect) 3. N'oublie pas de renvoyer les livres. 4. Je voudrais revoir les photos.

▶ Pour *again* = "encore", "à nouveau", voir 121.4.
Pour *again* = "déjà", voir 99.4.

17 Age (comment l'exprimer)

"J'ai 15 ans" = ***I'm*** *15* ou *I* ***am*** *15 years old* (style formel) mais non ~~*I'm 15 years*~~.

1 Pour parler de l'âge, on emploie toujours ***be*** (et non ~~*have*~~).

How old ***are*** *you?*
Quel âge avez-vous?
We ***are*** *the same age.*
Nous avons le même âge.

He ***will be*** *40 next year.*
Il aura 40 ans l'année prochaine.
When I ***was*** *your age ...*
Quand j'avais ton âge ...

Exercice

Traduisez en anglais:
1. Quel âge a ta sœur? 2. Elle a 23 ans. (Mettez les deux possibilités.) 3. Vous avez le même âge que (= as) ma mère. 4. Quand elle avait mon âge ...

---

2 Notez la structure *to be in one's twenties (20's), thirties (30's),* etc., et la variété des traductions françaises.

He is ***in his 20's.***
Il a une vingtaine d'années.
He is ***in his mid 40's****.*
Il a dans les 45 ans.

She was ***in her early 30's****.*
Elle avait un peu plus de 30 ans.
She was ***in her late 50's****.*
Elle approchait de la soixantaine.

3 Dans les adjectifs composés épithètes, on dit *year-old* (sans *s*).

a ***15-year-old boy*** (et non ~~*a 15 years old boy*~~)
un garçon de 15 ans

Exercice

Traduisez en anglais :
1. Elle a une trentaine d'années. 2. Il approche de la cinquantaine. 3. Je pense qu'elle a dans les 35 ans. 4. Ils ont une fille de 17 ans.

▶ Pour *When were you born?*, etc., voir 64.

18 Ago

1 *Ago* = "il y a" au sens temporel (voir 189). C'est un adverbe, qui se place toujours après l'expression de temps.

il y a (deux jours, etc.) = (*two days*, etc.) *ago*

six weeks ***ago*** (et non ~~*there are six weeks*~~)
il y a six semaines

a long time ***ago***
il y a longtemps

2 *Ago* s'emploie normalement avec le **prétérit** (voir 317).

I ***met*** *him six weeks* ***ago.*** (et non ~~*I have met him*~~ ...)
Je l'ai rencontré il y a six semaines.

Exercice

Traduisez en anglais :
1. il y a une semaine 2. il y a des années 3. il y a deux jours 4. J'ai vu Robert il y a cinq minutes. 5. Elle est arrivée il y a une heure. 6. Je me suis levé il y a longtemps.

3 Avec le pluperfect, on emploie généralement *before* (voir 58.2).

Two days ***ago*** *I saw a film that* ***I had*** *already* ***seen*** *two weeks* ***before****!*
Il y a deux jours, j'ai vu un film que j'avais déjà vu deux semaines avant!

19 Agree

1 Je suis d'accord avec vous = *I agree with you* (et non ~~*I am agree*~~...).

I ***agree*** *with Alice.*
Je suis d'accord avec Alice.

Do you agree*?*
Etes-vous d'accord?

I don't agree *about the dates.*
Je ne suis pas d'accord pour les dates.

2 *Agree* ne traduit "être d'accord" que lorsqu'il s'agit d'une opinion (voir 128).

Exercice

Traduisez en anglais :
1. Elle est toujours d'accord avec tout le monde. 2 .Est-ce qu'il est d'accord avec nous? 3. "C'est très facile." "Je ne suis pas d'accord." 4. Je ne suis pas d'accord pour le cadeau.

▶ Pour *agree* = "accepter de", voir 4.1.

20 **All** *et* **every**

1 *All* correspond généralement à "tout" ou "tous".

all *my life* — toute ma vie

I know them all. — Je les connais tous.

Mais quand "tout" ou "tous" a le sens de "chaque", il faut utiliser *every.*

tout, tous (= "chaque") : every + singulier

every *man*
tout homme (= chaque homme)

every *day*
tous les jours (= chaque jour)

2 Ne confondez pas :

every day : tous les jours
every morning : tous les matins
every time : à chaque fois (que)

all day : toute la journée
all (the) morning : toute la matinée
all the time : tout le temps

Comparez :

I worked ***every day.***
J'ai travaillé tous les jours.

Every time *he sees me he cries.*
A chaque fois qu'il me voit, il pleure.

I worked ***all day.***
J'ai travaillé toute la journée.

He cries ***all the time.***
Il pleure tout le temps.

3 Notez qu'on dit toujours *all day*, *all night* (sans article), mais *all (the) morning/afternoon/evening/week/year/winter/summer* (article facultatif).

Exercice

Traduisez les mots en italique, en utilisant all *ou* every *:*
1. *Tous mes amis* sont partis. 2. *Toute la famille* a participé à la réunion. 3. *Toute famille* a droit à un logement correct. 4. *Toute femme* comprendra ce problème. 5. *Toute la ville* était inondée. 6. J'y vais *tous les ans.* 7. L'hôtel est ouvert *toute l'année.* 8. Je fais du sport *tous les jours.* 9. J'ai fait du sport *tout l'après-midi.* 10. Elle travaille *tout le temps.*

---

4 Lorsqu'on met à la forme négative une phrase commençant par *all* ou *every* (ou un composé d'*every*), *not* se place le plus souvent en début de phrase, et le verbe reste à la forme affirmative.

Not all *English people drink tea.* (et non ~~*All English people don't*~~ ...)
Tous les Anglais ne boivent pas de thé.

Not everybody *thinks like you.*
Tout le monde ne pense pas comme toi.

Exercice

Traduisez en anglais :
1. Tous les Américains ne sont pas des cowboys. 2. Tout le monde n'aime pas la mer. 3. Tout n'est pas prêt.

▶ Pour *all* et *whole,* voir 22.
Pour *every* et *each*, voir 113.
Pour "tous les deux jours", etc. (= *every two days,* etc.), voir 184.
Pour "tout" au sens de "n'importe quel" (= *any*), voir 34.
Pour la place de *all* avec un verbe, voir 290.
Pour "tous les deux" = *both*, voir 67.

21 *All* et *everything*

1 Lorsque "tout" est employé comme pronom (= sans nom), il se traduit par *everything* et non ~~*all*~~. Comparez :

*She's lost **all her money**.*
Elle a perdu tout son argent.

*She's lost **everything.*** (et non ~~*She's lost **all***~~.)
Elle a tout perdu.

2 Devant *that* (exprimé ou sous-entendu) + proposition relative, on peut employer *all* ou *everything.*

*She's lost **all/everything (that) she had**.*
Elle a perdu tout ce qu'elle avait.

Exercice

Traduisez en anglais :
1. Tout est parfait. 2. Tout son travail est parfait. 3. J'ai tout oublié. 4. J'ai oublié tous leurs noms. 5. Tout est prêt. 6. Dis-moi tout. 7. Je te dirai tout ce que je sais. 8. J'ai tout fini.

▶ Pour les autres équivalents de "tout", voir 388.

22 *All* et *whole*

1 En règle générale, *all* /ɔ:l/ = "tout" et *whole* /həʊl/ = "entier" (ou "tout entier", "en entier", etc.). Notez l'ordre des mots :

***all** the town*	*the **whole** town*
toute la ville	la ville entière

Mais, avec les dénombrables singuliers, *whole* peut aussi correspondre à "tout".

***My whole body** was hurting.*
Tout mon corps me faisait mal.

2 *All* s'emploie rarement devant *a/an*. On préfère *a whole*.

*She ate **a whole** loaf.* (et non ~~*She ate all a loaf*~~.)
Elle a mangé tout un pain / un pain entier.

*I spent **a whole** day doing the housework.*
J'ai passé toute une journée à faire le ménage.

3 Devant un nom propre ou un pronom, on emploie *the whole of* ou *all of*.

*I've read **the whole of / all of** 'War and Peace'.*
J'ai lu tout "Guerre et Paix".

*Look at the kitchen! She's cleaned **the whole of** it / **all of** it.*
Regarde la cuisine! Elle l'a entièrement nettoyée.

Exercice

Choisissez :
1. ... the morning (all/whole) 2. the ... afternoon (all/whole) 3. ... week (all a / a whole) 4. her ... life (all/whole) 5. We visited ... London. (the whole of / whole) 6. I didn't read ... (whole of it / all of it)

23 *All right* et *OK*

All right et *OK* sont synonymes (mais *OK* est très familier). Ils ont plusieurs sens.

1 ***All right/OK* = "pas mal"** (appréciation positive mais non enthousiaste) ou **"bien"**.

*"What was the film like?" "(It was) **all right/OK.**"*
"Comment était le film?" "Pas mal."

*Don't worry, everything will be **all right/OK.***
Ne t'en fais pas, tout ira bien.

2 ***It's/that's all right/OK* = "de rien", "ce n'est pas grave"** (réponse polie à une excuse).

*"Sorry." **"It's OK."***
"Excusez-moi." "De rien."

*"I'm sorry to disturb you." **"That's all right."***
"Je suis désolé de vous déranger." "Oh, ce n'est pas grave."

That's all right/OK s'emploie aussi comme réponse à "merci".

*"Thanks for looking after the children." **"That's all right."***
"Merci d'avoir gardé les enfants." "De rien."

3 ***All right/OK* = "d'accord"** (consentement).

*"I'll pick you up at 5." **"OK."***
Je passe te prendre à 5 heures." "D'accord."

*I'll go with Patrick if **it's OK with him.*** (et non *...~~if he's OK.~~*)
J'irai avec Patrick s'il est d'accord.

4 Ne confondez pas :

(It's) all right/OK = "(je suis) d'accord" (consentement).
I agree = "je suis d'accord" (opinion, voir 128).
I'm all right/OK = "je vais bien", "ça va".

Exercice

Traduisez les mots en italique :
1. "Merci pour votre aide." *"De rien."* 2. J'inviterai Jim *si ma mère est d'accord.* 3. "Excusez-moi, j'ai pris votre manteau." *"Ce n'est pas grave."* 4. "Comment trouves-tu mes nouvelles chaussures ?" *"Elles sont bien."* 5. "Cette musique n'est pas terrible." "Moi, *je la trouve pas mal."* 6. "Comment vas-tu ?" *"Je vais bien."*

Remarque : *all right* s'écrit parfois *alright*, mais c'est souvent considéré comme incorrect.

24 Alphabet

1 Attention à la prononciation des lettres dans l'alphabet. (Pour la signification des signes phonétiques, voir 333.)

a /eɪ/	**b** /biː/	**c** /siː/	**d** /diː/
e /iː/	**f** /ef/	**g** /dʒiː/	**h** /eɪtʃ/
i /aɪ/	**j** /dʒeɪ/	**k** /keɪ/	**l** /el/
m /em/	**n** /en/	**o** /əʊ/	**p** /piː/
q /kjuː/	**r** /ɑː(r)/	**s** /es/	**t** /tiː/
u /juː/	**v** /viː/	**w** /ˈdʌbljuː/	**x** /eks/
y /waɪ/	**z** /zed/		

2 Notez les deux expressions suivantes :

Could you spell your name, please?
Pouvez-vous épeler votre nom, s'il vous plaît?
How do you spell it?
Comment ça s'écrit?

Exercice

Épelez tout haut votre nom, votre prénom et votre adresse.

---

25 Also, as well et too

1 Ces trois expressions ont le même sens (= "aussi", "également") mais ne se placent pas au même endroit. En général, *also* se place à côté du verbe (voir 290), *too* et *as well* en fin de proposition.

She's a good pianist, and she ***also*** *plays the violin.*
She's a good pianist, and she plays the violin ***too / as well****.*
C'est une bonne pianiste; elle joue aussi du violon.

Notez bien que ~~*she plays too the violin*~~ serait impossible : on ne peut pas séparer un verbe de son complément d'objet en anglais.

2 *As well as* = "ainsi que", "et aussi", ou "non seulement ..., mais aussi". L'expression peut alors être suivie de la forme en *-ing.*

I speak German ***as well as*** *French.*
Je parle le français et aussi l'allemand.
She acts ***as well as dancing****.*
Elle fait non seulement de la danse, mais aussi du théâtre.

A ne pas confondre avec :

She acts ***as well as she dances****.*
Elle joue aussi bien qu'elle danse.

Exercice

Mettez also *ou* too / as well *:*
1. His wife is a well-known dramatist. She ... writes novels. 2. "Would you like something to eat?" "Yes, and something to drink ..." 3. "Alice and Mary are coming." "Is Cathy coming ...?" 4. Eskimos live in Canada and Alaska. They ... live in Siberia. 5. He teaches maths ... as English.

▶ Pour "moi aussi" (*me too,* etc.), voir 57.1.

26 *Also* et *so*

Ne les confondez pas.

Also = **"aussi", "également"** (voir 25).
So = **"alors", "donc",** parfois **"aussi"** ("par conséquent"); voir 56.3.

- *Also* se place généralement à côté du verbe (voir 290).

*I like tennis. I **also** like table-tennis.*
J'aime le tennis. J'aime aussi le ping-pong.

- *So* se trouve généralement en tête de phrase ou de proposition.

***So** what shall we do?*
Alors, qu'est-ce qu'on fait?

*I didn't know what to do **so** I went to bed.*
Je ne savais pas quoi faire, alors j'ai été me coucher.

*I had no map **so** I didn't know where I was.*
Je n'avais pas de carte, je ne savais donc pas où j'étais.

Exercice

Mettez also *ou* so :
1. She speaks German, and she can ... read Spanish. 2. The weather was bad, ... we stayed at home. 3. I'd like a pound of tomatoes. I ... need some potatoes. 4. "Everybody's gone home." "... why are you here?" 5. He works hard, ... he gets very tired. 6. She likes music and painting. She ... goes dancing very often.

▶ Pour *so* = "si", "aussi" (intensif), voir 362.

27 *Although, though* et *in spite of*

1 Pour traduire "bien que", "quoique", on peut employer ***although*** ou ***though*** (moins formel).

***(Al)though** I don't agree with her, I think she's sincere.*
Bien que je ne sois pas d'accord avec elle, je pense qu'elle est sincère.

2 Seul *though* peut être employé après *even* ou *as*.
Even though (= "même si") sert à souligner un contraste.

***Even though** I love her, I'm not blind.*
Même si je l'aime, je ne suis pas aveugle.

As though = *as if* = "comme si" (voir 47).

*He had his eyes closed **as though** he was asleep.*
Il avait les yeux fermés comme s'il dormait.

3 En fin de phrase, ***though*** veut souvent dire "pourtant" ou "quand même" (style familier).

*The hotel's very cheap. It's comfortable, **though.***
L'hôtel n'est pas cher du tout. Pourtant, il est confortable.

4 ***In spite of*** = "malgré" (jamais "malgré que").

*We went out **in spite of the rain.***	***in spite of them***
Nous sommes sortis malgré la pluie.	malgré eux

Cette expression ne peut donc pas, comme *(al)though*, s'employer devant le groupe "sujet + verbe".

Exercice

Mettez although, though *ou* in spite of :
1. ... I like him, he's a bit strange. 2. He's very friendly, ... 3. I can't speak Spanish, ... I can read it quite well. 4. She didn't eat anything, even ... she was hungry. 5. You look as ... you need help. 6. We went swimming ... the cold.

28 ***Always*** et ***les temps progressifs***

Always s'emploie parfois avec le présent ou le prétérit progressif pour indiquer une répétition. En ce cas, *always* correspond à "tout le temps", "sans arrêt", "constamment".

***I'm always making** mistakes.*
Je me trompe tout le temps.

*He **was always forgetting** things.*
Il oubliait tout le temps quelque chose.

Cette structure implique souvent un élément affectif (irritation, admiration, etc.).

*She**'s always asking** stupid questions.*
Elle pose sans arrêt des questions idiotes.

*He **was always winning** new medals.*
Il remportait tout le temps de nouvelles médailles.

Elle peut aussi s'employer pour parler d'événements qui arrivent fréquemment mais de façon inattendue. Comparez :

***I'm always meeting** interesting people at concerts.*
Je rencontre tout le temps des gens intéressants au concert.

*I **always meet** Susie after school.*
Je retrouve toujours Susie après l'école.

Exercice

Traduisez en anglais :
1. Il perd tout le temps ses lunettes. 2. J'oublie tout le temps mes clés (= keys). 3. Elle rit tout le temps. 4. Nous perdions constamment notre chemin (= way).

29 **And** après **try, come, go** et **wait**

Après *try*, *come*, *go* et *wait* à l'infinitif ou à l'impératif, on emploie souvent ***and*** **+ verbe** au lieu de *to*-infinitif, surtout en anglais parlé.

I'm going to try ***and answer*** *your questions.*
Je vais essayer de répondre à vos questions.

Come ***and have*** *a drink.*
Viens prendre un verre.

Go ***and see*** *who it is.*
Va voir qui c'est..

Wait ***and see.***
Vous verrez bien.

Exercice

Traduisez en anglais :
1. Essaie de comprendre. 2. Allons voir Maurice. 3. Viens déjeuner (= have lunch) avec nous demain. 4. Je veux aller voir un film.

30 **And** et **or :** **omission de mots**

Souvent, après *and* et *or*, on ne répète pas un mot ou une expression utilisés antérieurement. C'est souvent le cas pour les articles, les pronoms sujets et les prépositions.

a *knife* ***and*** *fork*
un couteau et une fourchette

a *dog* ***or*** *cat*
un chien ou un chat

She *opened the letter* ***and*** *read it.*
Elle ouvrit la lettre et (elle) la lut.

It's ***for*** *me* ***and*** *all my friends*
C'est pour moi et pour tous mes amis.

in *France* ***and*** *Spain*
en France et en Espagne

Exercice

Récrivez ces expressions en omettant des mots lorsque c'est possible : 1. my friends and my family 2. the house and the garden 3. in England and in Scotland 4. I sing and I play the guitar. 5. He's asleep or he's deaf (= sourd). 6. Do you want some wine or some beer?

31 Anglais britannique et américain : grammaire

Il y a très peu de différences grammaticales entre ces deux sortes d'anglais. Voici les plus importantes :

Britannique	Américain
He**'s** just **gone** home.	He just **went** home.
Have you **got** a problem?	**Do** you **have** a problem?
She's **got** very fat.	She's **gotten** very fat.
It's important that he **should be** told.	It's important that he **be** told.
(on the phone) Is **that** Andrew?	Is **this** Andrew?
It looks **as if / like** it's going to rain.	It looks **like** it's going to rain.
He looked at me **really strangely**.	He looked at me **real strange.** (familier)
I haven't seen her **for** ten years.	I haven't seen her **in** ten years.
play **(the)** guitar	play guitar

• **Prépositions et particules.**

Britannique	Américain	Français
check something	check something **out**	*vérifier quelque chose*
do something **again**	do something **over**	*refaire quelque chose*
meet somebody	meet **with** somebody	*rencontrer quelqu'un*
protest **against** something	protest something	*protester contre quelque chose*
stay **at** home	stay home	*rester à la maison*
visit somebody	visit **with** somebody	*aller voir quelqu'un*
talk **to** somebody	talk **with** somebody	*parler avec quelqu'un*
Monday **to** Friday	Monday **through** Friday	*de lundi à vendredi*
in Oxford Street	**on** Broadway	*rue ...*
twenty **past** six	twenty **after** six	*six heures vingt*

• Dans les **bandes dessinées américaines**, on trouve souvent les formes contractées *gonna (= going to)*, *gotta (= got to)* et *wanna (= want to)*.

▶ Pour les différences d'orthographe, voir 272.

32 Anglais britannique et américain : vocabulaire

S'il y a très peu de différences grammaticales entre ces deux variétés d'anglais, les différences lexicales sont considérables. Voici quelques exemples :

Britannique	Américain	Français
angry	mad	*en colère*
anywhere	anyplace	*n'importe où, quelque part*
autumn	fall/autumn	*automne*
barrister, solicitor	attorney	*avocat, notaire*
(potato) crisps	(potato) chips	*chips*
crossroads	intersection	*carrefour*
film	movie	*film*
flat	apartment	*appartement*
flat tyre, puncture	flat, blow-out	*pneu crevé*
ground floor	first floor	*rez-de-chaussée*
handbag	purse, pocket-book	*sac à main*
holiday(s)	vacation	*vacances*
lift	elevator	*ascenseur*
lorry	truck	*camion*
mean	stingy	*radin*
motorway	freeway, turnpike	*autoroute*
nasty, vicious	mean	*méchant*
nowhere	noplace	*nulle part*
pavement	sidewalk	*trottoir*
petrol	gas(oline)	*essence*
pram	baby carriage	*landau*
pub, bar	bar	*café, bar*
railway	railroad	*chemin de fer*
return (ticket)	round trip	*aller-retour*
reversed charge (call)	collect (call)	*(appel) en p.c.v.*
road surface	pavement	*chaussée*
rubber	eraser	*gomme (à effacer)*
shop	store	*magasin*
single (ticket)	one-way	*aller simple*
somewhere	someplace	*quelque part*
sweets	candy	*bonbons*
tap	faucet	*robinet*
taxi	cab	*taxi*
tennis shoes	sneakers	*tennis (chaussures)*
tin	can	*boîte (en métal)*
torch	flashlight	*lampe de poche*
trousers	pants	*pantalon*
underground railway, tube	subway	*métro*
underpants	shorts	*slip (d'homme)*
zipper	zip	*fermeture éclair*

33 Another

1 Dans la plupart des cas, *another* est suivi d'un dénombrable singulier ou utilisé comme pronom.

***Another* (+ singulier) = "un(e) autre".**

*Have **another** piece of cake.*
Prends un autre morceau de gâteau.

*Give me **another.***
Donne-m'en un autre.

Notez bien qu'***another*** s'écrit toujours en un seul mot.
~~*An another*~~ n'existe pas.

2 *Another* peut aussi être suivi d'un nom pluriel précedé de *few* ou d'un nombre.

***Another* (+ pluriel) = "encore" (quantité) ou "de plus".**

*I'm staying for **another three weeks**.*
Je reste encore trois semaines.

*We need **another few chairs**.*
Nous avons besoin de quelques chaises de plus.

3 Ne confondez pas *another* avec *the other(s)* (= "l'autre" / "les autres") et *other(s)* (= "d'autres"). Pour la différence entre *other* et *others*, voir 277.

Exercice

Traduisez en anglais :
1. un autre morceau de pain 2. Est-ce que je peux en avoir un autre? (Ne pas traduire "en".) 3. J'ai besoin de quelques minutes de plus. 4. C'était dans un autre pays. 5. Est-ce que tu peux rester encore deux jours? 6. Pouvez-vous me donner un autre verre, s'il vous plaît?

▶ Pour *one another*, voir 114.

34 Any *(n'importe quel)*

Any peut correspondre à "n'importe quel", ou à "tout" utilisé en ce sens.

***Any* = "n'importe quel".**

***Any** day will suit me.*
N'importe quel jour me conviendra.

*He may arrive at **any** moment.*
Il peut arriver à tout moment.

***Anything* = "n'importe quoi",**
***anybody* = "n'importe qui",**
***anywhere* = "n'importe où".**

*"What would you like to drink?" **"Anything."***
"Qu'est-ce que vous voulez boire?" "N'importe quoi."
*"Where shall we sit?" **"Anywhere."***
Où est-ce qu'on se met?" "N'importe où."

Exercice

Mettez any *ou l'un de ses composés :*
1. "When would you like to come?" "Oh, ... time." 2. "Where would you like to live?" "..., but not here." 3. She doesn't go out with ..., she's snobbish. 4. Our dog will eat ...

▶ Pour *any* = "du/de la/des/de", et la différence avec *some*, voir 365.
Pour *not any* et *no*, voir 260.
Pour les traductions de "tout", voir 388.

35 **Any** et **no : adverbes**

1 *Any* et *no* peuvent se placer devant un comparatif, *any* pour l'atténuer et *no* pour renforcer la négation.

*Can you go **any faster**?*
Tu peux aller un peu plus vite?
*The weather's **no better** than yesterday.*
Le temps n'est vraiment pas meilleur qu'hier.

2 On peut aussi employer *any* et *no* avec *different.*

*You don't look **any different.***
Tu n'as vraiment pas changé.
*She's **no different** from the rest.*
Elle n'est absolument pas différente des autres.

3 Notez les expressions *any/no good* et *any/no use* (+ *-ing*).

*Was the film **any good**?*
Il était bien, ce film?
*It's **no use** crying.*
Ça ne sert à rien de pleurer.

▶ Pour les autres emplois de *any*, *not any* et *no*, voir 365 et 260.
Pour *much*, *far*, *a lot* et *even* + comparatif, voir 84.

Exercice

Mettez any *ou* no :
1. You don't look ... older than before. 2. Do you think the weather's going to get ... better? 3. This school isn't ... different from the last one. 4. You must be home ... later than 10 o'clock. 5. I'm afraid the film was ... good. 6. Is it ... use asking Mary to help?

36 Apprendre

1 "Apprendre" (ce que fait un élève) = ***to learn***.

*Did you **learn** German at school?*
Est-ce que vous avez appris l'allemand à l'école?

2 "Apprendre" = "enseigner" (ce que fait un professeur) = ***to teach***.

*I'll **teach** you tennis.*
Je t'apprendrai le tennis.

Exercice

Traduisez en anglais :
1. Je vais apprendre le piano. 2. Qui t'a appris (prétérit) à jouer au rugby? 3. Apprends-moi une chanson. (= a song) 4. Je t'apprendrai à conduire.

3 "Apprendre" = "communiquer une information" = ***to tell***.

*Ted **told** me that his father was dead; I didn't know.*
Ted m'a appris que son père était mort, je ne le savais pas.

4 "Apprendre" = "recevoir une information " = ***to hear (about)***.

*I've **heard** that Jim is back.*
J'ai appris que Jim est de retour.
*I had just **heard about** her cousin's marriage.*
Je venais d'apprendre le mariage de son cousin.

▶ Pour *hear about*, voir aussi 174.

Exercice

Traduisez en anglais :
1. Je viens d'apprendre qu'ils se marient (= are getting married). 2. J'ai une bonne nouvelle (= some good news) à t'apprendre. 3. Je viens d'apprendre la naissance (= birth) de votre fils.

37 Après

1 En français, on emploie souvent "après" comme adverbe. En général, *after* ne s'emploie pas de cette manière. On peut alors utiliser *afterwards* ou *after that.* Comparez :

*What shall we do **after** dinner?*
Qu'est-ce qu'on fait après dîner? (préposition)
*What shall we do **afterwards / after that**?* (et non ~~*What shall we do after?*~~)
Qu'est-ce qu'on fait après? (adverbe)

"Et après ..." se traduit souvent par *and then* ... (et non... ~~*and after*~~).

*I did the washing up, **and then** I went to bed.*
J'ai fait la vaisselle, et après j'ai été me coucher.

2 *After* s'emploie toutefois comme adverbe dans des expressions où il est précédé d'un nom ou d'un autre adverbe.

a few days after/later
quelques jours après

shortly after
peu de temps après

long after
longtemps après

Exercice

Mettez after, afterwards / after that *ou* then :
1. We saw a film and went out for a drink ... 2. They lived in Edinburgh ... their marriage. 3. the day ... tomorrow 4. I have to work now, but I'll be free ... for a few hours. 5. I wrote some letters, and ... I had a bath. 6. Years ..., I understood what had really happened.

▶ Pour *after* + *-ing*, voir 202 et 204.

38 Arriver

1 "Arriver à" (dans un lieu) = ***to arrive (at/in), to get (to).***

*We **arrived at** the station just before six.* (et non ~~*We arrived to*~~ ...)
Nous sommes arrivés à la gare juste avant six heures.
*The train **arrives in** Paris tomorrow morning.*
Le train arrive à Paris demain matin.
*I'll **get to** the ice rink before you.*
J'arriverai à la patinoire avant toi.

▶ Pour la différence entre *at* et *in* (+ lieu), voir 52.

2 "Arriver" (se passer, se produire) = ***to happen*** (voir 166).

*It **happened** during the night.*
C'est arrivé pendant la nuit.

3 "Arriver à" (réussir à faire quelque chose) = ***to manage (to do something)***.

*I can't **manage to** lift it.*
Je n'arrive pas à le soulever.

*I'll never **manage!***
Je n'y arriverai jamais!

4 "Arriver" (venir) = ***to come***.

*"Hurry up!" **"I'm coming!"***
"Dépêche-toi!" "J'arrive!"

*Look, the bus **is coming**.*
Regarde, le bus arrive.

5 "Qu'est-ce qui t'arrive?" = ***What's the matter with you?***

6 "(Est-ce que) ça t'arrive de ...?" = ***Do you ever ...?*** (voir 130).

***Do you ever** think about your own death?*
Est-ce que ça t'arrive de penser à ta propre mort?

Exercice

Traduisez en anglais :
1. Elle est arrivée à cinq heures. 2. A quelle heure êtes-vous arrivé à l'hôtel? (What time ...?) 3. On (= We) arrivera à Los Angeles demain soir. 4. Je n'arrive pas à les comprendre. 5. Sais-tu ce qui est arrivé hier? 6. "Où est Madeleine?" "Elle arrive." 7. Ça t'arrive d'oublier ton numéro de téléphone? 8. Qu'est-ce qui leur arrive?

39 Articles (1) : a/an (cas général)

1 On emploie généralement *a* devant une consonne et *an* devant une voyelle.

***a** school* — ***an** animal*

Le choix entre *a* et *an* dépend, en fait, de la prononciation et non de l'orthographe. Comparez :

***a** house* /haʊs/	***an** (h)our* /aʊə/
***a** university* /juːnɪˈvɜːsəti:/	***an** umbrella* /ʌmˈbrelə/
***a** one-hour lesson* /wʌn/	***an** ocean* /ˈəʊʃən/

Notez qu'il y a très peu de mots dans lesquels le h n'est pas prononcé : les plus importants sont *hour*, *honour* et *honest*.

▶ Pour la lecture des signes phonétiques, voir 333.
Pour *another* (écrit en un seul mot), voir 33.

2 Dans l'ensemble, a/an s'emploie comme l'article indéfini "un(e)" en français. (Pour les exceptions, voir 40.)

I've got ***a*** *dog.*
J'ai un chien.

She lives in ***an*** *old house.*
Elle habite dans une vieille maison.

3 *A/an* n'a pas de pluriel.

a *school*	_*schools*	***an*** *animal*	_*animals*
une école	des écoles	un animal	des animaux

On emploie parfois *some* comme équivalent de "des" : pour les détails, voir 365.

Exercices

1. Mettez a *ou* an *:*
1. ... woman 2. ... ice cream 3. ... horse 4. ... uniform /'ju:nifɔ:m/ 5. ... accident 6. ... horrible dream 7. ... one-way street 8. ... MP /em pi:/ (= député)

2. Traduisez en anglais, sans employer some *:*
un hôtel – des hôtels – une orange – des oranges – des garçons – des fleurs – un autre jour – une chose impossible

40 Articles (2) : a/an (cas particuliers)

1 **Les professions, etc.**
Lorsqu'on définit la profession, le rôle ou le statut de quelqu'un, il faut employer *a/an*.

My father's ***a*** *mechanic.*
Mon père est mécanicien.

She's ***an*** *invalid.*
Elle est invalide.

2 **Les prépositions.**
On n'omet pas *a/an* après les prépositions.

without an *umbrella* (et non ~~*without umbrella*~~)
sans parapluie

I used my shoe ***as a*** *hammer.*
J'ai utilisé ma chaussure comme marteau.

3 ***What* et *such*.**

Après *what* et *such,* on emploie *a/an* devant les dénombrables singuliers.

What a nice dress! — Quelle jolie robe!

It's such a pity. — C'est tellement dommage!

4 ***Twice a day*, etc.**

Notez l'emploi de *a/an* dans les expressions de fréquence, vitesse, etc. (français "par", "à").

twice a day — deux fois par jour

50 miles an hour — 80 kilomètres à l'heure

£100 a week — £100 par semaine

5 **Expressions.**

Notez l'emploi de *a/an* dans :

to have a headache — avoir mal à la tête

to have a sore throat — avoir mal à la gorge

to have a sense of humour — avoir le sens de l'humour

to have a clear conscience — avoir la conscience tranquille

Exercice

Traduisez en anglais :

1. Mon frère est dentiste. 2. Ne sors pas sans manteau. 3. Quelle belle journée! 4. C'est un tel problème (= problem)! 5. Elle m'écrit trois fois par semaine. 6. Il a le sens de l'humour.

---

6 ***Quite* et *rather*.**

Le plus souvent, on met *a/an* après *quite* (= "assez", voir 342) et *rather* (= "plutôt", voir 343).

*It's **quite an** original idea.* — C'est une idée assez originale.

*She's **rather a** nice girl.* — C'est une fille plutôt sympa.

7 ***As, so, too* et *how*.**

En anglais littéraire, l'article se place après l'adjectif dans les structures avec *as, so, too* et *how.*

***as large a** room as possible* — une pièce aussi grande que possible

***so beautiful a** day* — une si belle journée

***too hard a** task* — une tâche trop difficile

***How wonderful a** sensation!* — Quelle merveilleuse sensation!

Dans un style plus familier, on dirait plutôt *a room that's as large as possible, such a beautiful day, a task that's too hard, such a wonderful sensation.*

▶ Pour *half a/an,* voir 165. Pour *a/an* et *one,* voir 270.

41 Articles (3) : the (cas général)

1 *The* se prononce généralement /ðə/ devant une consonne et /ðiː/ devant une voyelle.

the /ðə/ ***school***
the /ðiː/ ***animal***

Le choix entre /ðə/ et /ðiː/ dépend, en fait, de la prononciation et non de l'orthographe. Comparez :

the house /ðə haʊs/	*the (h)our* /ðiː aʊə/
the university /ðə juːnɪˈvɜːsətiː/	*the umbrella* /ðiː ʌmˈbrelə/
the one-hour lesson /ðə wʌn/	*the ocean* /ðiː ˈəʊʃən/

Notez qu'il y a très peu de mots dans lesquels le *h* n'est pas prononcé : les plus importants sont *hour*, *honour* et *honest*.

▶ Pour la lecture des signes phonétiques, voir 333.

2 *The* a le même sens que l'article défini "le/la/les" en français, et souvent le même emploi.

the *sun* — le soleil
the *sea* — la mer

The *guests are here.*
Les invités sont là.

Mais "le/la/les" ne se traduisent pas toujours par *the* (voir 42 et 43).

Exercice

Traduisez en anglais et lisez à haute voix :
l'orange – le chat – la lune – l'université – le président américain – la main – la fin

42 Articles (4) : the (les généralisations)

1 En règle générale, on n'emploie pas *the* dans les généralisations, **même si le nom est précédé d'un adjectif**.

I like ***nature*** (et non ... ~~*the nature*~~)
J'aime la nature.

I don't like ***towns***. (et non ...~~*the towns*~~)
Je n'aime pas les villes.

Indian tea *is the best in the world.* (et non ~~*The Indian tea*~~ ...)
Le thé indien est le meilleur du monde.

Dans les exemples précédents, il s'agit de la nature, des villes et du thé indien "en général".

Autres exemples :

***Life** is hard.*	***Meat** is expensive.*	***society***	***space***
La vie est dure.	La viande est chère.	la société	l'espace

2 Lorsqu'il ne s'agit pas d'une généralisation, on emploie l'article défini comme en français. Comparez :

*I like **music.***
J'aime la musique (en général)

***People** are strange.*
Les gens sont bizarres.

***Children** are tiring.*
(Tous) les enfants sont fatigants.

*I didn't like **the music** in the film.*
Je n'ai pas aimé la musique du film.

***The people** that he knows are strange.*
Les gens qu'il connaît sont bizarres.

***The children** were tiring today.*
Les enfants ont été fatigants aujourd'hui.

3 On emploie parfois *the* pour généraliser avec les dénombrables singuliers.

*Who invented **the telephone**?*
Qui a inventé le téléphone?

*I prefer **the cinema** to **the theatre.***
Je préfère le cinéma au théâtre.

***The whale** is a protected species.*
Les baleines sont une espèce protégée.

*I love **the sea.***
J'adore la mer.

Notez que l'on dit *listen to **the** radio, on **the** radio*, mais *watch television/TV, on television/TV* (et non ...~~*the television/TV*~~).

Exercice

Mettez the *ou* Ø *:*

1. These days, ... hotels are very expensive. 2. ... British hotels are even more expensive than ... French ones. 3. ... people are more interesting than ... books. 4. Did you like ... books that I gave you? 5. The origin of ... life is a mystery. 6. I'm studying ... life of Beethoven. 7. ... milk contains a lot of protein. 8. Did you remember to put ... milk in ... fridge? 9. Not everybody appreciates ... modern art. 10. I don't go to ... cinema much; I prefer to watch ... television.

43 Articles (5) : the (cas particuliers)

1 Titre + nom propre : sans *the.*

King John (et non ~~*the King John*~~)
le roi Jean

President Lincoln
le président Lincoln

2 Les principaux bâtiments d'une ville : sans *the.*

Oxford University (et non ~~*the Oxford University*~~)
l'université d'Oxford

Leeds Town Hall
l'hôtel de ville de Leeds

Birmingham Airport
l'aéroport de Birmingham

3 Les noms propres à la forme possessive : sans *the.*

John's *coat* (et non *the* ~~*John's coat*~~)
le manteau de John

Julie's *brother*
le frère de Julie

4 Les repas : souvent sans *the.*

What time will you have ***breakfast****?* (et non ... *have the* ~~*breakfast*~~)
Vous prendrez le petit déjeuner à quelle heure ?

Dinner*'s ready!*
A table ! (= Le dîner est servi.)

5 Les jeux et les sports : normalement sans *the.*

Arthur's playing ***tennis*** *just now.* (et non ... *playing* ~~*the tennis*~~...)
Arthur joue au tennis en ce moment.

6 Les instruments de musique : parfois sans *the*, surtout quand il s'agit de jouer d'un instrument.

He learnt ***(the) guitar*** *from his father.*
Il a appris la guitare avec son père.

That was Miles Davis on ***trumpet****.*
C'était Miles Davis à la trompette.

Exercice

Traduisez en anglais :
1. la reine – la reine Elizabeth 2. la gare de Folkestone 3. la maison de Mary 4. Voulez-vous déjeuner avec moi ? 5. Je n'aime pas le football. 6. Le président Smith prendra le thé à l'hôtel de ville de Portsmouth.

---

7 Les noms de langues : sans *the.*

French *is threatened.*
Le français est menacé.

8 **Les noms de pays :** normalement sans *the*.

France
la France

Japan
le Japon

Exceptions : les noms de pays qui contiennent un nom commun, et les noms pluriels.

***the** United **States** (of America) / **the** USA*
les Etats-Unis

***the** Philippines*
les Philippines

the** United **Kingdom
le Royaume-Uni

***the** Netherlands*
les Pays-Bas

9 **Les autres noms géographiques :** c'est normalement comme en français. Notez toutefois :

***Mount** Everest, **Mont** Blanc ...*
l'Everest, le Mont Blanc ...

***Lake** Michigan, **Lake** Geneva ...*
le lac Michigan, le lac de Genève ...

10 **"Le lundi", "le mardi", etc.** se traduisent sans *the* (mais avec une préposition).

*I always go to the country **on Saturday(s)**.*
Je vais toujours à la campagne le samedi.

11 **Expressions fixes fréquentes** sans *the* :

at/to/from school
in/to/out of prison
in/to/out of bed
at/from home
in/to hospital
to go to sleep (= s'endormir)

at/to university
at/to/from work
at night
by car/train, etc.
on television
on holiday (= en vacances)

12 **"Il a les yeux bleus", etc.** Ces expressions peuvent se traduire de deux façons différentes, mais toujours sans *the*.

*He's got **blue eyes**.*
His eyes are blue.
Il a les yeux bleus.

*She's got **pink cheeks**.*
Her cheeks are pink.
Elle a les joues roses.

13 ***The ... of a ...*** Notez :

***the** mother **of a** family*
une mère de famille

***the** sound **of a** gun*
un bruit de fusil

***the** wheel **of a** bicycle*
une roue de bicyclette

Exercice

Traduisez en anglais :
1. Je sors souvent le samedi. 2. L'anglais est une très belle langue. 3. Il habite aux Etats-Unis. 4. Nous sommes en vacances cette semaine. 5. Elle a les cheveux blonds. 6. Mon grand-père est à l'hôpital.

▶ Pour l'omission de *the* après *all* et *both*, voir 20 et 67.
Pour *mine*, *yours* (= "le mien", etc.), voir 298.
Pour *next* et *the next*, voir 250. Pour *last* et *the last*, voir 217.

44 As ... as

1 *As ... as* = "aussi ... que".

Cette structure s'emploie avec un adjectif seul (= sans nom) ou avec un adverbe.

She's ***as tall as*** *me now.*
Elle est aussi grande que moi maintenant.
My motorbike goes ***as fast as*** *yours.*
Ma moto roule aussi vite que la tienne.

2 *Not as/so... as* = "pas aussi ... que", "moins ... que".

It's ***not so/as cold as*** *yesterday.*
Il fait moins froid qu'hier.
I ***don't*** *walk* ***as fast as*** *you.*
Je ne marche pas aussi vite que toi.

3 **"Deux fois plus ... que", "trois fois plus ... que", etc. = *twice as ... as, three times as ... as, etc.***

He's ***twice as strong as*** *me.*
Il est deux fois plus fort que moi.

4 Dans un style familier, on emploie un pronom personnel complément (*me, him,* etc.) après *as* (voir 320.5). Dans un style plus soigné, on emploie un pronom sujet (*I, he,* etc.) + *be, have, do.*

She's as tall as ***me***. (style familier)
She's as tall as ***I am***. (style soigné)

5 Notez la tournure *as ... as possible* (= "le plus ... possible").

Please do it ***as quickly as possible.***
Faites-le le plus vite possible, s'il vous plaît.

Exercice

Traduisez en anglais :
1. Elle est aussi intelligente que sa sœur. 2. Je suis moins fatigué qu'hier. 3. Nous sommes venus le plus vite possible. (prétérit) 4. Il fait deux fois plus froid que ce matin. 5. Je ne travaille pas aussi bien que toi. 6. Je sors moins souvent qu'autrefois (= I used to).

▶ Pour *as much/many as,* voir 49. Pour *as long as,* voir 48.
Pour *as well as*, voir 25.2.

45 **As** *et* **like**

1 *As* et *like* peuvent tous deux correspondre à "comme" mais ne s'emploient pas de la même manière. En principe on utilise :

as + sujet + verbe	as + préposition

He's a doctor, ***as his father and grandfather were*** *before him.*
Il est médecin, comme son père et son grand-père l'étaient avant lui.

as you like
comme vous voulez

as she said
comme elle a dit

It happened ***as in*** *a dream.*
Ça s'est passé comme dans un rêve.

like + nom ou pronom personnel complément

My sister isn't ***like me****, she's more* ***like my mother****.*
Ma sœur n'est pas comme moi, elle est plutôt comme ma mère.

2 *As* peut aussi s'employer devant un nom. C'est alors une préposition qui correspond à "comme" au sens de "en tant que".

He worked ***as a bus driver****.*
Il a travaillé comme conducteur d'autobus.

I used my shoe ***as a hammer****.*
J'ai utilisé ma chaussure comme marteau.

Exercice

Mettez as *ou* like *:*
1. There aren't many people ... you. 2. I like to eat pork with apple sauce, ... they do in England. 3. You look ... your father. 4. I can resist anything except temptation, ... Oscar Wilde said. 5. I'd like to cross Africa in a balloon, ... they did in Jules Verne's story. 6. My friend Frank is ... a brother to me. 7. I love the sea, in summer ... in winter. 8. I'm going to work ... a tourist guide during the summer.

Remarque : en anglais parlé (surtout en américain), on emploie souvent *like* au lieu de *as* devant un verbe.

Nobody loves you ***like I do.***
Personne ne t'aime comme moi.

46 **As** et **since**

As (= "comme") et *since* (= "puisque") peuvent exprimer la cause. *Since* est assez formel.

As *she was not ready, I went out without her.*
Comme elle n'était pas prête, je suis sortie sans elle.

Since *you never reply to my letters, I'll stop writing to you.*
Puisque tu ne réponds jamais à mes lettres, je ne t'écrirai plus.

▶ Pour *since* = "depuis (que)", voir 100 et 358.
Pour *as* (sens temporel), voir 120.

47 **As if** et **as though**

As if et *as though* ont le même sens. Ils s'emploient souvent après *look*, *seem* et *feel* pour exprimer une impression. L'équivalent français est alors "avoir l'air", "avoir l'impression" ou "on dirait que". Attention à la concordance des temps.

She ***looks/seems as if*** *she's enjoying herself.*
Elle a l'air de bien s'amuser.

I ***felt as though*** *I was falling.*
J'avais l'impression de tomber.

It ***looks as if*** *it's going to rain.*
On dirait qu'il va pleuvoir.

Exercice

Traduisez en anglais :
1. Il a l'air d'avoir faim. (Utilisez 'look'.) 2. J'ai l'impression de rêver. (Utilisez 'feel'.) 3. On dirait qu'elle ne comprend pas. 4. Il avait l'air de réfléchir. 5. On dirait que vous avez froid. 6. J'avais l'impression d'être seul au monde.

Remarque : dans un style familier (et surtout en américain), *like* s'emploie souvent au lieu de *as if/though*.

I feel ***like*** *I've got a cold.*
Je crois bien que j'ai attrapé un rhume.

48 **As long as** (et **provided that**)

1 *As long as* = "du moment que", "à condition que/de".

I'll lend you my motorbike ***as long as*** *you buy some petrol.*
Je te prête ma moto à condition que tu achètes de l'essence.

So long as et *provided (that)*, un peu plus formel, expriment la même idée.

*I'll be here at six **so long as** the train's not late.*
Je serai là à six heures à condition que le train ne soit pas en retard.

*The economy will improve, **provided that** we can control inflation.*
La situation économique s'améliorera, pourvu que nous puissions maîtriser l'inflation.

2 ***As long as*** **= "tant que".** Attention à la concordance des temps.

*I'll stay here **as long as** you need me.* (présent – voir 156.1)
Je resterai là tant que vous aurez besoin de moi.

Notez qu'une proposition négative avec "tant que" se traduit par une proposition affirmative avec *until*.

*We can't start **until she's agreed.*** (present perfect – voir 156.2)
Nous ne pouvons (pourrons) pas commencer tant qu'elle n'a pas (n'aura pas) donné son accord.

Exercice

Traduisez en anglais :
1. Je resterai à la campagne tant qu'il fera beau. 2. Nous viendrons ce soir à condition que tu invites Maria. 3. Tu peux manger avec nous à condition de nous aider. 4. Du moment que j'ai des amis, je suis heureux. 5. Tant que tu n'auras pas téléphoné, il ne saura rien. 6. Vous pouvez y aller pourvu que vous soyez de retour (= back) à 9 heures.

---

49 As much/many ... as

1 *As much/many ... as* = "autant de ... que".
Not as/so much/many ... as = "pas autant de ... que".

Much s'emploie devant un singulier et *many* devant un pluriel (voir 243).

*There's **as much traffic** in London **as** in Paris.*
Il y a autant de circulation à Londres qu'à Paris.

*There are**n't so many parks** in Paris **as** in London.*
Il n'y a pas autant de parcs à Paris qu'à Londres.

On peut employer ces tournures sans nom, ou avec un nom sous-entendu.

*I don't work **as much as** I should.*
Je ne travaille pas autant qu'il le faudrait.

*"Look at my posters." "I haven't got **as many as** you."*
"Regarde mes posters." "Je n'en ai pas autant que toi."

2 ***Twice as much/many ... as*, etc. = "deux fois plus ... que", etc.**

There's ***three times as much*** *traffic today as yesterday.*
Il y a trois fois plus de circulation aujourd'hui qu'hier.

3 Notez la tournure *as much/many ... as possible* (= "le plus possible de ...").

We need ***as much space as possible*** *for the exhibition.*
Il nous faut le plus possible de place pour l'exposition.
Please send us ***as many copies as possible****.*
Veuillez nous envoyer le plus possible d'exemplaires.

Exercice

Traduisez en anglais :
1. Je n'ai pas autant de temps libre que l'année dernière. 2. Il y a autant de restaurants chinois (= Chinese) à Londres qu'à Paris. 3. Vous pouvez manger autant que vous voulez pour £5. 4. "Est-ce que tu as beaucoup de disques ?" "Pas autant que toi." 5. Il n'y a pas autant d'essence (= petrol) que je croyais. 6. J'ai deux fois plus d'amis que ma sœur. 7. Il me faut le plus possible d'argent. 8. J'ai invité le plus possible de gens.

50 Ask

1 "Demander une chose ou un service" = *to ask for something.*
"Demander un renseignement" = *to ask something.*

I asked ***for*** *a glass of water.*
J'ai demandé un verre d'eau.

I ***asked the*** *time.*
J'ai demandé l'heure.

2 On ne met pas *to* devant l'objet indirect (= la personne à laquelle on pose la question).

I ***asked Mary*** *the time.* (et non ~~*I asked the time to Mary*~~.)
J'ai demandé l'heure à Mary.

Exercices

1. *Mettez* for *où c'est nécessaire :*
1. I asked ... his name. 2. He asked me ... money. 3. I'll ask ... an appointment (= rendez-vous) with Mr Brown. 4. She asked me ... a glass of wine. 5. We asked ... the way (= le chemin) to the church.

2. *Traduisez en anglais :*
1. Demande à Paul. 2. Je demanderai à Mary de venir. 3. Peux-tu demander à Dan son numéro de téléphone ? 4. J'ai demandé l'heure à mon voisin. 5. Demande le chemin à un agent de police. 6. Il demanda de l'aide à mon père.

51 **Asleep, sleeping** et **sleepy**

1 *Asleep* = "endormi"; on emploie souvent *to be asleep* ("dormir") et *to fall asleep* ("s'endormir").

*She'**s asleep**.* (plutôt que *She's sleeping.*)
Elle dort.

*I **fell asleep** at once.*
Je me suis endormi tout de suite.

Asleep ne peut pas être utilisé devant un nom.

*a **sleeping** baby* (et non ~~*an asleep baby*~~)
un bébé endormi

2 Ne confondez pas *asleep* et *sleepy*.

*She's **sleepy**.*
Elle a sommeil.

Exercice

Traduisez en anglais :
1. J'ai sommeil. 2. Est-ce que tu dors? 3. Je me suis endormi à trois heures. 4. La femme était endormie. 5. une femme endormie

---

52 **At, in, on (lieu)**

1 En règle générale, quand on parle du **lieu** où se trouve quelqu'un ou quelque chose, *at* = "à", *in* = "dans" et *on* = "sur".

***at** school*	***in** the house*	***on** the table*
à l'école	dans la maison	sur la table

2 Dans les adresses, on emploie *at* devant le numéro d'une maison. (Il peut n'y avoir aucune préposition en français.)

*She lives **at** number 73.*
Elle habite au 73.

*I live **at** 15, Anderson Gardens.*
J'habite 15, Anderson Gardens.

Mais on dit *in* devant le nom d'une rue ou d'une ville.

*My doctor lives **in** Nelson Street.*
Mon médecin habite Nelson Street.

*Shakespeare lived **in** Stratford.*
Shakespeare habitait à Stratford.

3 La préposition "à" ne se traduit pas lorsqu'on indique une distance.

I live three miles from here.
J'habite à cinq kilomètres d'ici.

Two hundred yards from my house there's a chemist's.
A deux cents mètres de chez moi, il y a une pharmacie.

4 On emploie *on* pour parler des trains, des autobus et des avions.

*He's arriving **on** the 3.15 train.*
Il arrive par le train de 3h15.

*There's no room **on** the bus, so let's get off again.*
Il n'y a pas de place dans l'autobus, alors redescendons.

Notez l'emploi de *off* (contraire de *on*) dans le dernier exemple.

▶ Pour *by bus,* etc., voir 305.

5 *On* s'emploie aussi pour désigner l'étage dans une maison.

*I live **on** the 5th floor.*
J'habite au 5e étage.

6 Notez que l'on dit :

- ***at** home/school/work/university/college* (voir 139),
- ***in** bed* (= "au lit"), ***in** hospital* (= "à l'hôpital") et ***in** prison* (= "en prison"),
- ***in** the picture/cartoon/photo* (= "sur l'image", etc.),
- ***in** heaven* (= "au ciel/au paradis"), ***in** the rain* (= "sous la pluie"),
- ***in** a hat/glasses* (= "avec/portant un chapeau/des lunettes"),
- ***on** page 30* (= "page 30"), mais ***in** line 13* (= "à la ligne 13").

7 Quand il y a un **changement de lieu**, l'emploi des prépositions est tout à fait différent. Comparez :

*He's **at** school.*	*He's gone **to** school.*
Il est à l'école.	Il est parti à l'école.

▶ Pour les détails, voir 54.

Exercice

Mettez at, in, on *ou* Ø *:*
1. I live ... 62, High Street. 2. It's ... half a mile from here. 3. I've got a flat ... the second floor. 4. We're leaving for New York ... the first plane tomorrow. 5. I was ... university from 1985 to 1988. 6. My sister lives ... George Street. 7. There's a word that I don't understand ... page 25. 8. It's ... line 13. 9. I like walking ... the rain. 10. She's arriving ... the next train.

53 At, in, on (temps)

1 *At* s'emploie pour indiquer à quelle heure une action se produit.

I'll be there ***at*** *six o'clock.*
Je serai là à six heures.

She arrives ***at*** *7.15.*
Elle arrive à 7h15.

Mais on dit normalement *What time ...?* sans préposition.

What time *will you be ready?*
A quelle heure seras-tu prêt?

2 On dit *at Christmas* (= "à Noël"), *at Easter* (= "à Pâques"), etc.; *at weekends, at the weekend.*

What are you doing ***at Christmas****?*
Qu'est-ce que tu fais à Noël?

I often go skiing ***at weekends****.*
Je fais souvent du ski le week-end.

3 Pour traduire "le matin", "l'après-midi", etc. (compléments de temps), on dit *in the morning/afternoon/evening* mais *at night.*

I usually stay at home ***in the evening****.*
Je reste généralement chez moi le soir.

I love walking ***at night****.*
J'adore marcher la nuit.

4 On emploie *in* avec les mois, les années et les siècles.

in July	***in 1945***	***in the 19th century***
en juillet	en 1945	au 19e siècle

5 *On* s'emploie devant les noms de jour et les dates précises.

She arrived ***on Monday****.*
Elle est arrivée lundi.

See you ***on Tuesday evening****.*
A mardi soir.

I do yoga ***on Fridays****.* (pluriel)
Je fais du yoga le vendredi.

He died ***on April 7th****.*
Il est mort le 7 avril.

Rappel

le matin : *in the morning*
(le) lundi : *on Monday(s)*
le lundi matin : *on Monday mornings*
la nuit : *at night*
le week-end : *at the weekend/ at weekends*

en avril : *in April*
le 7 avril : *on April 7th*
en 1945 : *in 1945*
le 7 avril 1945 : *on April 7th, 1945*

Exercice

Mettez at, in, on *ou* Ø :

1. I'll be free ... four o'clock. 2. I don't like getting up ... the morning. 3. What are you doing ... Saturday evening? 4. We're going to Portugal ... Easter. 5. I was born ... August. 6. I'm always busy ... weekends. 7. Our neighbours make a lot of noise ... night. 8. My birthday is ... March 21st. 9. ... what time will you be ready? 10. Shakespeare was born ... the 16th century.

54 *At, in* et *to*

1 On emploie ***at*** ou ***in*** quand il n'y a **pas de changement de lieu** (par exemple après *be*, *stay*).

*He's **at** school.*	*Lucy **is at** Dan's.*	*I want to **stay in** bed.*
Il est à l'école.	Lucy est chez Dan.	Je veux rester au lit.

► Pour le choix entre *at* et *in*, voir 52.

2 En règle générale, on emploie ***to*** lorsqu'il y a un **changement de lieu** (par exemple après *go*, *come*, *bring*, *take*).

*Aren't you **going to** school?* (et non ... ~~*going at school?*~~)
Tu ne vas pas à l'école?

***Come to** the cinema with us*
Viens au cinéma avec nous.

*Lucy **went to** Dan's yesterday.*
Lucy est allée chez Dan hier.

***Take** me **to** your room.*
Emmène-moi dans ta chambre.

Exception : on ne met pas *to* devant *home*. Comparez :

*He's **at home**.*	*He **came back home** at five.*
Il est chez lui.	Il est rentré chez lui à 5 heures.

3 Mais on emploie *at* ou *in* après *arrive* (voir 38.1).

*We arrived **at** Edinburgh at 7.30.* (et non ~~*We arrived to Edinburgh*~~ ...)
Nous sommes arrivés à Edimbourg à 7h30.

At s'emploie aussi après *shoot.*

*I don't like shooting **at** animals.*
Je n'aime pas tirer sur les animaux.

Il s'emploie après *throw* s'il y a une intention hostile. Comparez :

*He threw the ball **at** my face.*	*He threw the ball **to** his partner.*
Il m'a lancé la balle à la figure.	Il a lancé la balle à son partenaire.

4 Si on indique le but d'un déplacement avant sa destination, on emploie *at/in* devant celle-ci. Comparez :

Let's go and have coffee ***at*** *Jean's.* (et non ... ~~*have coffee to Jean's.*~~)
Let's go ***to*** *Jean's and have coffee.*
Allons prendre un café chez Jean.

I went to see my father ***in*** *India.*
I went ***to*** *India to see my father.*
Je suis allé en Inde voir mon père.

Exercice

Mettez at, in, to *ou* Ø *:*
1. I spent the evening ... Peter's. 2. Why don't you come ... our house next weekend? 3. Can you bring some discs ... the party? 4. It's time to go ... home. 5. She's been ... hospital for two weeks. 6. I usually drive ... work in the morning. 7. Stop throwing stones (= des cailloux) ... your sister. 8. What time do we arrive ... the airport? 9. I'm going ... Heidelberg to study German. 10. I'm going to study German ... Heidelberg.

► Pour *in* et *into*, voir 191. Pour la traduction de "chez", voir 79.

55 *At first* et *first*

Ne confondez pas *at first* et *first*.

1 ***At first*** = **"au début"**, **"au premier abord"**, parfois **"d'abord"**. On l'emploie (souvent avec ... *but*) pour marquer un contraste avec ce qui se passe plus tard.

At first *they were happy,* ***but*** *then things went wrong.*
Au début ils étaient heureux, mais après, les choses ont mal tourné.

The work was hard ***at first, but*** *I got used to it.*
Le travail était dur au début, mais je m'y suis habitué.

At first *I thought it was a burglar,* ***but*** *it was my husband.*
J'ai d'abord cru que c'était un cambrioleur, mais c'était mon mari.

2 ***First*** = **"d'abord"**, **"en premier"**, **"pour la première fois"**.

First *we'll do the shopping,* ***then*** *we'll write postcards, and after that we'll go swimming.* (et non ~~*At first we'll do the shopping*~~ ...)
D'abord on fera les courses, puis on écrira des cartes postales, et ensuite on ira se baigner.

It's mine – I saw it ***first****!* (et non ... ~~*al saw it at first!*~~)
C'est à moi : c'est moi qui l'ai vu d'abord ! (= en premier)

I ***first*** *met her at a party.*
Je l'ai rencontrée pour la première fois à une soirée.

Exercice

Mettez at first *ou* first *:*
1. ... I thought she was his sister, but then I realised she was his wife. 2. I will always remember the day when I ... saw you. 3. ... I want to talk about our plans; then we'll discuss the cost. 4. I didn't like him ..., but later we became good friends. 5. I wonder who will arrive ... 6. ... I thought English was hard, but now it's OK.

56 Aussi

1 "Aussi ... que" = ***as ... as.***
"Pas aussi ... que" = ***not so/as ... as*** (voir 44).

*He's nearly **as** big **as** me.*
Il est presque aussi grand que moi.
*She's **not so/as** pretty **as** her sister.*
Elle n'est pas aussi jolie que sa sœur.

2 "Aussi" au sens de "si", "tellement" = ***so*** *ou* ***such*** (voir 362).

*I didn't know he was **so** stupid.*
Je ne savais pas qu'il était aussi bête.
*I've never seen **such** a wonderful landscape.*
Je n'ai jamais vu un aussi beau paysage.

3 "Aussi" au sens de "par conséquent" = ***so, as a result*** (voir 240).

*We did not have a lamp, **so** we had to go back.*
Nous n'avions pas de lampe, aussi nous avons dû rebrousser chemin.

4 "Aussi" au sens de "également" = ***also, too*** ou ***as well*** (voir 25).

*She **also** plays the guitar.*
Elle joue aussi de la guitare.
*I know his parents **too / as well**.*
Je connais aussi ses parents.

Exercice

Mettez as, so *ou* also *:*
1. I like jazz. I ... like classical music. 2. I'm sorry you're ... unhappy. 3. London is ... far away ... Amsterdam. 4. The weather was fine, ... she decided to go for a walk. 5. He's very good looking, and he's ... a nice person. 6. I speak German ... badly ... English.

► Pour "moi aussi", "moi non plus", etc. voir 57.

57 *Aussi : moi aussi, moi non plus*

"Moi aussi" et "moi non plus" se traduisent différemment selon le niveau de langue.

1 "Moi aussi".

me too (très familier)
I am too / I do too, etc. (familier)
so am I / so do I, etc. (neutre, voir 378.1)

*"I'm tired," **"Me too."***
"Je suis fatigué." "Moi aussi."

*I hate this music." **"I do too."***
"Je déteste cette musique." "Moi aussi."

*"I've forgotten my watch." **"So have I."***
"J'ai oublié ma montre." "Moi aussi."

2 "Moi non plus".

nor me (très familier)
I'm not either / I don't either, etc. (familier, voir 118)
neither/nor am I / neither/nor do I, etc. (neutre, voir 378.2)

*"I wouldn't like to end up in jail." **"Nor me."***
Je ne voudrais pas finir en prison." "Moi non plus."

*"I can't understand a word." **"I can't either."***
"Je ne comprends pas un mot." "Moi non plus."

*"I haven't been on holiday this year." **"Neither have I."***
"Je ne suis pas parti en vacances cette année." "Moi non plus."

Exercice

Exprimez les réponses en italique d'une façon moins familière (deux possibilités) :
1. "I'm bored." *"Me too."* 2. "I like doing nothing." *" Me too."* 3. "I haven't had breakfast yet." *"Nor me."* 4. "I don't like her attitude." *"Nor me."*

▶ Pour les différentes traductions de "aussi", voir 56.

58 *Avant*

1 En tant que préposition (devant un nom ou pronom), "avant" peut toujours se traduire par ***before***.

***before** Christmas*
avant Noël

I think you were here ***before*** *me.*
Je crois que vous étiez là avant moi.

2 En tant qu'adverbe, "avant" ne se traduit par ***before*** que lorsqu'il s'agit d'un moment du passé non précisé.

Where did you live ***before****?*
Où vivais-tu avant?

I'd never seen him ***before*** *but I knew we would be friends.*
Je ne l'avais jamais vu avant, mais je savais qu'on serait amis.

3 Lorsqu'"avant" signifie "d'abord", on utilise ***first*** ou ***before that***.

I'll cook dinner, but I'll have a bath ***first****.* (et non ...~~have a bath before~~)
Je veux bien faire le dîner, mais je prends un bain avant.

They're going to get married, but ***before that*** *she's got to find a job.*
Ils vont se marier, mais avant, il faut qu'elle trouve un travail.

4 Une phrase française qui commence par "Avant, ..." (= "autrefois", "auparavant") se traduit souvent par une phrase anglaise avec ***used to***.

I ***used to*** *smoke, but now I've stopped.* (et non ~~Before, I smoked~~ ...)
Avant, je fumais, mais maintenant j'ai arrêté.

Exercice

Traduisez les mots en italique :
1. *avant* Pâques 2. J'ai téléphoné *avant,* mais il n'y avait personne. 3. Je veux faire le tour du monde, mais *avant* il faut que je trouve de l'argent. 4. Je pars ce soir. Est-ce qu'on peut se voir *avant*? 5. *Avant, je voyageais beaucoup,* mais je n'en ai plus envie. 6. *Avant, elle était très timide* (= shy), mais elle a beaucoup changé.

b

59 Be : formes

1 *Be* n'a de formes particulières qu'au présent et au prétérit. Aux autres temps, il se conjugue comme un verbe ordinaire (voir 380).

présent	I am, you are, he/she/it is, we are, you are, they are
prétérit	I was, you were, he/she/it was, we were, you were, they were
futur	I will be, etc.
conditionnel	I would be, etc.
present perfect	I have been, etc.
pluperfect	I had been, etc.
futur antérieur	I will have been, etc.
conditionnel passé	I would have been, etc.
participes	being, been
impératif	be, don't be

▶ Pour les contractions, voir 94.

2 Il n'y a jamais *do* dans les questions et les phrases négatives. *Be* précède le sujet dans les questions, il est suivi de *not* dans les phrases négatives.

Are you *happy?* (et non ~~*Do you be*~~*...?*)
Es-tu heureux?

They ***were not*** *with us.*
Ils n'étaient pas avec nous.

Mais *do* s'emploie avec *be* aux impératifs négatif et emphatique.

Don't be *stupid!*
Ne sois pas bête!

Do be *quiet.*
Voulez-vous vous taire!

3 L'interronégation suit la règle générale (voir 341) sauf la forme contractée de la première personne du singulier. On dit *aren't I?* (mais *am I not?* en anglais formel).

I'm lucky, ***aren't I****?* (et non ... ~~*Amn't I?*~~)
J'ai de la chance, hein?

Wasn't *he a cook?*
N'était-il pas cuisinier?

4 *Be* ne s'emploie pas normalement aux formes progressives. (On dit *I'm happy now* et non ~~*I'm being happy now*~~).
Mais on utilise la forme progressive pour parler du comportement actuel de quelqu'un.

*You'**re being** ridiculous!*
Tu te comportes d'une façon ridicule!

*That child'**s being** very good today.*
Cet enfant est très sage aujourd'hui.

Be peut également se mettre à la forme progressive lorsqu'il est employé comme auxiliaire du passif.

*You'**re being** watched.*
On vous regarde.

Exercices

***1**. Traduisez en anglais les mots en italique :*
1. *Nous sommes* en retard. 2. *Il n'est pas* riche. 3. *Est-ce qu'elles sont* libres demain? 4. *N'êtes-vous pas* Bob Wilson? 5. *Nous étions* jeunes. 6. *Je n'ai pas été* surprise. (prétérit) 7. *Tu étais* triste hier. 8. *Est-ce qu'il sera* là? 9. *Je ne serai pas* avec toi. 10. *Je serais* contente si je gagnais.

***2**. Mettez* be *à la forme qui convient :*
1. I'm right, ... I? 2. I ... pleased if you come. 3. She ... pleased if you came. 4. ... you at home last night? 5. He has always ... lazy. 6. I ... never ... to Canada. But I'd like to. 7. What would you have done if you ... there? 8. Don't ... late! 9. I don't like ... looked at. 10. Stop it! You're ... stupid!

▶ Pour *ain't* (= *am/are/is not*), voir 94.2.
Pour *be* et *have,* voir 61.

60 Be + to-infinitif

1 On emploie la structure *be* + *to*-infinitif en anglais formel, pour parler d'actions établies à l'avance (surtout lorsqu'il s'agit d'un programme officiel). Elle existe au présent et au passé.

*The President **is to visit** Canada next month.*
Le Président se rendra en voyage officiel au Canada le mois prochain.

*The Foreign Minister **is to fly** to Moscow for urgent talks.*
Le ministre des Affaires étrangères doit se rendre à Moscou pour des entretiens urgents.

*I felt sad because **I was** soon **to leave** home.*
Je me sentais triste parce que je devais bientôt quitter la maison.

Was/were to ... peut exprimer l'idée de destin, de fatalité.

*He **was to die** at the age of 23.*
Il devait mourir à l'âge de 23 ans.

2 Pour indiquer qu'une action prévue ne s'est pas réalisée, on emploie *was/were to ...* + infinitif passé.

*She **was to have arrived** last week, but she was delayed.*
Elle devait arriver la semaine dernière, mais elle a été retardée.

3 L'expression *you're (not) to ...* est souvent utilisée pour donner des ordres, surtout aux enfants.

*You**'re to do** your homework, and you**'re not to watch** TV!*
Tu fais tes devoirs, et tu ne regardes pas la télé!

4 Dans les instructions et les modes d'emploi, on utilise normalement *is/are* + infinitif passif.

*This medicine **is to be taken** twice a day.* (et non ...~~*is to take*~~...)
Ce médicament est à prendre deux fois par jour.

5 Ne confondez pas *be to* (actions établies à l'avance, ordres) et *have to* (obligation).
Comparez :

*Our Japanese visitor **is to** leave on Friday.*
Notre visiteur japonais doit partir vendredi (c'est convenu).
*Our Japanese visitor **has to** leave on Friday.*
Notre visiteur japonais doit (est obligé de) partir vendredi.

*He **was to** write to us in English.*
Il devait (était censé) nous écrire en anglais.
*He **had to** write to us in English.*
Il devait (était obligé de) nous écrire en anglais.

Exercice

Traduisez en anglais (utilisez be + to-infinitif) :
1. Demain le Président inaugurera (= to open) un nouvel hôpital à New York. 2. Ce jour-là, j'ai vu pour la première fois la maison où nous devions passer dix ans de notre vie. 3. Vous ne devez pas lire mes lettres. 4. Tu dis merci à Papa. 5. Vous prendrez le train à 8h15. 6. Les enfants ne doivent pas jouer avec ma chaîne hi-fi (= stereo). 7. Ce sirop (= syrup) est à prendre tous les soirs. 8. Les soldes (= The sales) doivent commencer la semaine prochaine.

▶ Pour les différentes traductions de “devoir”, voir 102.

61 **Be** et **have**

Ne confondez pas *to be* et *to have.*

1 *To be* correspond généralement au verbe "être", *to have* correspond généralement au verbe "avoir".

*He **is** tall.*
Il est grand.

*We **were** very pleased.*
Nous étions très contents.

*He **has** two brothers.*
Il a deux frères.

*We **had** a cat.*
Nous avions un chat.

2 Mais dans certaines expressions, le français "avoir" se traduit par *be* et non par *have.*
Les plus courantes sont :

avoir faim, soif	*to be hungry, thirsty*
avoir froid, chaud	*to be cold, warm/hot*
avoir peur	*to be afraid*
avoir sommeil	*to be sleepy*
avoir raison, tort	*to be right, wrong*
avoir de la chance	*to be lucky*
avoir ... de long, large, etc.	*to be ... long, wide, etc.* (voir 185)
avoir 15, 20, etc. ans	*to be 15, 20, etc.* (voir 17)

*I'**m** hungry* (et non ~~*I have hungry*~~).
J'ai faim.

*I'**m** hot.*
J'ai chaud.

*You'**re** wrong.*
Vous avez tort.

*The room **is** 30 feet long.*
La pièce a 10 mètres de long.

*I'**m** 16 (years old).*
J'ai 16 ans.

3 Notez que *be* s'emploie aussi pour parler de la taille (français : "mesurer/faire"), du poids (français : "peser/faire") et de la santé (français : "aller").

*I'**m** 6 ft 3.*
Je mesure 1.91 m.

*I'**m** 85 kilos.*
Je fais 85 kilos.

*How **are** you?*
Comment allez-vous?

4 Certains verbes français se conjuguent avec "être" au passé composé et au plus-que-parfait (ex. : "je suis arrivé"; "elle était partie"). *To be* ne s'emploie pas comme auxiliaire des temps parfaits en anglais.

*I **have** arrived.* (et non ~~*I am arrived*~~.)
Je suis arrivé.

*She **had** left.*
Elle était partie.

Attention à la forme contractée ***'s***: aux temps parfaits, elle signifie toujours *has* et non *is.*

*She'**s** gone home. (= She **has** gone home.)*
Elle est rentrée chez elle.

*He'**s** fallen. (= He **has** fallen.)*
Il est tombé.

▶ Pour *be*, auxiliaire du passif (ex. : *It's broken* = "Il est cassé"), voir 281.
Pour les formes de *have,* voir 168.

Exercice

Traduisez en anglais :
1. Elle est américaine. 2. Elle a deux enfants. 3. Avez-vous soif ? 4. J'ai trop de travail. 5. Tu es fatigué. 6. Je n'ai pas peur de vous. 7. Vous avez tort. 8. Est-ce que vous avez mon adresse ? 9. Le film est mauvais. 10. Nous avons des amis en Ecosse. 11. Ils sont très sympathiques (= nice). 12. Mes parents ont tous les deux (= both) quarante ans. 13. Vous êtes sûr ? 14. Je n'ai aucune idée (= no idea). 15. Ma chambre n'a que deux mètres (= metres) de large. 16. J'ai sommeil. 17. Il est parti. (present perfect) 18. J'étais tombé. (pluperfect) 19. Nous sommes arrivés. (present perfect) 20. Pourquoi êtes-vous venu ? (present perfect)

---

62 Be able to

1 *Be able to* = "pouvoir", "savoir", "être capable de".

*Some people **are able to** go for three days without sleeping.*
Il y a des gens qui peuvent / sont capables de rester trois jours sans dormir.

Au présent et au prétérit, *can* est plus courant que *be able to* sauf dans un style formel.

2 *Be able* to remplace *can* à l'infinitif et aux participes (voir 72).

*I'd like **to be able** to swim well.* (et non ... ~~*to can swim well*~~)
J'aimerais savoir bien nager.

*You must **be able** to find a taxi round here.*
Vous devez pouvoir trouver un taxi par ici.

*I hope I'll **be able** to see him.*
J'espère que je pourrai le voir.

*I've never **been able** to understand maths.*
Je n'ai jamais pu comprendre les maths.

▶ Pour la différence entre *could* et *was able to*, voir 76.

3 Notez la forme négative *unable* (formel).

*I **am unable to wait** any longer.*
Il ne m'est pas possible d'attendre plus longtemps.
*We regret that we **are unable to help** you.*
Nous regrettons de ne pas être en mesure de vous aider.

Exercice

Traduisez en anglais :
1. Il y a des gens qui sont capables de marcher sur les (= their) mains. 2. Je n'ai jamais su faire la cuisine (= to cook). 3. Je saurai bientôt parler anglais couramment (= fluently). 4. Dans cent ans, les gens pourront voyager partout. 5. Il est utile (= useful) de savoir conduire. 6. Nous ne sommes pas en mesure de vous prêter (= lend) de l'argent.

63 Be allowed to

1 ***Be allowed to* = "avoir la permission / le droit de".**

*Minors **are not allowed** to drink alcohol in pubs.*
Les mineurs n'ont pas le droit de boire de l'alcool dans les pubs.

2 *Be allowed to* ne s'emploie jamais avec un sujet impersonnel : on ne dit pas ~~*It isn't allowed to*~~...

***Smoking isn't allowed** in buses.* (et non ~~*It isn't allowed to smoke*~~...)
Il est interdit de fumer dans les autobus.

3 Attention! Dans un jugement moral, "avoir le droit de" se traduit par *to have the right to.*

*Nobody **has the right to** kill.* (et non ~~Nobody is allowed to kill~~.)
Personne n'a le droit de tuer.

Exercice

Traduisez en anglais :
1. Nous n'avons pas le droit de choisir. 2. Vous n'avez pas le droit de marcher sur l'herbe. 3. Est-ce que tu as le droit de sortir en semaine (= on weekdays)? 4. Il est interdit de stationner ici, Madame. 5. Nous n'avons pas le droit de juger les autres.

▶ Pour *allow* à la forme active (= "permettre"), voir 287.1.
Pour l'expression de la permission, voir aussi 74 (*can*) et 216.1, 4.2, 128.2, 400.1 (*let* et *doesn't/don't mind*).

64 Be born

"Naître" se traduit en anglais par une structure passive : *to be born.*

"Je suis né le ..." = *I was born on ...* (et non ~~*I am born the*~~ ...)

*"When **were you born**?"* (et non ~~*When are you born ?*~~)
"Quand es-tu né ?"

*"I **was born** on 3rd March, 1975.* (= *on the third of March*)
"Je suis né le 3 mars 1975."

*Most babies **are born** in hospital.*
La plupart des bébés naissent à l'hôpital.

*The baby **will be born** in June.*
Le bébé naîtra en juin.

▶ Pour la lecture des dates, voir 97.

Exercice

Mettez be born *au temps qui convient :*
1. Both my sister and I ... in March. 2. Oliver ... on Christmas Day. 3. Three babies ... in our village last week. 4. Where ... you ...? 5. Do you know how many babies ... every minute in the world? 6. Her baby ... in a few weeks.

▶ Pour *on* et *in* dans les expressions de temps, voir 53.
Pour l'expression de l'âge, voir 17.

65 Be supposed to

***Be supposed** + **to**-infinitif = "être censé" + infinitif.*

*He**'s supposed to be** very rich.*
Il est censé être très riche.

*You**'re supposed to be** at school this afternoon.*
Tu es censé être à l'école cet après-midi..

Be supposed to peut aussi correspondre à "devoir" lorsqu'il signifie "être censé" (voir 102).

*We **were supposed to meet** at six, but I was late.*
On devait se retrouver à six heures, mais j'étais en retard.

Exercice

Traduisez en anglais :
1. Tu n'es pas censé le savoir. 2. Je dois être à Paris dans une heure, je n'y arriverai jamais (= I'll never make it).

66 **Because** et **because of**

Because = "parce que"; *because of* = "à cause de".
Comparez :

because *it was raining*
parce qu'il pleuvait

because *he was ill*
parce qu'il était malade

because of *the rain*
à cause de la pluie

because of *his illness*
à cause de sa maladie

Exercice

Mettez because *ou* because of *:*
1. ... I was tired 2. ... the exams 3. ... the elections 4. ... we didn't have any money 5. ... I speak Japanese 6. ... my bad pronunciation

67 **Both**

1 ***Both*** **= "tous les deux",** parfois **"les deux".**
Both peut se mettre à côté du verbe (voir 290) ou devant un nom.

My parents ***are both*** *doctors. /* ***Both my parents*** *are doctors.*
Mes parents sont tous les deux médecins.

Our children ***both like*** *skiing. /* ***Both our children*** *like skiing.*
Nos enfants aiment tous les deux le ski.

2 On peut dire *both the* ou *both*, mais pas ~~*the both*~~.

I've lost ***both (the)*** *keys.*
J'ai perdu les deux clés.

3 Devant un nom précédé d'un déterminant, on peut employer *both* ou *both of*. Mais devant un pronom, il faut dire *both of*. Comparez :

both (of) *these vases*
ces deux vases

both of *them*
tous les deux

4 *Both* et *the two* sont souvent interchangeables.

I liked ***both*** *films /* ***the two*** *films.*
J'ai aimé les deux films.

Mais *both* est rare lorsqu'on parle des différences.

The two *sisters are very different.* (et non ~~*Both sisters*~~...)
Les deux sœurs sont très différentes.

5 *Both ... and* = "à la fois", "et ... et".

*She's **both** charming **and** intelligent.*
Elle est à la fois charmante et intelligente.

*I play **both** the guitar **and** the trumpet.*
Je joue et de la guitare et de la trompette.

Exercice

Traduisez en anglais, en utilisant both *lorsque c'est possible :*
1. Mes frères vont tous les deux à l'université. 2. Les deux fenêtres sont cassées. 3. Il est à la fois intelligent et sensible. (= sensitive) 4. Mes deux poches sont déchirées. (= torn) 5. Je joue et au football et au rugby. 6. Les deux voitures ne sont pas pareilles (= the same).

68 *Bring* et *take*

***Bring*: "... vers moi" ou "... vers toi"; *take*: "... ailleurs".**

Bring ne s'emploie, en règle générale, que lorsqu'il s'agit d'un mouvement vers celui qui parle ou celui qui écoute.

*Could you **bring** me a glass of beer?*
Peux-tu m'apporter un verre de bière, s'il te plaît?

*I'll **bring** you some flowers tomorrow.*
Je t'amènerai des fleurs demain.

Dans les autres cas, on utilise *take*. Notez la variété des traductions françaises et l'emploi de *to*.

*Can you **take** the paper **to** Granny? She's in the garden.*
Tu peux porter/apporter le journal à Mamie? Elle est dans le jardin.

*I **took** him **to** the zoo.*
Je l'ai emmené au zoo.

*I'll **take** you home.*
Je te ramènerai (chez toi). (= Je te raccompagnerai.)

Exercice

Mettez bring *ou* take *à la forme qui convient :*
1. Could you ... me a plate, please? 2. I'll ... Joanne to London with me tomorrow. 3. We ... the children to the circus last week. 4. I ... back some whisky from Scotland last summer. 5. ... this letter to the post office, please. 6. If you don't want to go home on foot, I'll ... you in my car.

▶ Pour *take* (= "emmener", "apporter"), voir aussi 396.1.

69 Britain, the United Kingdom *et* England

1 Théoriquement, il y a une distinction entre *(Great) Britain* et *the United Kingdom* (ou *the UK*).
Britain désigne une unité géographique, dont les composantes sont *England*, *Scotland* (l'Écosse) et *Wales* (le Pays de Galles).
The UK désigne l'unité politique composée de *Great Britain* et *Northern Ireland* (l'Irlande du Nord).
Mais en fait, le terme *(Great) Britain* s'emploie souvent pour parler du *United Kingdom*.

2 N'employez pas *England* comme synonyme de *Britain*. L'Angleterre, l'Écosse et le Pays de Galles sont trois pays bien distincts ; les Écossais (*Scots*) et les Gallois (*Welsh*) n'apprécient pas du tout qu'on les appelle *English*.

70 But (= except)

1 *But* s'emploie au sens de *except* après *every, any, no* (et leurs composés), *all* et *none*.

***Everyone but** me was dancing.*
Tout le monde dansait sauf moi.

*You cause **nothing but** trouble.*
Vous ne causez que des ennuis.

2 Après *but*, on emploie normalement l'infinitif sans *to*.

*This computer does everything **but make** coffee.*
Cet ordinateur fait tout sauf le café.

3 Notez les expressions *last but one/two/three*, etc., et *next but one/two/three*, etc.

*I was **last but one** in the race.*
Je suis arrivé avant-dernier à la course.

*Alice lives **next door but two**.*
Alice habite trois maisons plus loin.

4 *But for* = "sans", au sens de "s'il n'y avait pas (eu)".

***But for** the storm I would have been home before eight.*
Sans l'orage j'aurais été à la maison avant huit heures.

Exercice

Traduisez en anglais :
1. Tout le monde parlait sauf Jack. 2. Elle ne mange que des glaces. 3. Jean habite deux maisons plus loin. 4. Ce livre était son avant-dernier.

71 *By (the time)*

By peut exprimer l'idée de "date ou heure limite". Notez la diversité des équivalents français.

Tell me ***by*** *Friday.*
Dis-le moi vendredi au plus tard.
I'll have finished it ***by*** *Saturday.*
Je l'aurai terminé d'ici samedi.
She had to be back ***by*** *eleven.*
Elle devait être rentrée pour onze heures.

Devant un verbe on emploie *by the time (that)* ... (= "le temps que ...", "d'ici à ce que ...").

By the time (that) *she finished her speech, everybody was asleep.*
Le temps qu'elle finisse son discours, tout le monde dormait.

Exercice

Traduisez les mots en italique :
1. Je dois être rentré *pour huit heures.* 2. Pouvez-vous le réparer *d'ici mercredi*? 3. Je vous appellerai *à dix heures au plus tard.* 4. J'aurai l'argent *d'ici Noël.* 5. *Le temps qu'il arrive*, j'étais parti. 6. *D'ici à ce que tu reçoives* (présent) *cette lettre*, je serai marié.

▶ Pour d'autres emplois de *by*, voir 120.4, 282.1, 304.1 et 305.1.

C

72 Can (1) : formes (can, could et be able to)

Can et *could* sont des auxiliaires modaux (voir 238).

1 *Can* ne prend pas d'*s* à la 3ᵉ personne du singulier.
Les questions et les négations se construisent sans *do.*
La forme négative de *can* s'écrit en un seul mot : *cannot.*
Formes négatives contractées : *can't* /kɑːnt/, *couldn't* /ˈkʊdnt/.
Can et *could* sont suivis de l'infinitif sans *to.*

She ***can.***	***Can*** *you help me ?*	*He* ***can't*** *swim.*
Elle peut.	Pouvez-vous m'aider ?	Il ne sait pas nager.

2 *Can* n'a ni infinitif ni participes.

• A l'infinitif, on emploie normalement ***to be able to*** (et non ~~to can~~).
Au futur, on emploie *will be able to.*

I'd like ***to be able to*** *sing.*
J'aimerais savoir chanter.

*I'**ll be able to*** *come tomorrow.*
Je pourrai venir demain.

• Au participe passé, on emploie *been able to*, au participe présent *being able to.*

*I'****ve*** *never* ***been able to*** *remember dates.*
Je n'ai jamais pu me rappeler les dates.

I'm afraid of ***not being able to*** *play as well as the others.*
J'ai peur de ne pas pouvoir jouer aussi bien que les autres.

3 *Could* peut être le prétérit ou le conditionnel de *can.*

I ***couldn't*** *understand.*
Je ne pouvais pas comprendre.

Could *you let him know ?*
Pourriez-vous le prévenir ?

4 Ne confondez pas :

"Je pourrai", "tu pourras", etc. (futur) = *I'll be able to,* etc.
"Je pourrais", "tu pourrais", etc. (conditionnel) = *I could,* etc.

Exercice

Traduisez en anglais :
1. Il peut attendre. 2. Elle ne peut pas venir. 3. Est-ce que vous savez nager? 4. J'aimerais savoir parler allemand. 5. Je pourrai payer demain. 6. J'ai toujours pu m'entendre facilement (= to get on easily) avec les gens. 7. Il ne pouvait pas comprendre. 8. Pourriez-vous m'aider un instant (= for a moment)?

▶ Pour l'emploi de *can* et *could*, voir les sections suivantes.

73 Can (2) : capacité, possibilité

1 *Can* peut exprimer la capacité et la possibilité. Il correspond alors à "savoir" ou "pouvoir" (faire quelque chose).

I ***can*** *lift it.*
Je peux le soulever.

She ***can't*** *be 80!*
Elle ne peut pas avoir 80 ans!

*"****Can*** *you drive?" "No, I can't."*
"Savez-vous conduire?" "Non, je ne sais pas."

▶ Pour une comparaison entre *can* et *know*, voir 215.

2 *Could* exprime les mêmes idées que *can*, au prétérit ou au conditionnel.

I ***couldn't*** *lift it.*
Je ne pouvais pas le soulever.

I ***could*** *drive when I was 14.*
Je savais déjà conduire à l'âge de 14 ans.

I ***could*** *win if I wanted to.*
Je pourrais gagner si je voulais.

3 *Could* peut aussi exprimer un reproche.

You ***could*** *do the washing up occasionally!*
Tu pourrais faire la vaisselle de temps en temps!

He ***could*** *telephone before he comes to see us!*
Il pourrait téléphoner avant de venir nous voir!

4 *Could you ...?* s'emploie couramment pour demander un service.

Could you *tell me the time, please?*
Pourriez-vous me dire l'heure, s'il vous plaît?

Could *you bring me the bill?*
Pourriez-vous m'apporter l'addition?

Exercice

Traduisez en anglais :
1. Désolé, je ne peux pas. 2. Il ne sait pas danser. 3. Je savais déjà lire à l'âge de trois ans. 4. Je ne pouvais rien faire. 5. Pourriez-vous me montrer des pulls (= some pullovers), s'il vous plaît? 6. Tu pourrais me dire la vérité, pour une fois (= for once)!

▶ Pour *can* exprimant la permission, voir section suivante.
Pour *can* et *could* + infinitif passé, voir 77.
Pour une comparaison avec *may* et *might*, voir 235.

74 Can (3) : permission

1 *Can* s'emploie pour demander, accorder ou refuser une permission.

__Can__ I telephone?
Est-ce que je peux téléphoner?

Yes, you __can__.
Oui, bien sûr.

You __can__ stay here if you like.
Vous pouvez rester ici si vous voulez.

No, you __can't__.
Non, vous ne pouvez pas.

2 *Could I ...?* est moins direct que *Can I ...?*, et donc plus poli.

__Could I__ have a pound of tomatoes, please?
Est-ce que je peux/pourrais avoir une livre de tomates, s'il vous plaît?

3 *Could* s'emploie aussi pour parler de la permission au passé.

When I was 14 I __could__ come home as late as I liked.
Quand j'avais 14 ans, je pouvais rentrer aussi tard que je voulais.

Exercice

Traduisez en anglais :
1. Je peux prendre un gâteau? 2. Vous pouvez arrêter maintenant. 3. Est-ce que je pourrais avoir deux livres de pommes, s'il vous plaît? 4. Pourrais-je vous demander quelque chose? 5. Tu peux m'aider, si tu veux. 6. Quand j'avais 15 ans, je pouvais partir en vacances (= go on holiday) sans mes parents.

▶ Pour une comparaison avec *may* et *might*, voir 235.

75 Can (4) : can see, can hear, can feel

Les verbes *see*, *hear* et *feel* ne s'emploient pas à la forme progressive pour parler des perceptions. Lorsqu'il s'agit d'une perception actuelle, on emploie souvent *can see/hear/feel.*

*Look, I **can see** the sea!*
Regarde, je vois la mer!

*I **can hear** a train.*
J'entends un train.

*I **can feel** rain on my head.*
Je sens des gouttes (de pluie) sur ma tête.

Could s'emploie de la même manière au passé.

*From her window she **could see** the whole of the town.*
De sa fenêtre, elle voyait la ville entière.

Exercice

Traduisez en anglais :
1. Tu entends la pluie? 2. Qu'est-ce que tu vois? 3. Après la piqûre (= injection), je ne sentais rien. 4. Je vois Andrée dans la rue. 5. Le chien entend quelque chose. 6. Je sentais sa respiration (= breath) sur ma figure.

---

76 Can (5) : could et was able to

1 On ne peut pas toujours employer *could* comme prétérit de *can.* Dans la plupart des cas :

***I could* = "je pouvais" ou "je savais" mais non ~~"j'ai pu"~~.**

En effet, *could* s'emploie pour parler d'une aptitude ou d'une capacité qui existait dans le passé d'une façon plus ou moins permanente.

*I **could** read when I was three.*
Je savais déjà lire à l'âge de trois ans.

*He **could** walk for days.*
Il pouvait marcher pendant des jours.

2 Pour parler de la réalisation d'une action précise, il faut utiliser une autre expression comme *was able to* ou *managed to.*

*Finally I **was able to** persuade her.* (et non ...~~*I could persuade her*~~.)
Finalement, j'ai pu la convaincre.
*I **managed to** get a visa without difficulty.* (et non ~~*I could get*~~...)
J'ai pu avoir un visa sans difficulté.

Exercice

Mettez could *ou* was able to/managed to *:*
1. I ... sing like an angel when I was small. 2. My motorbike broke down, but I ... repair it myself. 3. It was a difficult problem, but I ... find a solution. 4. Shakespeare ... speak very good Italian. 5. After three hours we ... reach the top of the mountain. 6. My mother ... play the piano very well when she was younger.

77 Can (6) : can/could + infinitif passé

1 *Can* s'emploie avec l'infinitif passé (sans *to*), surtout dans les questions et les phrases négatives, pour parler de la possibilité qu'une chose se soit produite.

*Where **can** she **have hidden** it?*
Où est-ce qu'elle a bien pu le cacher?
*Mary **can't have** told the police! I can't believe it.*
Mary n'a pas pu informer la police! Je ne peux pas le croire.
*What **can have happened** to her?*
Qu'est-ce qui a bien pu lui arriver?

2 *Could* s'emploie avec l'infinitif passé pour parler d'une possibilité (généralement non réalisée) au passé, ou pour exprimer une critique ou un reproche.

I could have + participe passé = "j'aurais pu" + infinitif.

*You shouldn't drive like that! You **could have killed** somebody.*
Tu ne devrais pas conduire comme ça. Tu aurais pu tuer quelqu'un.
*He was very talented. He **could have been** an engineer or a doctor.*
Il était très doué. Il aurait pu être ingénieur ou médecin.
*You **could have phoned** me earlier!*
Tu aurais pu me téléphoner plus tôt!

▶ Pour "tu aurais pu" ... = *you might have* ..., voir 233.2.

Exercice

Traduisez en anglais :
1. Mark n'a pas pu prendre ma voiture! Qui a bien pu la prendre? 2. J'aurais pu te voir hier. 3. Tu aurais pu m'aider! 4. Il aurait pu aller plus vite. 5. J'aurais pu étonner (= to surprise) tout le monde. 6. J'aurais pu mourir à cause de vous. 7. Vous auriez pu me dire que j'aurais tout ce (= this) travail à faire juste avant Noël!

78 Chercher

1 "Chercher" au sens de "essayer de trouver" = ***to look for*** ou (style formel) ***to seek.***

*I'm **looking for** my watch.*
Je cherche ma montre.

*Young man **seeks** employment ...*
Jeune homme cherche poste ...

2 Au sens de "aller/venir chercher", on utilise ***to fetch*** ou (familier) ***to get.*** Attention aux prépositions : le plus souvent, "à" = *from* et "dans" (un placard, etc.) = *out of.*

*I'll **fetch** Granny **from** the station.* (et non ... ~~*at the station*~~.)
J'irai chercher Mamie **à** la gare.

*Can you (go and) **get** me a beer **out of** the fridge, please?*
Tu peux (aller) me chercher une bière **dans** le frigo, s'il te plaît?

On peut employer ***pick up*** dans le même sens, surtout lorsqu'il s'agit d'aller chercher quelque chose ou quelqu'un qui vous attend (par exemple un paquet, une personne à la gare).

*Can you **pick** me **up** at seven?* (ou : *Can you **come and get/fetch** me ...?)*
Est-ce que tu peux venir me chercher à 7 heures?

Exercice

Traduisez en anglais :
1. "Qu'est-ce que vous cherchez?" "Mes lunettes." 2. Pouvez-vous aller chercher Jacques à l'aéroport à midi? 3. Je vais chercher des cigarettes. 4. Nous cherchons un petit appartement. 5. Je viendrai te chercher demain matin. 6. Va chercher du pain, s'il te plaît.

79 Chez

"Chez" se traduit différemment selon le contexte. Voici les principaux équivalents.

1 ***At*** (lieu), ***with*** (personne) : après des verbes d'état comme *be*, *stay*, *live*, etc.

*She's **at** Pete's **house.***
Elle est chez Pete.

*We're staying **at** Sally's tonight. (= at Sally's **house**)*
Nous passons la nuit chez Sally. (= dans sa maison)

*I lived **with** Pete and Ann for three months last year.*
J'ai habité trois mois chez Pete et Ann l'année dernière.

Notez : *Make yourself at home* = "Faites comme chez vous".

▶ Pour le cas possessif incomplet (ex. : *at Sally's*), voir 301.5.

2 ***To*** : après les verbes de mouvement (*go*, *come*, *bring*, etc.).

*He came **to** my place.*
Il est venu chez moi.

*Can you go **to** the butcher's?*
Est-ce que tu peux aller chez le boucher?

3 **Ø** : devant *home* au sens de "vers/jusqu'à la maison de la personne dont on parle".

*I'm going **home**.*
Je rentre chez moi.

*I took her back **home**.*
Je l'ai ramenée chez elle.

4 Cas particuliers : "chez" au sens figuré.

***Among** the Indians, there was a custom ...*
Chez les Indiens , il y avait une coutume ...

***In** Shakespeare you can find all of human life.*
Chez Shakespeare, on trouve toute la vie humaine.

*What I like **about** him is ...*
Ce que j'aime chez lui, c'est ...

Exercice

Mettez la préposition qui convient ou Ø :
1. I think she's ... the butcher's. 2. We had dinner ... Anne's last night. 3. Ask him to come ... my place. 4. Do you want to go ... home? 5. He's studying social criticism ... Balzac. 6. She wrote a book about marriage customs ... the Eskimos.

Remarque : "chez" ne se traduit jamais par *by.*

▶ Pour *place*, *home*, *house*, voir 289.2 et 178.

80 Comparaison (1) : les adjectifs (plus ... que, le plus ...)

1 **Adjectifs courts.**

• Ce sont les adjectifs d'une syllabe (ex. : *old*, *fast*), ou de deux syllabes terminés par *-y* (ex. : *happy*, *easy*).

• En règle générale, on forme leur comparatif en ajoutant *-er* à l'adjectif, et leur superlatif en ajoutant *-est*.

"plus ... que" = ***...-er than***	"le plus ..." = ***(the) ...-est***
*old**er** than*	*(the) old**est***
*fast**er** than*	*(the) fast**est***
*happ**ier** than*	*(the) happ**iest***
*eas**ier** than*	*(the) eas**iest***

Notez que *y* se change en *i* devant *-er* et *-est*.

• Aux adjectifs terminés par un *-e*, on ajoute seulement *-r* et *-st*.

*lat**e** – late**r** – (the) late**st***

• Lorsqu'un adjectif est terminé par une seule consonne précédée d'une seule voyelle, il faut redoubler la consonne (voir 275).

*bi**g** – bi**gg**er – (the) bi**gg**est*
*fa**t** – fa**tt**er – (the) fa**tt**est*

2 Adjectifs longs.

• Ce sont la plupart des adjectifs de deux syllabes (sauf ceux terminés par *-y*), et ceux de trois syllabes ou plus (ex. : *pleasant*, *expensive*, *intelligent*).

• En règle générale, on forme leur comparatif avec *more* et leur superlatif avec *most*.

"plus ... que" = ***more ... than***	"le plus ..." = ***(the) most ...***
***more** pleasant than*	*(the) **most** pleasant*
***more** expensive than*	*(the) **most** expensive*
***more** intelligent than*	*(the) **most** intelligent*

Exercices

1. Donnez le comparatif et le superlatif de :
fine – full – funny – thin – young – hot – short – silly – beautiful
2. Traduisez en anglais :
plus intelligent que – le plus intéressant – le plus long – plus tôt que – le plus drôle – plus dur que – le plus dur – le plus paresseux – plus paresseux que
3. Mettez un comparatif ou un superlatif :
1. History is ... than geography. (interesting) 2. Spring is the ... season of the year. (nice) 3. I think the ... thing in life is to be happy. (important) 4. Biology is ... than maths. (easy)

▶ Pour les comparatifs et superlatifs irréguliers, voir 82.
Pour *the* avec les superlatifs, voir 88.

81 Comparaison (2) : les adverbes

Les comparatifs et superlatifs des adverbes se forment comme ceux des adjectifs (voir 80). Toutefois, on emploie *more/most* avec tous les adverbes qui se terminent en *-y*, à l'exception de *early*.

fast – faster – fastest
slowly – more slowly – most slowly (et non ~~*slowlier, slowliest*~~)
Mais : *early – earlier – earliest*

Exercice

Ecrivez les comparatifs des adverbes suivants :
1. hard 2. loud 3. quickly 4. easily 5. late 6. lightly

▶ Pour l'emploi de *the* avec les superlatifs, voir 88.

82 Comparaison (3) : formes irrégulières

1 Certains adjectifs, adverbes et déterminants ont un comparatif et un superlatif irréguliers.

good, well	***better***	***(the) best***
bon, bien	meilleur, mieux	(le) meilleur, (le) mieux
bad, badly	***worse***	***(the) worst***
mauvais, mal	pire, plus mauvais/mal	(le) pire, (le) plus mauvais/mal
old	***older/elder***	***(the) oldest/eldest***
vieux	plus vieux/aîné	(le) plus vieux/l'aîné
far	***farther/further***	***(the) farthest/furthest***
loin	plus loin	(le) plus loin
much/many	***more***	***(the) most***
beaucoup (de)	plus (de)	(le) plus (de)
little	***less***	***(the) least***
peu (de)	moins (de)	(le) moins

▶ Pour *less*, voir 83.

2 *Elder* et *eldest* correspondent au français "aîné". *Elder* désigne l'aîné de deux, *eldest* l'aîné de plusieurs.

*My **elder** brother lives in Canada.*
Mon frère aîné habite au Canada. (Je n'ai qu'un frère aîné.)
*My **eldest** sister is divorced.*
Ma sœur aînée est divorcée. (J'ai au moins deux sœurs plus âgées que moi.)

Farther et *further* peuvent tous deux s'appliquer à une distance. Par contre, seul *further* peut signifier "supplémentaire" ou "plus avancé".

*It was **further/farther** away than I thought.*
C'était plus loin que je ne pensais.

*For **further** information, see p.120.*
Pour de plus amples renseignements, voir p.120.

Exercices

***1.** Mettez* better, best, worse *ou* worst *:*
1. My ... friend has just decided to go to Canada. 2. The film last night wasn't bad – ... than I expected. 3. The ... experience of my life was a car accident last year. 4. This winter is even ... (= encore pire) than last winter. 5. Everybody speaks English well, but Marie speaks ... 6. We all sing badly, but I sing ... of all.
***2.** Mettez* elder, eldest, farther, further, farthest *ou* furthest :
1. Would you like any ... information? 2. He's got six children; they're all at school except the ... 3. The ... planet from the sun is called Pluto. 4. My ... sister is the only girl in the family.

83 Comparaison (4) : moins, le moins

1 "Moins ... que" peut se traduire par *less ... than.*

*Beer is **less** expensive **than** champagne.*
La bière est moins chère que le champagne.

*I eat **less than** you.*
Je mange moins que toi.

Mais on emploie souvent *not as/so ... as* (voir 44).

*Beer is **not as/so** expensive **as** champagne.*
*I **don't** eat **as/so** much **as** you.*

"moins ... que" = *not as/so ... as*, parfois *less ... than*

2 "Moins de" se traduit en principe par *less* devant un nom singulier et *fewer* devant un nom pluriel. Mais en anglais moderne, *less* s'emploie aussi très souvent devant un nom pluriel.

*He earns **less money** than he used to.*
Il gagne moins d'argent qu'autrefois.

*I've got **fewer/less** friends than my sister.*
J'ai moins d'amis que ma sœur.

"moins de" = *less* + singulier, *fewer/less* + pluriel

3 **"Le moins" = *the least.***

*Crocodiles are **the least attractive** animals I know.*
Les crocodiles sont les animaux les moins attirants que je connaisse.

*It's the song I like **least**.*
C'est la chanson que j'aime le moins.

4 **"Le moins de" = *the least* + singulier, *the fewest/least* + pluriel.**

*John took **the least time** to understand.*
C'est John qui a mis le moins de temps à comprendre.

*But Mary made **the fewest/least** mistakes.*
Mais c'est Mary qui a fait le moins d'erreurs.

5 **"Le moins ... possible" = *as little/few ... as possible.***

*I want to spend **as little** money **as possible.***
Je veux dépenser le moins d'argent possible. (= aussi peu que possible)

*I'm trying to see **as few** people **as possible** at the moment.*
J'essaie de voir le moins de gens possible en ce moment.

6 **"Au moins", "du moins" = *at least.***

*She's **at least** 70.*
Elle a au moins 70 ans.

*... or **at least**, that's what I thought.*
... ou, du moins, c'est ce que je croyais.

Exercice

Traduisez les mots en italique :
1. This hotel is (*moins cher que*) the other. 2. I've written (*moins que*) you. 3. I sleep (*moins d'heures que*) I used to. 4. I've got (*moins d'argent que*) I thought. 5. Anne is (*la moins compliquée*) girl I know. (= complicated) 6. I spent (*le moins de temps possible*) at home. 7. It's the sort of film I like (*le moins*). 8. ... (*du moins*), it was my opinion.

84 Comparaison (5) : beaucoup/encore + comparatif

1 **"Beaucoup" (+ comparatif) = *much/far/a lot.***

*She's **much** older than him.*
Elle est beaucoup plus âgée que lui.

*Russian is **far** more difficult than Spanish.*
Le russe est beaucoup plus difficile que l'espagnol.

*It's **a lot** warmer today.*
Il fait beaucoup plus chaud aujourd'hui.

2 **"Encore" (+ comparatif) = *even*.**

*It's **even** worse.* — C'est encore pire.

*Her letter made me **even** more depressed.* — Sa lettre m'a encore plus déprimé.

Exercice

Traduisez en anglais :
1. beaucoup plus froid 2. encore plus froid 3. beaucoup plus intéressant 4. beaucoup mieux 5. encore plus vite 6. encore plus cher

▶ Pour *even* = "même", voir 129.
Pour *any* et *no* avec les comparatifs, voir 35.

85 Comparaison (6) : *than* + pronom

Than est normalement suivi d'un pronom personnel complément (anglais familier) ou d'un pronom personnel sujet suivi de *be/have/do*.

*She's older **than me**.* — Elle est plus âgée que moi.

*You are more experienced **than I am**.* — Vous avez plus d'expérience que moi.

Dans un style très soigné, on emploie parfois un pronom sujet seul (ex. : *You are more experienced than **I***).

Exercice

Traduisez en anglais de deux façons différentes :
1. Il est plus petit que moi. 2. J'ai plus d'amis qu'elle. 3. Ils sont plus heureux que nous. 4. J'ai plus de vacances que vous.

86 Comparaison (7) : doubles comparatifs

1 **"De plus en plus ..." = *more and more ...*, ou *...-er and ...-er*.**

*You're getting **more and more beautiful**.*
Tu deviens de plus en plus belle.

*It's getting **colder and colder**.*
Il fait de plus en plus froid.

"De plus en plus de" = *more and more* ("de" ne se traduit pas).

*There are **more and more** burglaries.*
Il y a de plus en plus de cambriolages.

2 "De moins en moins ..." = *less and less ...*

She's getting ***less and less*** *patient.*
Elle est de moins en moins patiente.

"De moins en moins de" se traduit par *less and less* ou *fewer and fewer* (pour la différence, voir 83.2).

I've got ***less and less*** *free time.*
J'ai de moins en moins de temps libre.
You make ***fewer and fewer*** *mistakes.*
Vous faites de moins en moins de fautes.

Notez que, devant un double comparatif, "devenir", "faire" et "être" se traduisent le plus souvent par *to be getting.*

Exercice

Traduisez en anglais :
1. La vie devient de plus en plus difficile. (temps progressif) 2. Il fait de plus en plus chaud (= warm). 3. J'ai de plus en plus de travail. 4. Cet exercice est de plus en plus ennuyeux (= boring). 5 Nous avons de moins en moins d'argent. 6. Il y a de moins en moins d'espaces verts (= open spaces).

---

87 Comparaison (8) : the + comparatif (plus ... plus, d'autant plus ... que)

1 "Plus ... plus" = *the ...-er, the ...-er* ou *the more ... the more,* etc.

The more *I rest,* ***the better*** *I feel.* (et non ~~*More I rest,*~~ ...)
Plus je me repose, mieux je me sens.
The faster *they go,* ***the more expensive*** *they are.*
Plus ils roulent vite, plus ils sont chers.

Attention à l'ordre des mots : *the* + expression comparative + sujet + verbe.

The more sweets *I eat, the fatter I get.* (et non ~~*More I eat sweets*~~...)
Plus je mange de bonbons, plus je grossis.
The more dangerous *it is, the better I like it.* (et non ~~*More it is dangerous*~~...)
Plus c'est dangereux, plus ça me plaît.

"Moins ..." = *the less ...*

The older I get, ***the less*** *patient I am.*
Plus je vieillis, moins je suis patiente.
The less *I work,* ***the less*** *I want to work.*
Moins je travaille, moins j'ai envie de travailler.

Exercice

Traduisez en anglais :
1. Plus je dors, plus je me sens fatigué. 2. Plus je lis de livres, plus j'oublie. 3. Plus vous montez haut, plus c'est dangereux. 4. Plus j'achète de disques, plus j'ai envie d'en acheter. 5. Plus j'écoute, moins je comprends. 6. Moins je la vois, moins j'ai envie de la voir.

---

2 **"D'autant plus ... que" = *all the ...-er/more ... (because/as/since).*** Cette structure s'emploie surtout dans un style soigné pour parler des émotions et des réactions.

*I was **all the more** annoyed **because** she didn't apologize.*
J'étais d'autant plus fâché qu'elle ne s'est pas excusée.

3 Notez aussi l'expression *all the better* ou *so much the better* (= "tant mieux").

*"Jane wants to bring Peter with her." "**All the better.**"*
"Jane veut amener Peter." "Tant mieux."

Exercice

Traduisez en anglais :
1. J'étais d'autant plus étonné (= surprised) qu'il n'a rien dit. 2. Elle était d'autant plus gênée (= embarrassed) qu'elle ne parlait pas un mot de français. 3. "J'ai très faim." "Tant mieux !"

---

88 Comparaison (9) : the avec les superlatifs

1 On emploie normalement *the* avec un superlatif, sauf s'il y a un possessif.

*She's **the best** driver in the team.*
C'est le meilleur pilote de l'équipe.

*Who's **the youngest** here?*
Qui est le plus jeune ici ?

***Their eldest** son is in the army.*
Leur fils aîné est militaire.

2 On omet parfois *the* devant un adverbe superlatif, surtout dans un style familier.

*Who can run **(the) fastest**?*
Qui court le plus vite ?

*It's Jake who sings **(the) worst**.*
C'est Jake qui chante le plus mal.

3 *The* ne s'emploie pas avec un superlatif lorsqu'on compare les différents états d'une personne ou d'une chose.
Comparez :

He's ***nicest*** *when he's had a drink.* (et non ~~*He's the nicest when*~~...)
C'est quand il a bu qu'il est le plus agréable.

I've got a lot of friends, but he's ***the nicest****.* (et non ...~~*he's nicest*~~)
J'ai beaucoup d'amis, mais c'est le plus sympa.

English weather's ***best*** *in spring.*
C'est au printemps qu'il fait le plus beau en Angleterre.

English weather's not ***the best*** *in the world.*
Le climat anglais n'est pas le meilleur du monde.

Exercice

Mettez the *ou* Ø :
1. Who's ... oldest in your family? 2. The lessons are ... most interesting when we get a chance to talk. 3. Who has got ... loudest voice? 4. The weather is ... hottest in August.

89 Comparaison (10) : préposition après un superlatif

Le superlatif français est souvent suivi de "de". En anglais, on emploie généralement *in* devant un nom singulier qui représente un lieu ou un groupe.

the best beer ***in the world***
la meilleure bière du monde

the oldest child ***in the class***
l'enfant le plus âgé de la classe

Dans les autres cas, on emploie *of.*

the best book ***of*** *the year*
le meilleur livre de l'année

the biggest mistake ***of*** *my life*
la plus grande erreur de ma vie

Exercice

Traduisez en anglais :
1. la plus belle fille du village 2. la montagne la plus haute du monde 3. le plus grand écrivain du siècle 4. le garçon le plus gentil de la classe 5. la boutique la plus chère de la ville 6. le meilleur moment du film

90 Comparaison (11) : comparatif ou superlatif ?

1 "Le plus ..." se traduit souvent par *the* + comparatif lorsqu'on ne compare que deux éléments, surtout dans un anglais soigné. Comparez :

He's ***the bigger/biggest*** *of the two boys.*
Il est le plus grand des deux garçons.

He's ***the biggest*** *in the family.*
Il est le plus grand de la famille.

2 On emploie souvent un comparatif au lieu d'un superlatif pour exprimer l'idée de "relativement", "par rapport à la moyenne", surtout quand il s'agit d'un groupe. Comparez :

There's one class for the ***better*** *students and one for the* ***slower*** *learners.*
Il y a une classe pour les étudiants les plus forts, et une autre pour ceux qui avancent plus lentement.

The ***best*** *students were two boys from York.*
Les meilleurs étudiants étaient deux garçons de York.

L'équivalent français peut être un simple adjectif.

the ***lower****-middle class*
la petite bourgeoisie

the ***younger*** *generation*
la jeune génération

sooner *or* ***later***
tôt ou tard

91 Conditionnel (1) : futur et conditionnel présent

Attention à ne pas confondre :

	français	anglais
futur	j'ir**ai**, tu ir**as**, il ir**a**...	I/you/he ... **will** go
conditionnel (présent)	j'ir**ais**, tu ir**ais**, il ir**ait**...	I/you/he ... **would** go

Exercice

Traduisez en anglais :
1. nous irions 2. nous irons 3. elle n'aura pas 4. il aurait 5. je viendrais 6. je viendrai 7. tu parleras 8. tu parlerais 9. je saurai 10. je ne saurais pas

92 Conditionnel (2) : conditionnel présent

En français : j'ir**ais**, tu ir**ais**, il ir**ait...** (voir 91 pour la comparaison avec le futur)

1 Le conditionnel présent se forme ainsi :

would + infinitif sans *to*

*He **would go**.*	*I **would stop**.*	*They **would not understand**.*
Il irait.	J'arrêterais.	Ils ne comprendraient pas.

Should est possible à la première personne (ex. : *I should stop*), mais de moins en moins utilisé en ce sens.

2 *Would* et *should* se contractent en *'d*. La contraction négative est *wouldn't* (ou *shouldn't*).

*I'**d** be furious.*
Je serais furieux.

*It **wouldn't** be fair.*
Ce ne serait pas juste.

3 Le conditionnel anglais s'emploie en général comme le conditionnel français. On l'utilise, par exemple :

- dans la proposition principale lorsque la subordonnée est introduite par *if* + prétérit (voir 186) ;

*If you **told** me the truth, it **would be** easier to help you.*
Si tu me disais la vérité, il serait plus facile de t'aider.

- au discours indirect (voir 103) ;

*I **said** it **would be** difficult.*
J'ai dit que ce serait difficile.

- pour parler de ce qui se passerait à l'avenir.

*He looked for the last time at the house that he **would** never **see** again.*
Il jeta un dernier regard à la maison qu'il ne reverrait jamais.

4 "Je pourrais", "tu pourrais", etc. se traduisent le plus souvent par *could* ou *might*, selon le sens (voir 73, 74, 232), et "je devrais", "tu devrais", etc. par *should* (voir 353).

*You **could** go and see your aunt.*
Tu pourrais aller voir ta tante.

*Don't! You **might** fall off.*
Ne fais pas cela ! Tu pourrais tomber.

*I know I **should** work harder.*
Je sais bien que je devrais travailler davantage.

Exercice

Traduisez en anglais :
1. Je savais qu'il viendrait. 2. Elle croyait que je ne comprendrais pas. 3. Si j'avais le temps, j'irais avec toi. 4. Que ferais-tu si je n'étais pas là (= here) ? 5. Je trouve (= I think) que tu pourrais m'écrire plus souvent. 6. Ils devraient moins dépenser (= spend).

---

5 Le conditionnel anglais ne s'emploie pas (contrairement au français) pour parler d'une supposition, ou pour indiquer qu'une information n'est pas forcément vraie.

According to reliable sources, the leader of the group ***is now*** *in China.*
(et non ... ~~would be~~ ...)
Selon des sources bien informées, le chef du groupe serait actuellement en Chine.

▶ Pour les autres emplois de *would*, voir l'index.
Pour *should*, voir l'index.
Pour le prétérit à la place du conditionnel français (après *when*, etc.), voir 156.3.

93 Conditionnel (3) : conditionnel passé

En français : j'aur**ais** compris, tu aur**ais** compris... je ser**ais** allé, tu ser**ais** allé...

1 Le conditionnel passé se forme comme en français :

would have + participe passé

I ***would have understood****.*	*He* ***wouldn't have spoken****.*
J'aurais compris.	Il n'aurait pas parlé.

Should existe à la première personne mais il est peu employé en ce sens.
Notez que les verbes anglais se conjuguent avec *have*, même lorsqu'il y a l'auxiliaire "être" en français.

I would ***have*** *gone.*	*She would* ***have*** *left.*
J'y serais allé.	Elle serait partie.

Exercice

Traduisez en anglais :
1. j'aurais demandé 2. il serait allé 3. ma mère aurait su 4. personne n'aurait entendu 5. j'aurais oublié 6. elle ne serait pas tombée

---

2 Le conditionnel passé s'emploie généralement de la même manière en anglais et en français : par exemple, lorsqu'il y a *if* + pluperfect dans la proposition subordonnée (voir 186).

If I had known I wouldn't have come.
Si j'avais su, je ne serais pas venu.

3 Le conditionnel passé anglais ne s'emploie pas (contrairement au français) pour parler d'une supposition, ou pour indiquer qu'une information n'est pas forcément vraie. (Voir aussi 92.5.)

According to a government spokesman, the Cabinet ***have decided*** *...*
Selon un porte-parole du gouvernement, le Conseil des ministres aurait décidé...

94 Contractions

Les contractions (ex. : *she's, don't*) s'emploient en anglais familier, parlé ou écrit; on les évite dans un style formel.
Il y a deux types de contractions.

1 Pronom (ou nom) + forme contractée de *be, have, will, would.*

be (présent)	I'm	you're	he's, she's, it's, John's, where's	we're	they're
have/has	I've	you've	he's, she's, it's, Ann's, what's	we've	they've
had	I'd	you'd	he'd, she'd	we'd	they'd
will	I'll	you'll	he'll, she'll, it'll	we'll	they'll
would	I'd	you'd	he'd, she'd, it'd *(rare)*	we'd	they'd

Notez :
- ***'s*** = *is* ou *has* ; ***'d*** = *had* ou *would.*
- On ne peut pas utiliser une forme contractée de ce type en fin de phrase, parce que l'auxiliaire doit alors être accentué. Comparez :

You're *late.* *Yes,* ***you are****.* (et non ~~*Yes, you're*~~.)
I've *forgotten.* *Yes,* ***I have****.* (et non ~~*Yes, I've*~~.)

2 Forme de *be, have, do* ou auxiliaire modal + *n't.*

isn't, aren't, wasn't, weren't hasn't, haven't, hadn't don't, doesn't, didn't	can't, couldn't, mightn't, musn't, shouldn't, oughtn't, needn't shan't (= shall not), won't, wouldn't

Notez :
- L'apostrophe se met à la place du ***o*** supprimé : *has not = hasn't*, et non ~~*ha'snt*~~ .
- *Am not* se contracte en *aren't*, forme utilisée uniquement dans les questions (voir 375).

*I'm late, **aren't** I?*
Je suis en retard, hein?

- Une contraction négative peut se trouver en fin de phrase.

*No, you **aren't**.* *No, I **haven't**.*

- Dans beaucoup de dialectes anglais et américains, on utilise *ain't* comme contraction de *am not, are not, is not, have not* et *has not. Ain't* ne s'emploie pas dans la langue "correcte".

Notez aussi :

- On ne peut pas combiner deux contractions. On peut dire *you're not* ou *you aren't* mais pas ~~*you'ren't*~~.
- Le pronom *us* se contracte dans l'expression *Let's* (voir 219).

Exercice

Écrivez ces phrases avec des contractions, puis lisez-les :
1. I am tired. 2. What is the time? 3. We are happy. 4. You are quite wrong. 5. They are late. 6. I had forgotten you were coming. 7. I would like to see you again. 8. I shall ring you. 9. I think it will rain tonight. 10. I will not tell you. 11. I do not want to. 12. He does not know.

▶ Pour *it's* et *its*, *who's* et *whose*, voir 241.

95 *Cry, shout, scream*

1 En anglais courant, ***to cry*** = "pleurer", ***to shout*** = "crier", "parler fort", ***to scream*** = "crier", "pousser des cris".

*"Why **are** you **crying**?" "I'm lost."*
'Pourquoi pleures-tu?" "Je suis perdue."
*"Stop **shouting** at me, I'm not deaf."*
Ne crie pas comme ça, je ne suis pas sourd.
*She **screamed** and fainted.*
Elle poussa un cri et s'évanouit.

2 Dans un style plus littéraire, *to cry* peut s'employer au sens de "crier" ou "s'écrier".

*"Stop!" **cried** Paul.*
"Arrêtez!" s'écria Paul.

Remarque : *to weep* (= "pleurer", "verser des larmes") ne s'emploie pas en anglais courant.

d

96 Dare

1 *Dare* (= "oser") s'emploie peu en anglais moderne.
On le trouve au présent sous la forme *daren't* (+ infinitif sans *to*), et au prétérit sous la forme *didn't dare (to).*
Mais on a tendance à le remplacer, à tous les temps, par *(not) to be afraid (to)* ou *(not) to have the courage (to).*

She ***daren't go*** *out alone at night.* (ou *She'****s afraid to go*** *out* ...)
Elle n'ose pas sortir seule le soir.

I ***didn't dare to ask*** *her name.* (ou *I* ***was afraid to ask*** ...)
Je n'ai pas osé lui demander son nom.

Would you ***have the courage to*** *hit him?* (et non ~~*Would you dare to hit him?*~~)
Est-ce que tu oserais le frapper?

Exercice

Traduisez en anglais :
1. "Demande-lui où il habite." "Je n'ose pas." 2. Elle n'ose pas dire à ses parents qu'elle est enceinte (= pregnant). 3. Je n'ai pas osé inviter Jim à danser. 4. Est-ce que tu oserais chanter devant des centaines de gens? 5. Elle a osé demander une augmentation de salaire (= a rise).

---

2 Notez également les expressions familières suivantes : *How dare you ...?* (indignation), *You dare!* (défi).

How dare you talk *to me like that?*
Comment osez-vous me parler sur ce ton?

"Mummy, can I draw a picture on the wall?" ***"You dare!"***
"Maman, je peux faire un dessin sur le mur?" "Ose un peu."

Attention!
I dare say (anglais formel) = "je crois", "je suppose", "probablement".

I dare say *you're thirsty after such a long walk.*
Je suppose que vous avez soif après une aussi longue promenade.
(ou : Vous avez probablement soif ...)

97 Dates

1 Comment écrire la date.

Voici la manière la plus courante :

21 August 1989
14 July 1994
3 February 1992
18 March 1908

Autres possibilités :

21st August 1989
August 21(st) 1989
21.8.89
3rd February 1992
February 3(rd) 1992
3.2.92

Notez que, dans l'usage courant, on ne précise pas le nom du jour (*Monday*, etc.) devant la date, et qu'on met toujours une majuscule au nom du mois.
Les noms de mois sont parfois abrégés (par exemple dans les programmes, les horaires de trains, etc.) : *Jan, Feb, Mar, Apr, Aug, Sept, Oct, Nov, Dec.*

2 Comment dire la date.

14 July 1994 = ***the** fourteen**th** **of** July nineteen ninety-four*
ou *July **the** fourteen**th** nineteen ninety-four*

- On emploie toujours l'ordinal (*fourteenth* et non ~~*fourteen*~~).
- *The* ne s'écrit jamais mais se prononce toujours en anglais britannique.
- Lorsqu'on dit le nombre d'abord, il est toujours suivi de *of.*
- Le millésime se divise en deux : 19/94.
- 1908 = nineteen O /əʊ/ eight.

Exercices

***1.** Lisez les dates suivantes :*
13 April 9 May Oct 18 1947 July 4th 1888 Sept 3rd 1942 6.12.66.

***2.** Ecrivez d'une autre façon les dates suivantes :*
1. July the fourteenth, eighteen ninety 2. April the seventh, nineteen eighty-two 3. the fifth of November, nineteen sixty 4. the eighth of January, nineteen ninety-four

---

Remarque : *4.5.90* signifie *4 May 1990* en anglais britannique, mais *April 5 1990* en américain (on met le mois d'abord).

▶ Pour les nombres ordinaux (*first, second*, etc.), voir 252.

98 Dead, died, death

1 ***Dead* et *died* ("il est mort", "ils sont morts"...).**
Dead est l'adjectif "mort" (= "qui n'est plus en vie").
Died est le prétérit (ou le participe passé) de *to die* (= "mourir").
Comparez :

*Our cat is **dead**.*
Notre chat est mort.

*My parents are **dead**.*
Mes parents sont morts.

*He **died** last week.*
Il est mort la semaine dernière.

*They **died** without suffering.*
Ils sont morts sans souffrir.

Si "est mort" = "n'est plus en vie", c'est *dead*. Si "est mort" = "mourut", c'est *died*.

Exercice

Traduisez les mots en italique :
1. Le Président *est mort* hier soir. 2. Il *est mort* à l'hôpital. 3. Ma mère *est morte*. 4. Elle *est morte* en 1984. 5. Tous ses amis *sont morts* maintenant. 6. Plusieurs *sont morts* d'un cancer.

2 **"La mort" = *death*.**

*Are you afraid of **death**?*
Est-ce que tu as peur de la mort ?

3 **"Un mort" = *a dead man/woman/person*.**

*Have you ever seen **a dead person**?* (et non ...~~*a dead*~~.)
Avez-vous déjà vu un mort ?

"Les morts" (en général) = *dead people* ou *the dead* (voir 12).

***Dead people** have no more worries.*
Les morts n'ont plus de soucis.

*the living and **the dead***
les vivants et les morts

4 **"Deux/plusieurs/beaucoup, etc. de morts".**
Lorsqu'on parle du nombre de morts dans un accident ou une catastrophe naturelle, il est plus fréquent en anglais d'employer un verbe : ***be killed*** ou ***die***.

*Three people **were killed** in the accident.* (et non ~~*There were three deads*~~...)
Il y a eu trois morts dans l'accident.

*Several people **died** in yesterday's earthquake in southern Iran.* (et non ~~*There were several dead people*~~...)
Le tremblement de terre qui s'est produit hier au sud de l'Iran a fait plusieurs morts.

Exercice

Traduisez les mots en italique :
1. La police a trouvé *un mort* dans le jardin. 2. *Les morts* ne connaissent pas leur bonheur. 3. *La mort* ne me fait pas peur. 4. Je n'aime pas voir *des morts*, même au cinéma. 5. Une bombe a explosé ce matin, *il y a eu des morts* (= quelques morts). 6. *L'accident a fait cinq morts.*

99 Déjà

1 Dans les phrases affirmatives, "déjà" se traduit le plus souvent par ***already.***

*She's **already** here.*
Elle est déjà là.

*I've **already** paid.*
J'ai déjà payé.

2 Dans les questions, on utilise généralement ***ever*** (pour parler du passé) et ***yet*** (pour parler d'une action à venir).
Comparez :

*Have you **ever** been to Russia?*
Etes-vous déjà allé en Russie?

*Has Maude arrived **yet**?*
Est-ce que Maude est déjà arrivée?

Utilisé dans une question, *already* exprime la surprise : quelque chose est arrivé plus tôt que prévu.

*Are you up **already**? It's only 7 o'clock!*
Tu es déjà levé? Il n'est que 7 heures!

3 Quand on parle d'une action qui a déjà été faite, et qu'on refait, "déjà" peut se traduire par ***before*** (avec le present perfect).

*I've read this book **before**.*
J'ai déjà lu ce livre. (Je suis en train de le relire.)

*Have you been here **before**?*
Tu es déjà venu ici?

4 "Déjà" s'emploie parfois en fin de question pour demander le rappel d'une information qu'on a oubliée.
En anglais, on utilise alors ***again.***

*What's your name **again**?*
Quel est votre nom déjà? (Je l'ai su mais je l'ai oublié.)

Exercice

Traduisez en anglais :
1. "Tu viens, Bob ?" "Non, j'ai déjà mangé." 2. Il est déjà dix heures. 3. Avez-vous déjà rencontré mon père ? 4. Est-ce que le courrier (= the post) est déjà arrivé ? 5. J'ai déjà vu ce film. (Je suis en train de le revoir.) 6. Je suis déjà fatigué. 7. Avez-vous déjà été hospitalisé (= in hospital) ? 8. Est-ce que Patricia a déjà téléphoné ? 9. Vous avez déjà terminé ? Vous mangez vite ! 10. Quelle est votre adresse déjà ?

100 Depuis

"Depuis" se traduit par *for*, *since* ou *from*, selon le cas.

1 ***For* et *since*.**
On emploie *for* devant une expression indiquant une durée. (On pourrait alors remplacer "depuis" par "cela fait".)
On emploie *since* devant une expression indiquant un point de départ.

for + durée	***since*** + point de départ
***for** half an hour* depuis (= cela fait) une demi-heure	***since** three-twenty* depuis trois heures vingt
***for** three days* depuis trois jours	***since** Monday* depuis lundi
***for** six months* depuis six mois	***since** October* depuis octobre
***for** seven years* depuis sept ans	***since** his death* depuis sa mort

Exercice

Traduisez en anglais :
1. depuis trois semaines 2. depuis six mois 3. depuis dimanche 4. depuis la guerre (= the war) 5. depuis longtemps 6. depuis le 4 septembre 7. depuis 1980 8. depuis ce matin

2 Avec *for* ("depuis") et *since*, le verbe principal est normalement au present perfect (voir 314) ou au pluperfect (voir 296).

*I'**ve known** her **for** years – **since** her marriage, in fact.*
Je la connais depuis des années – depuis son mariage, en fait.

*When I arrived, everybody **had** already **been** there **for** hours.*
Quand je suis arrivé, tout le monde était déjà là depuis des heures.

3 ***From.***

On emploie surtout *from* dans les cas où le verbe principal n'est ni au present perfect, ni au pluperfect.

*He **loved** music **from** his earliest childhood.* (et non ... ~~*since his earliest childhood*~~.)
Il a aimé la musique depuis/dès sa plus tendre enfance.

since = "depuis" (+ present perfect ou pluperfect)	***from*** = "depuis", "dès" (+ autres temps)

Exercice

Mettez for, since *ou* from :
1. It's been raining ... three weeks. 2. She had been staying in London ... Sunday. 3. He loved her ... the moment he saw her. 4. I've loved you ... the moment I saw you. 5. We had been walking ... a long time, and we were tired. 6. ... the beginning of history there have been wars. 7. When she arrived I had been waiting ... two hours. 8. I liked the job ... the beginning.

▶ Pour les temps avec *since* (= "depuis que"), voir 358. Pour *it is... since*, voir 359. Pour les autres sens de *from*, voir 147.

101 Devant

1 En règle générale, "devant" se traduit par ***in front of***.

in front of *the church*
devant l'église

2 Mais on emploie ***before***:

• pour parler de l'ordre des éléments dans une liste, etc.

*Her name comes just **before** mine in the list.*
Son nom vient juste devant le mien dans la liste.

We use a ***before*** *a consonant and* an ***before*** *a vowel.*
On emploie *a* devant une consonne et *an* devant une voyelle.

• pour exprimer l'idée de "en présence de" (une personne d'autorité),

*She appeared **before** the judge on Tuesday.*
Elle a comparu devant le juge mardi.

• dans l'expression *(right) before one's eyes.*

*"Where are my keys?" "Right **before** your eyes."*
"Où sont mes clés?" "Juste devant tes yeux."

Exercice

Mettez in front of *ou* before :
1. I'll wait for you ... the post office. 2. A comes ... B in the alphabet. 3. She had to go ... a lawyer to sign the paper. 4. He put his hands ... his face.

▶ Pour la traduction de "en face de" et la différence avec *in front of*, voir 122.
Pour *before ...-ing*, voir 202 et 204.

102 Devoir

Attention à la traduction de "je dois", "je devais", "je devrais". Pour des explications détaillées, se reporter aux sections indiquées.

1 "Je dois", "tu dois"...

- Obligation, interdiction (244, 246).

*I **must/have to** go.*
Je dois partir.

*You **mustn't** smoke here.*
Tu ne dois pas fumer ici.

- Opinion morale (353, 357).

*You **shouldn't/mustn't** judge people.*
On ne doit pas juger les gens.

- Projet (151, 65, 60).

*I'm **seeing** her tonight / I'm **supposed to** see her tonight.*
(et non ~~*I have to see her tonight*~~.)
Je dois la voir ce soir.

*The two presidents **are to** meet on Saturday.*
Les deux présidents doivent se rencontrer samedi.

- Déduction (244, 357).

*Nine o'clock – she really **must** be home now.*
Neuf heures : elle doit certainement être chez elle maintenant.

Exercice

Traduisez en anglais :
1. Je dois téléphoner à Catherine. 2. Vous ne devez pas laisser cette porte ouverte. 3. Je dois aller au cinéma avec Pierre ce soir. 4. On ne doit pas dire (= tell) toute la vérité (= truth). 5. Sept heures : la viande doit certainement être prête maintenant. 6. Le Président doit partir pour Moscou (= Moscow) demain.

---

2 "Je devais", "tu devais"...

• Obligation (244.4).

*When I was an au pair girl I **had to** work hard.*
Quand j'étais au pair, je devais travailler dur.

• Projet (155.3-4, 65).

*I had a quick shower because I **was seeing** her at six.*
J'ai pris une douche en vitesse parce que je devais la voir à six heures.
*She **was supposed to** interpret for us, but she didn't speak English.*
Elle devait être notre interprète, mais elle ne parlait pas anglais.
*We **were to** make a film together.*
Nous devions faire un film ensemble.

• Fatalité (60.1 : *be to*).

*It **was bound to** happen.*
Cela devait arriver.
*He **was to** die very young.*
Il devait mourir très jeune.

Exercice

Traduisez en anglais :
1. Quand j'étais à l'armée (= in the army), je devais me lever à six heures tous les jours. 2. Je me suis couché tôt parce que je devais partir pour le Japon le lendemain (= the next day). 3. Il devait m'aider, mais il ne savait rien.

---

3 "Je devrais", "tu devrais"...

• Conseil (353, 278).

*You **should/ought to** go on a diet.*
Tu devrais te mettre au régime.

• Obligation au conditionnel (172, 92).

*If my husband died, I **would have to** go back to work.*
Si mon mari mourait, je devrais retravailler. (= ... je serais obligée de ...)

Exercice

Traduisez en anglais :
1. Vous devriez arrêter de fumer. 2. Si je passais une année en Angleterre, je devrais trouver un travail (= a job).

▶ Pour "j'ai dû", "tu as dû", etc., voir 245.3 (*had to ...*; *must have ...*).
Pour "j'aurais dû", "tu aurais dû", etc., voir 354 et 279.

103 Discours indirect (1) : les temps

Discours direct : *"I won't come," he said.*
Discours indirect : *He said (that) he wouldn't come.*

On emploie le discours indirect lorsqu'on rapporte les paroles ou les pensées de quelqu'un sans les citer directement.

1 Après un verbe au prétérit comme *said*, *told*, *thought*, *knew*, les temps se transforment généralement de la même manière en anglais et en français.

DISCOURS DIRECT	DISCOURS INDIRECT
présent	prétérit
*"I'**m** happy."* "Je suis heureux."	*He said that he **was** happy.* Il a dit qu'il était heureux.
*"I'**m waiting**."* "J'attends."	*She said she **was waiting**.* Elle a dit qu'elle attendait.
*"I **smoke** too much."* "Je fume trop."	*I told him I **smoked** too much.* Je lui ai dit que je fumais trop.
futur *(will)*	conditionnel *(would)*
*"They'**ll** help us."* "Ils nous aideront."	*I said that they **would help** us.* J'ai dit qu'ils nous aideraient.
present perfect	pluperfect
*"I'**ve seen** you before."* "Je vous ai déjà vue."	*I thought I'**d seen** her before.* Je pensais que je l'avais déjà vue.
prétérit	pluperfect
*"I **forgot**."* "J'ai oublié."	*She said that she **had forgotten**.* Elle a dit qu'elle avait oublié.
*"He **didn't come**."* "Il n'est pas venu."	*I knew he **hadn't come**.* Je savais qu'il n'était pas venu.
impératif	infinitif
*"**Stop** the car."* "Arrête la voiture."	*I told her **to stop** the car.* Je lui ai dit d'arrêter la voiture.

Notez :
- Les verbes gardent la même forme (simple ou progressive).
- On dit *He told me that* … plutôt que *He said to me that* …
- La conjonction *that* (= "que") est souvent sous-entendue dans un style familier.

2 *Can* et *may* se transforment en *could* et *might*, les autres modaux ne changent pas, dans la plupart des cas.

DISCOURS DIRECT	DISCOURS INDIRECT
*"I **can** swim."* Je sais nager.	*I told her I **could** swim.* Je lui ai dit que je savais nager.
*"It **may** rain."* Il va peut-être pleuvoir.	*He thought it **might** rain.* Il pensait qu'il allait peut-être pleuvoir.
*"He **must** work harder."* Il doit travailler davantage.	*I said he **must** work harder.* J'ai dit qu'il devait travailler davantage.
*"You **shouldn't** smoke."* Tu ne devrais pas fumer.	*She said I **shouldn't smoke**.* Elle m'a dit que je ne devrais pas fumer.

▶ Pour la liste des modaux, voir 238.

3 Après un verbe au présent (ex. : *he says*), les temps ne changent pas.

DISCOURS DIRECT	DISCOURS INDIRECT
*"She **is** happy."*	*He **says** she **is** happy.*
*"She **will be** happy."*	*He **says** she **will be** happy.*

Exercices

***1.** Choisissez le verbe qui convient :*
1. He says he ... come. (will/would) 2. He said he ... come. (will/would) 3. I know she ... still at school. (is/was) 4. I thought they ... crazy. (are/were) 5. We realised that she ... missed the train. (has/had) 6. She thinks you ... forgotten her. (have/had)

***2.** Traduisez en anglais :*
1. Je pensais que tu serais en retard. 2. J'ai dit que je ne comprenais pas. 3. Je ne savais pas qu'ils avaient acheté une maison. 4. J'ai dit que j'écrirais. 5. Il m'a dit que tu pouvais venir. 6. Je croyais qu'elle avait trouvé un travail. 7. Elle nous a dit qu'elle resterait jusqu'à dimanche prochain.

***3.** Mettre au discours indirect :*
1. "It's cold." (She said ...) 2. "It's raining." (I thought ...) 3. "Peter likes fish." (I knew...) 4. "Ann works in a bank." (He told me ...) 5. "It will rain." (The radio says ...) 6. "It will rain." (The radio said ...) 7. "John has forgotten to phone." (I think that ...) 8. "John has forgotten to phone." (I supposed that ...) 9. "I didn't finish the job." (I told her that ...) 10. "Wait for me." (I told her ...)

▶ Pour plus de détails sur *say* et *tell*, voir 349.

104 Discours indirect (2) : les interrogations

Interrogation directe : *"Where do you work?" he asked me.*
Interrogation indirecte : *He asked me where I worked.*

1 Attention à **l'ordre des mots** et à la **forme du verbe** dans les interrogations indirectes. Le sujet précède toujours le verbe. Il n'y a pas *do/did*.

He asked me who ***the others were****.* (et non …~~who were the others.~~)
Il m'a demandé qui étaient les autres.

I asked her where ***her parents lived****.* (et non … ~~where lived her parents~~ ou … ~~where did her parents live.~~)
Je lui ai demandé où habitaient ses parents.

I wondered what ***my sister was doing****.*
Je me demandais ce que faisait ma sœur.

Could you tell me what time ***it is****?*
Pouvez-vous me dire l'heure (qu'il est) ?

Notez qu'il n'y a pas de point d'interrogation dans les interrogations indirectes – sauf si le verbe principal est lui-même interrogatif, comme dans le dernier exemple ci-dessus.

2 Dans les interrogations indirectes, "si" peut se traduire par ***if*** ou ***whether***. Devant *or*, *whether* est plus fréquent (voir 106).

I don't know ***if/whether*** *you're right.*
Je ne sais pas si vous avez raison.

Tell me ***whether*** *you like it* ***or*** *not.*
Dites-moi si vous aimez cela ou non.

Exercice

Traduisez en anglais :
1. Dites-moi où je peux trouver une pharmacie (= a chemist's). 2. Je me demande combien il gagne (= to earn). 3. Elle m'a demandé ce qu'en pensaient mes parents. 4. Pouvez-vous me dire où est la gare ?
5. J'aimerais savoir où habite cette fille. 6. Je ne sais pas qui est cet homme mystérieux (= mysterious).

105 Discours indirect (3) : pronoms, déterminants et adverbes

Discours direct : Je lui ai dit : "**Tu** dois être **ici demain**."
Discours indirect : Je lui ai dit qu'**il** devait être **là le lendemain**.

En anglais, comme en français, les pronoms, les déterminants et les adverbes du discours indirect sont souvent différents de ceux du discours direct. Comparez :

DISCOURS DIRECT	DISCOURS INDIRECT
*"**You**'re right, Ann."* "**Tu** as raison, Ann."	*He told Ann **she** was right.* Il a dit à Ann qu'**elle** avait raison.
*"I like **this** house."* "J'aime **cette** maison."	*She said she liked **the** house.* Elle a dit qu'elle aimait **la** maison.
*"Who lives **here**?"* "Qui habite **ici**?"	*She asked me who lived **there**.* Elle m'a demandé qui habitait **là**.
*"I'll come **tomorrow**."* "Je viendrai **demain**."	*He said he'd come **the next day**.* Il a dit qu'il viendrait **le lendemain**.

De la même manière :

next week	→	*the following week* (= la semaine suivante)
yesterday	→	*the day before* (= la veille)
last week	→	*the week before* (= la semaine précédente)
ago	→	*before* (= avant/auparavant, voir 18)

Exercice

Choisissez l'expression qui convient :

1. Shakespeare told his wife that ... understand ... (you didn't/she didn't; me/him) 2. He went to Moscow, but he said he didn't like ... city. (this/the) 3. When she phoned me she said that Anne was ... with her. (here/there) 4. I saw him on April 6, and said I'd finish the job ... (tomorrow/the next day) 5. I explained that I had sent the letter three weeks ... , but he said that he had only received it ... (ago/before; yesterday/the day before)

106 Do : insistance/contraste

L'auxiliaire *do* s'emploie parfois dans une phrase affirmative.

1 **Pour insister** sur ce qu'on dit.

*You **do** look tired!*
Tu as l'air vraiment fatigué !

__Do__ sit down!
Veuillez vous asseoir.

__Do__ come in!
Mais entrez donc !

*I **do** like caviar!*
Qu'est-ce que j'aime le caviar !

*"Can I take a biscuit?" "Please **do**."* (= *"Please do take a biscuit."*)
"Est-ce que je peux prendre un biscuit?" "Allez-y." / "Je vous en prie."

2 **Pour exprimer un contraste,** une exception ou un désaccord avec ce qui a été dit auparavant.

I'm not very fond of the piano. I ***do*** *like Chopin, though.*
Je ne suis pas vraiment amateur de piano. Et pourtant, j'aime Chopin.
"You didn't pay the bill." "I ***did*** *pay!"*
"Vous n'avez pas payé l'addition." "Mais si, j'ai payé!"

3 **Pour confirmer** qu'une action prévue a bien eu lieu.

She said she'd phone me, and she ***did*** *phone me.*
Elle m'a dit qu'elle me téléphonerait, et elle l'a fait.
Well, I was right, it ***did*** *rain.*
Alors, j'avais raison, il a plu.

Exercice

Traduisez en anglais, en utilisant do *pour marquer l'insistance ou le contraste* :
1. Je pense vraiment que tu as tort (= ... are wrong). 2. Prenez donc de la viande (= meat)! 3. Arrête de parler, je t'en prie! 4. "Tu ne m'aimes pas!" "Mais si, je t'aime." 5. Il fait normalement très sec (= dry) ici. Et pourtant, il pleut beaucoup en novembre. 6. Qu'est-ce que j'aime cette musique!

107 Do : reprise

Lorsqu'on veut éviter de répéter un verbe dans une phrase, on le reprend par l'auxiliaire *do/does/did.*

It's important to drive carefully, and I always ***do.***
C'est important de conduire prudemment; je le fais toujours.
Don't speak to him before Paul ***does****.*
Ne lui parle pas avant Paul.
"I liked the film." "I ***did*** *too."*
"J'ai bien aimé le film." "Moi aussi."

Exercice

Mettez do, does *ou* did :
1. "Did Annie come to see you?" "Yes, she ..." 2. I like the same kind of music as my brother ... 3. "Who broke the window?" "I ..." 4. "I always have a big breakfast." "Oh, I never ..." 5. She went to the same school as I ... 6. She left school a year after I ...

108 **Do** *et* **make**

Voici les principales règles qui permettent de les distinguer.

1 On emploie *do* quand on parle d'une activité sans la préciser.

*Please **do** something.*
Fais quelque chose, s'il te plaît.

*What are you **doing**?*
Qu'est-ce que vous faites?

*I don't know what to **do** next year.*
Je ne sais pas quoi faire l'année prochaine.

2 *Do* s'emploie aussi pour parler du travail.

*She never **does** any **work**.*
Elle ne fait jamais aucun travail.

*Can you **do** a small **job** for me?*
Peux-tu me faire un petit travail?

Notez la différence entre *housework* et *homework*.

*I don't like **doing housework**.*
Je n'aime pas faire le ménage.

*Have you **done** your **homework**?*
Est-ce que tu as fait tes devoirs?

3 On emploie également *do* dans la structure *"do* + déterminant + *-ing"* (voir 135).

*I must **do the shopping**.*
Il faut que je fasse les courses.

*Have you ever **done any skiing**?*
Tu as déjà fait du ski?

Sans déterminant, on emploie *go* (ex. : *go shopping*, et non ~~*do shopping*~~) : voir 162.

4 *Make* exprime une idée de création ou de construction.

*I've just **made** a cake.*
Je viens de faire un gâteau.

*Let's **make** a plan.*
Faisons un plan.

*My father and I are **making** a boat.*
Mon père et moi, nous construisons un bateau.

5 Dans les autres cas, il n'y a pas de règles précises; *make* est plus fréquent que *do*. Apprenez les expressions suivantes :

***to do** an exercise* faire un exercice	***to do** a favour* rendre un service	***to do** good/harm* faire du bien/du mal
***to do** one's best* faire de son mieux	***to do** business* faire des affaires	***to do** sport* (voir 135) faire du sport
***to do** one's duty* faire son devoir	***to do** one's hair/teeth* se coiffer/se laver les dents	***to do** 50 mph* faire 80 km/heure

***to make** an offer/a suggestion/arrangements* (= des préparatifs)/ *a decision/an attempt* (= une tentative) */an effort/an excuse/an exception/a fire/a fortune/a mistake* (= une erreur) */a noise* (= un bruit)/ *a fuss* (des histoires, des problèmes) */a phone call/money/a profit* (= un bénéfice) */progress/love/war/peace/enquiries* (= se renseigner).

Notez que l'on dit *to make a bed* (= "faire un lit"), mais *to do a room* (= "faire une chambre").

Exercice

Mettez do *ou* make *à la forme qui convient :*
1. Go and see what the children are ... 2. My father usually ... the housework. 3. I know how to ... pizza. 4. Please don't ... so much noise. 5. He ... a lot of money last year. 6. I want to ... something crazy. 7. We spent the lesson ... paper aeroplanes. (forme en ...-ing) 8. Could you ... me some toast, please? 9. I won't have time to ... the shopping. 10. I wouldn't like to ... your job.

109 Dont

1 Dans certains cas, "dont" est **complément du nom** qui suit. Il correspond à un adjectif possessif.

le diplomate **dont la fille** a disparu (= **sa fille** a disparu)
une société **dont le PDG** a déclaré hier que ... (= **son PDG** a déclaré ...)

L'équivalent anglais est alors le plus souvent *whose* (voir 329). Notez que *whose* n'est jamais suivi d'article.

*the diplomat **whose daughter** has disappeared ...*
*a company **whose chairman** declared yesterday that ...*

Whose peut s'employer même quand le nom qui précède désigne une chose.
Toutefois, dans ce cas, on emploie souvent la tournure *of which* (placée normalement après le nom).

*a decision **whose importance** was not realised at the time* ou
*a decision **the importance of which** was not realised ...*
une décision dont on n'a pas compris l'importance à l'époque ...

2 Dans d'autres cas, "dont" est **complément du verbe** qui suit. Il n'a alors aucun sens possessif.

le garçon **dont** je t'**ai parlé** (= je t'ai parlé de lui)
la maison **dont** je **rêve** (= je rêve de cette maison)

L'équivalent anglais est alors *whom/which* + préposition. *Whom/which* est généralement sous-entendu et la préposition vient en fin de proposition.

*the boy **(whom)** I talked to you **about***
*the house **(which)** I dream **of***

3 Notez ces équivalences (attention à l'ordre des mots) :

dont certains	*some of whom/which*
dont la plupart	*most of whom/which*
dont aucun	*none of whom/which*
dont le premier	*the first of whom/which*
dont deux/trois	*two/three of whom/which*
dont + superlatif	superlatif + *of whom/which*

*We have hundreds of books, **most of which** are very old.*
Nous avons des centaines de livres, dont la plupart sont très vieux.

*He had three daughters, **the eldest of whom** was studying psychology.*
Il avait trois filles, dont l'ainée étudiait la psychologie.

Exercice

Traduisez en anglais :
1. le film dont nous avons parlé hier 2. J'ai un ami dont la sœur connaît bien le Président. 3. la fille dont je suis amoureux (= ...with) 4. une action dont je ne serais pas capable (= ... capable of) 5. Monsieur Brown, dont vous connaissez déjà la femme 6. un homme dont j'ai oublié le nom 7. leurs amis, dont la plupart sont américains 8. mes enfants, dont le plus jeune n'a que deux ans

---

4 Les structures avec *whose* et *of whom/which* s'emploient surtout dans un style formel; en anglais familier, on préfère des structures plus simples où "dont" n'a pas d'équivalent direct.

that film – I can't remember its title (et non ~~*that film, whose title*~~...)
ce film, dont le titre m'échappe

She's invited ten people. Two of them are childhood friends.
Elle a invité dix personnes, dont deux amis d'enfance.

▶ Pour "ce dont", voir 328.4.

110 Dress et wear

1 *To dress* = "habiller" (quelqu'un d'autre).

*Will you **dress** the children?*
Veux-tu habiller les enfants?

To be dressed = "être habillé"; *to get dressed* = "s'habiller" (au sens de "mettre ses vêtements").

*"**Are** you **dressed**?" "Not yet."*
"Es-tu habillé?" "Pas encore."

*You ought to **get dressed**, it's lunchtime.*
Tu devrais t'habiller, il est midi.

2 *To wear (clothes)* = "porter" (des vêtements), "mettre/avoir" (des vêtements sur soi), "s'habiller/être habillé en".

*She **was wearing** a black coat.*
Elle portait un manteau noir. (ou : Elle avait ...)

*What shall I **wear** tonight?*
Qu'est-ce que je vais mettre ce soir?

*She always **wears** blue.*
Elle s'habille toujours en bleu.

3 Dans un style plus formel, "être habillé en/de" peut se traduire par *to be dressed in.*

*Yasuko **was dressed** in a red silk kimono.*
Yasuko était habillée d'un kimono en soie rouge.

Exercice

Traduisez en anglais :
1. "Qu'est-ce que tu fais?" "Je m'habille." 2. Ma sœur s'habille souvent en vert. 3. Il est toujours bien habillé. 4. Peux-tu habiller Tommy, s'il te plaît? 5. Diana avait/portait une jupe (= skirt) bleue. 6. Je ne porte/mets jamais de jean (= jeans). 7. La reine était habillée d'une robe de satin (= satin) blanc.

Remarque : en anglais recherché, on emploie *dress* au lieu de *get dressed.*

*It took him a long time **to dress** in the mornings.*
Il mettait longtemps à s'habiller le matin.

111 During et for

1 *During* indique à quel moment un fait se produit. Il répond à la question *when ...?* (= "quand ...?").

"quand ...?" → *during*

*I'll phone you **during the afternoon**.*
Je t'appellerai pendant l'après-midi.

2 *For* indique la durée d'une action. Il répond à la question *how long ... ?* (= "pendant combien de temps ...?").

"pendant combien de temps ...?" → *for*

I'm going to stay here ***for two weeks***. (et non ...~~during two weeks~~)
Je vais rester ici pendant deux semaines.
She worked in London ***for three months****.*
Elle a travaillé à Londres pendant trois mois.

Exercice

Mettez during *ou* for *:*
1. I don't do much sport ... the winter. 2. I was so angry, I didn't speak to her ... three days. 3. I'd like to live in the future ... a week or two. 4. ... my last holidays I met some very interesting people. 5. He worked for the same firm ... twenty-five years. 6. The shop closes for a week ... December.

▶ Pour *for* = "depuis", voir 100.

112 *During* et *while*

during = "pendant" (+ nom) *while* = "pendant que" (+ verbe)

I met him ***during*** *the holidays.*
Je l'ai rencontré pendant les vacances.
I met him ***while*** *you were in Germany.* (et non ... ~~during you were~~ ...)
Je l'ai rencontré pendant que tu étais en Allemagne.

Exercice

Mettez during *ou* while :
1. I woke up three times ... the night. 2. Don't interrupt me ... I'm working. 3. People always telephone ... I'm having a bath. 4. I usually go to Scotland for a week ... August. 5. We moved a lot ... my childhood. 6. ... you're here, can I ask you some questions?

▶ Pour "pendant" = *for,* voir 111.
Pour *while* et *whereas* (= "alors que"), voir 407.

113 *Each* et *every*

1 ***Each* = "chaque". *Every* = "tout/tous",** parfois **"chaque".**

each *day*	***every*** *day* (et non ~~*every days*~~)	***each/every*** time
chaque jour	tous les jours	chaque fois

2 *Each* exprime l'idée de "un par un", "chacun séparément". Il met en relief l'individualité. *Every* est à mi-chemin entre *each* et *all*. Il perçoit les choses ou les personnes au singulier, mais pour les rapprocher, pour généraliser. Comparez :

Every *workman stood up when the President walked in.*
Tous les ouvriers se levèrent lorsque le Président entra.
He gave a beautiful signed photo to ***each*** *workman.*
Il donna une belle photo dédicacée à chaque ouvrier (= un par un).

Every *violinist knows the Beethoven violin concerto.*
Tout violoniste connaît le concerto pour violon de Beethoven.
Each *violinist interprets it in his or her own way.*
Chaque violoniste l'interprète à sa façon.

3 *Each* peut se mettre à côté du verbe, comme *all* et *both* (voir 290).

The girls ***each chose*** *a different colour.*
Les filles choisirent chacune une couleur différente.

Il peut aussi être suivi de *of*, comme *all* et *both*.

each of *us*	***each of*** *the answers*
chacun de nous	chacune des réponses

4 *Every* ne s'emploie pas pour parler de deux personnes, de deux choses, etc. On utilise *each* ou *both* à la place.
"Chaque main" = *each hand* ou *both hands*, mais non ~~*every hand*~~.

Exercice

Mettez each *ou* every :
1. I go to work ... Saturday. 2. ... person is an individual, different from the others. 3. He said ... word slowly and distinctly. 4. I understood ... word in the song. 5. ... street in the town has its own special character. 6. ... house in this street looks the same. 7. She spoke to ... of us in turn. 8. She held an apple in ... hand.

114 **Each other** *et* **one another**

1 *Each other* et *one another* ont le même sens. Ils correspondent à "l'un l'autre", "les uns les autres", ou à un pronom réfléchi utilisé en ce sens (= "nous", "vous", "se"). *Each other* s'emploie plus que *one another.*

They destroyed ***each other****.*
Ils se sont détruits (l'un l'autre).

We don't like ***each other****.* (et non ~~*We don't like us.*~~)
Nous ne nous aimons pas.

Ann and Barbara tell ***one another*** *everything.*
Ann et Barbara se disent tout.

2 Ils peuvent se mettre au cas possessif : *each other's / one another's.*

This summer my brother and I stayed in ***each other's*** *flats.*
Cet été, mon frère et moi avons échangé nos appartements.

3 Ne confondez pas *each other / one another* avec les pronoms réfléchis *ourselves, yourselves, themselves* (voir 325). Comparez :

They were looking at ***each other****.*
Ils se regardaient (l'un l'autre).

They were looking at ***themselves****.*
Ils se regardaient. (Chacun se regardait dans une glace.)

Exercice

Traduisez en anglais :
1. Ils ne s'écoutent jamais (l'un l'autre). 2. Nous nous sommes vus à Berlin. 3. Nous nous aidons souvent. 4. Ils se sont posé beaucoup de questions (l'un à l'autre). 5. Nous nous connaissons très bien. 6. Vous vous parlez en anglais ou en allemand?

115 **-ed** *et* **-ing**

1

to be + -ed: passif	*to be + -ing*: forme progressive

A lot of electricity ***is wasted*** *every day in this country.*
Beaucoup d'électricité est gaspillée chaque jour dans ce pays.

*Switch off the lights. You****'re wasting*** *electricity.*
Eteins les lumières. Tu gaspilles de l'électricité.

▶ Pour plus de détails sur le passif, voir 281-285.
Pour la forme progressive, voir les divers temps.

2 Ne confondez pas les adjectifs *interested* et *interesting*, *bored* et *boring*, etc.

I'm ***interested*** *(in) ...* Je m'intéresse (à) ...	*It's* ***interesting*** *...* C'est intéressant ...
I'm bored. Je m'ennuie.	*It's boring.* C'est ennuyeux (= barbant).
I'm annoyed. Je suis agacé.	*It's annoying.* C'est agaçant.
I'm shocked. Je suis choqué.	*It's shocking.* C'est choquant.
I'm embarrassed. Je suis gêné.	*It's embarrassing.* C'est gênant.

I'm ***interested*** *in the lesson.* (et non ~~*I'm interesting in the lesson*~~.)
Je m'intéresse au cours.

I'm ***bored*** *at home.* (et non ~~*I'm boring at home*~~.)
Je m'ennuie à la maison.

Exercice

Mettez la forme correcte :
1. I'm ... the guitar. (learning/learned) 2. The windows are ... once a week. (cleaning/cleaned) 3. I'm not ... in sport. (interesting/interested) 4. The water in the aquarium is ... regularly. (changing/changed) 5. I think my personality is ... very quickly these days. (changing/changed) 6. "How was the film?" "..." (Frightening/Frightened) 7. My grandmother is ... by some modern films. (shocking/shocked) 8. I'm never ... in my spare time. (boring/bored)

116 *Either* et *neither* + nom

1 ***Either*** **(+ nom) = "l'un ou l'autre des deux".**
Neither **(+ nom) = "ni l'un, ni l'autre".**

"Shall I come on Wednesday or Thursday?" ***"Either day*** *is OK."*
"Je viens mercredi ou jeudi?" "L'un ou l'autre, comme vous voulez."

Neither plan *is realistic.*
Aucun des deux projets n'est réaliste.

Prononciation : *either* /ˈaɪðə(r)/ ou /ˈiːðə(r)/; *neither* /ˈnaɪðə(r)/ ou /ˈniːðə(r)/.

2 On emploie ***either/neither of*** devant un pronom ou un déterminant.

"Which bike shall I take, the old one or the new one?"
"You can have ***either of them****."*
"Je prends quel vélo, le vieux ou le neuf?" "L'un ou l'autre."

Neither of my *parents smokes.*
Mes parents ne fument ni l'un, ni l'autre.

3 Un nom peut être sous-entendu.

"Do you want fish or meat? You can have ***either****." "****Neither****, thanks."*
"Tu veux du poisson ou de la viande? Tu peux avoir l'un ou l'autre." "Ni l'un, ni l'autre, merci."

4 *Neither* s'emploie surtout en début de phrase. Dans les autres cas, on préfère la structure *not ... either.*

*I do****n't*** *like* ***either*** *of them.*
Je n'aime ni l'un, ni l'autre.

Exercice

Traduisez en anglais :
1. "Il y a deux verres : lequel je prends?" "Tu peux prendre l'un ou l'autre." 2. Il peut prendre l'une ou l'autre route. 3. Aucun des deux films n'est intéressant. 4. "Tu veux du vin ou de la bière?" "Ni l'un, ni l'autre, merci."

117 Either ... or et neither ... nor

Either ... or **= "ou ... ou", "soit ... soit".**
Neither ... nor **= "(ne) ... ni ... ni".**

She's ***either*** *German* ***or*** *Swedish.*
Elle est ou allemande ou suédoise.

Either *he's late* ***or*** *I've made a mistake about the time.*
Soit il est en retard, soit je me suis trompé d'heure.

Neither *James* ***nor*** *Antonia wants to come.* (Le verbe est au singulier.)
Ni James ni Antonia ne souhaitent venir.

Prononciation : *either* /ˈaɪðə(r)/ ou /ˈiːðə(r)/; *neither* /ˈnaɪðə(r)/ ou /ˈniːðə(r)/.

Exercice

Traduisez en anglais :
1. Tu peux venir ou demain ou samedi. 2. Ni mon père, ni ma mère ne parlent anglais. 3. Soit il dort, soit il est sourd. 4. Il est ou médecin ou dentiste. (Attention à l'article, voir 40.) 5. Ni mon frère, ni ma sœur ne sont mariés. 6. Il est toujours ou en voyage (= travelling) ou en vacances.

118 Either : not either

Either, prononcé /'aɪðə(r)/ ou /'iːðə(r)/, remplace *too* dans les propositions négatives.

***Not ... either* = "(ne ... pas) non plus".**

*"The TV isn't working." "The phone **isn't** working **either**."*
"La télé ne marche pas." "Le téléphone ne marche pas non plus."
*I don't like hockey, and I **don't** like rugby **either**.*
(et non ~~I don't like~~ ~~rugby too~~.)
Je n'aime pas le hockey, je n'aime pas non plus le rugby.
*"I don't like spinach." "I **don't** like it **either.**"*
"Je n'aime pas les épinards." "Moi non plus."

Exercice

Traduisez en anglais :
1. Je n'aime pas le jazz, je n'aime pas non plus la musique pop. 2. Il ne parle pas français, et il ne parle pas non plus anglais. 3. "Elle ne m'a pas écrit." "Elle ne m'a pas écrit non plus." (present perfect) 4. Les conservateurs (= the Conservatives) ne savent pas quoi faire, et les travaillistes (= the Labour Party) ne savent pas non plus. 5. "Je ne mange pas de porc (= pork)." "Moi non plus." 6. Il ne boit pas, il ne fume pas non plus.

▶ Pour *Neither/Nor do I,* etc., voir 378.2.

119 Else

Else = "d'autre", "autrement", etc. (les traductions varient).

1 On l'emploie après les composés de *some, any, no.*

*Ask **somebody else**, I'm in a hurry.*
Demande à quelqu'un d'autre, je suis pressé.
*We can't go **anywhere else**.*
Nous ne pouvons pas aller ailleurs.
*"Would you like **anything else**?" "**Nothing else**, thanks."*
"Voulez-vous autre chose?" "Rien d'autre, merci."

Notez que **"autre chose"** = ***something/anything else*** (et non ~~*another thing*~~).

2 On l'emploie aussi après *who, what, where, why, how* et *(not) much.*

*You saw Jane and **who else**?*
Tu as vu Jane, et qui d'autre?

What else *can I do to help you?*
Qu'est-ce que je peux faire d'autre pour vous aider?
I know his nickname but I don't know ***much else*** *about him.*
Je connais son surnom mais je ne sais pas grand'chose d'autre sur lui.

3 *Else* peut s'employer au cas possessif.

I've taken ***somebody else's*** *coat.*
J'ai pris le manteau de quelqu'un d'autre.

4 *Or else* = "sinon" (comme *otherwise*).

Let's go, ***or else*** *we'll miss the plane.*
Allons-y, sinon on va rater l'avion.

Exercice

Traduisez en anglais, en employant else :
1. Je veux travailler avec quelqu'un d'autre. 2. "Voulez-vous une bière?" "Est-ce que vous avez autre chose?" 3. Allons ailleurs. 4. "J'ai vu Lucy et Pamela." "Personne d'autre?" 5. Regarde! J'ai trouvé autre chose!" (present perfect) 6. "Rien d'autre?" "Non, merci." 7. J'ai trouvé les clés de quelqu'un d'autre dans ma poche. 8. Prends un taxi, sinon tu seras en retard.

120 En + participe présent

"En + participe présent" n'a pas d'équivalent direct en anglais. La structure se traduit de diverses manières selon le sens. Voici les plus fréquentes.

1 **Verbe au participe présent** (actions simultanées).

"Sit down." she said, ***smiling.***
"Asseyez-vous", dit-elle en souriant.

2 ***When*** **+ verbe simple** (au sens de "quand").

When I saw *him I knew at once that he was ill.*
En le voyant, j'ai su tout de suite qu'il était malade.
(= Quand je l'ai vu ...)

3 ***As/while*** **+ verbe progressif** (= "pendant que", "tandis que").

As I was moving *the table I fell over.*
En déplaçant la table, je suis tombé. (= Pendant que je déplaçais ...)

While est parfois directement suivi de *-ing* (voir 112).

While doing *a bit of tidying up I found your lovely card again.*
En faisant un peu de rangement, j'ai retrouvé ta jolie carte.

4 ***By*** **+ participe présent** (pour indiquer le moyen ou la manière d'atteindre un but souhaité).

"How can you keep fit?" ***"By doing*** *a lot of sport."*
"Comment peut-on garder la forme?" "En faisant beaucoup de sport."

5 **Verbe principal** (indiquant la façon dont quelqu'un se déplace).

She ***ran*** *out of the room.* (et non ~~*She went out of the room running*~~.)
Elle sortit de la pièce en courant.
He ***danced*** *down the street.*
Il descendit la rue en dansant.

6 ***If*** **+ verbe** (sens conditionnel de "en + participe présent").

If you hurry, *you'll catch the bus.*
En te dépêchant, tu auras l'autobus. (= Si tu te dépêches ...)

7 ***On the/my/his ... way to ...*** (= "en allant à ...").

On my way to *school I found a kitten.*
En allant à l'école, j'ai trouvé un petit chat.

Exercice

Traduisez en anglais :
1. En sortant, j'ai oublié de fermer la porte. 2. "Bonjour", dit-il en prenant son manteau. 3. "Comment puis-je vous aider?" "En m'écoutant pendant (= for) cinq minutes." 4. Elle entra en chantant. 5. Elle entra dans la pièce en courant. 6. En fermant la fenêtre, j'ai vu un animal dans le jardin. 7. Je l'ai réveillé en le secouant (= to shake). 8. En allant au garage, j'ai perdu mes clés. 9. En faisant attention, tu ne feras pas d'erreur.

121 Encore

1 Dans une phrase affirmative, "encore" (sens temporel) – ***still.***

She's ***still*** *asleep.*
Elle dort encore/toujours.

2 "Pas encore" (sens temporel) = ***not ... yet*** (notez la place de *yet*).

*He has****n't*** *arrived in London* ***yet****.*
Il n'est pas encore arrivé à Londres.

3 "Encore un" (quantité) = ***another*** ou ***one more***.
"Encore deux/trois ..." = ***two/three ... more*** ou ***another two/three*** ...

*I'd like **another** bottle, please.*
Je voudrais encore une bouteille, s'il vous plaît.

*three **more** weeks / **another** three weeks*
encore trois semaines

4 "Encore", "encore une fois" (idée de répétition) = ***again*** ou ***one more time***.

*"Shall we try **again**?" "OK, **one more time**."*
"On essaie encore?" "D'accord, encore une fois."

*"Shall we play bridge?" "Oh, no, not **again**!"*
"On joue au bridge?" "Ah, non, pas encore!"

5 Devant un comparatif, "encore" = ***even***.

***even** better*
encore mieux

Exercice

Traduisez en anglais :
1. Il est encore à Londres; il revient ce soir. 2. Je n'ai pas encore payé. 3. J'ai encore trois questions à vous poser. 4. Est-ce que je peux téléphoner encore une fois? 5. Elle est encore plus belle que sa sœur. 6. Encore deux cafés, s'il vous plaît. 7. "Vous êtes marié?" "Pas encore." 8. Il est encore jeune. 9. Il fait encore plus froid qu'hier. 10. Je vais demander encore une fois.

122 En face de

"En face de" ne se traduit pas par ~~*in front of*~~.

1 "En face de" (sens spatial) se traduit par ***opposite***.

*She lives **opposite** us.* (et non ~~*She lives in front of us*~~.)
Elle habite en face de chez nous.

*There was a very beautiful girl sitting **opposite** me in the tube.*
Il y avait une très belle fille assise en face de moi dans le métro.

2 "En face de" (sens abstrait, français familier) n'a pas d'équivalent direct en anglais. On emploie souvent dans ce cas ***(to be) faced with, in the face of*** (= "face à").

*People react differently when they **are faced with** this kind of problem.* (et non ... ~~*in front of this kind of problem*~~.)
Les gens réagissent différemment en face de ce genre de problème.

*She's always very calm **in the face of** danger.* (et non ... ~~*calm in front of danger*~~.)
Elle est toujours très calme en face du danger.

3 *In front of* = "devant" (voir 101). Comparez :

*There's a bus stop **in front of** our house.*
Il y a un arrêt d'autobus devant notre maison. (sur le même trottoir)
*There's a garage **opposite** our house.*
Il y a un garage en face de notre maison. (sur l'autre trottoir)

Exercice

Traduisez les mots en italique :
1. I sat down *(en face de Georges)*. 2. My car is parked *(en face de l'école)*. 3. There's a bus stop *(en face de la gare)*. 4. There's a bus stop *(devant la gare)*. 5. When you are *(en face du problème)* you will know what to do. 6. She was powerless *(en face de)* his arguments.

123 English

1 Attention à la différence entre ***the English*** (= *English people*, "les Anglais") et ***English*** (= "(l')anglais", "la langue anglaise").

***The English** are taller than the French on average.*
Les Anglais sont plus grands que les Français, en moyenne.
***English** has an enormous vocabulary.*
L'anglais possède un immense vocabulaire.

English (la langue) ne peut pas s'employer avec l'article indéfini *a/an* (c'est un indénombrable : voir 256).

*He speaks **good English**.* (et non ...~~*a good English*~~.)
Il parle un bon anglais.

2 "Un Anglais" = *an Englishman*; "une Anglaise" = *an Englishwoman*.

*Mummy, there's **an Englishman** on the telephone.*
Maman, il y a un Anglais au téléphone.

Exercice

Traduisez en anglais :
1. L'anglais est parfois difficile. 2. Elle parle un anglais très correct. 3. Les Anglais ont trois fromages et six cents religions. 4. Je ne comprends pas l'anglais, et je ne comprends pas les Anglais. 5. J'ai rencontré un Anglais hier : il était très sympa. 6. Les Anglais sont très différents de (= different from) nous.

▶ Pour l'emploi des majuscules, voir 273.
Pour *English* et *British*, voir 69.
Pour les adjectifs et noms de nationalités, voir 247.

124 Enjoy

1 *Enjoy* est proche de *like*, mais exprime davantage l'idée de "plaisir". Il est toujours suivi d'un complément d'objet ou d'une forme en *-ing*. Notez la variété des équivalents français.

***To enjoy* = "aimer", "apprécier", "prendre plaisir à", une structure avec "plaire" ...**

*I really **enjoyed the film**.*
Le film m'a vraiment plu.
*Did you **enjoy your meal**?*
Tu as bien mangé ? / C'était bon ?
*I always **enjoy walking** in the mountains.* (et non ...~~enjoy to walk~~ ...)
J'ai toujours plaisir à marcher en montagne.

▶ Pour "plaire", voir 294.

2 ***To enjoy oneself* = "bien s'amuser".**

*Thanks for a nice evening – we really **enjoyed ourselves**.*
Merci pour cette bonne soirée, nous nous sommes vraiment bien amusés.

Expressions équivalentes : *to have a good time, to have fun.*

3 *Enjoyed* ne s'emploie pas comme adjectif.

"Je suis content" = *I am pleased* (et non ~~*I am enjoyed*~~).

Comparez :

*I **enjoyed** his company.*
J'ai apprécié sa compagnie.
*I was very **pleased**.*
J'étais très contente.

Exercice

Traduisez en anglais, en utilisant enjoy *lorsque c'est possible :*
1. Je m'amuse toujours quand je suis avec mes amis. 2. Je n'ai aucun plaisir à lire de la poésie (= poetry). 3. Ils ont été contents de nous voir. 4.Le bébé aime bien jouer avec nous. 5. Nous aimons faire de la voile (= sailing). 6. Est-ce que le livre t'a plu ?

125 Ennuyer

1 "Ennuyer" a deux sens : "agacer"/"irriter" et "ne pas intéresser". En anglais, on emploie selon le cas ***to annoy/irritate*** (= "agacer"/"irriter") ou ***to bore*** (= "ne pas intéresser"). Comparez :

*It **annoys** me when people shout.*
Ça m'ennuie quand les gens crient.

*This music **bores** me.*
Cette musique m'ennuie.

2 "S'ennuyer" = ***to be/feel/get bored***.

*I'm **bored** here ; I'm going out.*
Je m'ennuie ici ; je sors.

*I often **feel bored** when I'm alone.*
Je m'ennuie souvent quand je suis seul.

I'm getting bored.
Je commence à m'ennuyer.

3 Selon le contexte, "ennuyeux" = ***annoying/irritating*** ("agaçant"/"irritant") ou ***boring*** (le contraire de *interesting*).

*He hasn't answered yet – it's very **annoying**.*
Il n'a pas encore répondu, c'est très ennuyeux. (= irritant)

*It's a very **boring** film.*
C'est un film très ennuyeux. (= barbant)

▸ Pour la différence entre *boring* et *bored*, voir 115.

Exercice

Observez les exemples ci-dessus, puis choisissez le mot qui convient dans les phrases suivantes :
1. "Is your book interesting ?" "No, very ..." 2. I don't like living in the country. I'm ... 3. She keeps taking my discs without asking. It's very ... 4. If a teacher ... her pupils, it's not always her fault. 5. He ... me when he makes those stupid jokes : I want to hit him. 6. There's nothing to do here – I'm getting ...

126 Enough /ɪˈnʌf/

1 **Adjectif/adverbe + *enough* = "assez", "suffisamment".**

*rich **enough***	*fast **enough***	*not long **enough***
assez riche	suffisamment rapide	pas assez long

*I'm not **strong enough** to lift it.* (et non ...~~*for lift it*~~.)
Je ne suis pas assez fort pour le soulever.

*I haven't got a **big enough** car to take everybody.*
Je n'ai pas une voiture assez grande pour emmener tout le monde.

2 ***Enough* (+ adjectif) + nom = "assez de".**

enough *wine*	***enough*** *carrots*
assez de vin	assez de carottes

*We haven't got **enough small cups**.*
Nous n'avons pas assez de petites tasses.

Devant un déterminant ou un pronom, on emploie *enough of.*

*There aren't **enough of those** small boxes.*
Il n'y en a pas assez, de ces petites boîtes.
*There aren't **enough of them**.*
Il n'y en a pas assez.

3 Ne confondez pas *enough* avec *quite* (= "assez/moyennement", voir 342) et *rather* (= "assez/plutôt", voir 343).

Exercice

Traduisez en anglais :
1. Tu n'es pas assez grand (= tall). 2. J'ai assez de problèmes. 3. Nous n'avons pas assez de temps. 4. Il est suffisamment intelligent pour comprendre. 5. La soupe n'est pas assez chaude. 6. As-tu assez de pommes de terre ? 7. Je n'ai pas assez de ces verres. 8. Il y a assez de vin blanc.

127 Etre + participe passé

La structure "être + participe passé" se traduit de différentes manières selon le sens.

1 **Passif.**
Le passif se rend généralement en anglais par ***be*** **+ participe passé** (voir 281).

*The glass **is broken**.*	*He **was criticised**.*
Le verre est cassé.	Il était/a été critiqué.

2 **Verbes de position.**
"Etre assis/couché/agenouillé/appuyé" se traduit par ***be sitting/lying/kneeling/leaning.***

*You**'re sitting** on my chair.*
Tu es assis sur ma chaise.
*She **was lying** on the floor.*
Elle était couchée par terre.

3 Passé composé.
Le passé composé des verbes actifs conjugués avec "être" se traduit, selon le contexte, par le **prétérit** ou le **present perfect** (voir 317 et 313).

*Peter **has fallen** down.*
Peter est tombé.

*Peter **fell down** twice yesterday.*
Peter est tombé deux fois hier.

▶ Pour le pluperfect ("il était tombé" = *he had fallen down*), voir 295.

4 Cas particuliers : "sortir" et "partir".

• "Il est sorti" peut se comprendre de deux manières.
Comparez :

*"Is John in?" "No, **he's out/he's gone out**."* (On pense au présent.)
"Est-ce que John est là ?" "Non, il est sorti."

*"Do you know where John is?" "No, he **went out** this morning and he hasn't come back."* (On pense au passé.)
"Tu sais où est John ?" "Non, il est sorti ce matin et il n'est pas rentré."

• Il en est de même pour "il est parti".
Comparez :

*"Is Ann still with you?" "No, she's **gone/left**."* (On pense au présent.)
"Est-ce qu'Anne est encore chez vous ?" "Non, elle est partie."

*She **left** on Tuesday.* (On pense au passé.)
Elle est partie mardi.

Exercice

Traduisez en anglais :
1. Ma montre est cassée. 2. Elle est arrivée hier. 3. J'étais allongée sur la plage (= beach). 4. Il n'est pas venu nous voir cette semaine. (present perfect) 5. "Je peux parler à Helen ?" "Désolé, elle est sortie." 6. Ma mère est partie pour Londres hier.

▶ Pour "il est mort", voir 98.

128 Etre d'accord

1 "Etre d'accord" ne se traduit par ***to agree*** que lorsqu'il s'agit d'une opinion (voir 19).

*"The death penalty is inhuman." **"I agree."***
"La peine de mort est inhumaine." "Je suis (bien) d'accord."

2 Pour parler d'une permission, on emploie ***(don't) mind*** ou ***let***.

*You **don't mind** if I go out with them, do you?*
Tu es d'accord pour que je sorte avec eux?
*I can't come, my mother **won't let me**.*
Je ne peux pas venir, ma mère n'est pas d'accord.

"Etre d'accord" signifie alors "vouloir bien", "accepter".

3 Le consentement s'exprime généralement par ***all right*** ou ***OK***.

*"Shall we meet at seven?" **"All right."*** (ou ***"OK."***)
"On se retrouve à sept heures?" "D'accord."
*I'll come with Jim if **it's OK with you**.* (et non ... ~~*if you are OK*~~.)
Je viendrai avec Jim si tu es d'accord.

4 Notez bien :

***(It's)** OK (with me)* = "je suis d'accord".
***I'm** OK* = "ça va", "je vais bien".

Exercice

Traduisez en anglais :
1. "Ceci n'est pas très intéressant." "Je suis d'accord." 2. Vous êtes d'accord pour que je prenne la voiture? 3. Je ne peux pas travailler, le médecin n'est pas d'accord. 4. "On arrête?" "D'accord."

129 Even

1 *Even* (= "même") est un adverbe. Il peut se placer, comme en français, devant un nom ou un pronom ou à côté d'un verbe (pour sa place exacte, voir 290).

***Even** my little sister knows that.*
Même ma petite sœur sait cela.

***Even** I know.*
Même moi, je le sais.

*She's travelled everywhere. She's **even** been to Alaska.*
Elle a voyagé partout. Elle est même allée en Alaska.

"Même pas" = *not even* (attention à l'ordre des mots).

*I don't like wine. I do**n't even** like champagne.*
Je n'aime pas le vin. Je n'aime même pas le champagne.

2 Devant un comparatif, *even* = "encore".

*It's **even colder** than last year.*
Il fait encore plus froid que l'année dernière.

3 Ne confondez pas *even* et *even if* (= "même si").

I like you ***even if*** *you don't like me.* (et non ...~~even you don't like me~~.)
Je t'aime bien, même si tu ne m'aimes pas.

Exercice

Traduisez en anglais :
1. Il n'est même pas dix heures. 2. Elle a même peur des chats. 3. Il aime même le latin (= Latin). 4. Je n'ai même pas dix francs. 5. Il voyage même en Chine (= to China). 6. J'irai au cinéma même si tu ne viens pas (= aren't coming). 7. Je pense même que tu as raison. 8. Elle est encore plus belle qu'avant.

▶ Pour *even though*, voir 27.

130 *Ever* et *never*

ever **= "parfois", "déjà"** (dans une question) ou **"jamais"** (affirmatif)
never **= "(ne) ... jamais"**

1 *Ever* s'emploie surtout dans des questions au présent *(Do you ever ... ?)* et au present perfect *(Have you ever ... ?)*. Au présent, il signifie "parfois", au present perfect "déjà". Comparez :

Do you ever go *to concerts ?*
Est-ce que tu vas parfois au concert ? / Est-ce que ça t'arrive d'aller au concert ?

Have you ever *been to Scotland ?*
Est-ce que tu es déjà allé en Écosse ?

2 Dans une phrase affirmative, on emploie *sometimes* pour traduire "parfois", et non *ever.*

I ***sometimes*** *play tennis.* (et non ~~I ever play tennis~~.)
Je joue parfois au tennis.

3 Avec un superlatif ou *If*, *ever* = "jamais" (affirmatif).

It's the ***most beautiful*** *film I've* ***ever*** *seen.*
C'est le plus beau film que j'aie jamais vu.

It was the ***most amazing*** *story she had* ***ever*** *heard.*
C'était l'histoire la plus étonnante qu'elle eût jamais entendue.

Come and see us ***if*** *you are* ***ever*** *in London.*
Viens nous voir si jamais tu te trouves à Londres.

▶ Pour la place de *ever*, voir 290.

4 Notez aussi les expressions *for ever* (= "à jamais", "pour toujours") et *than ever* (= "que jamais").

*I'll love you **for ever**.*
Je t'aime pour toujours.

*She's lovelier **than ever**.*
Elle est plus belle que jamais.

5 *Never* a un sens négatif et correspond à "(ne) ... jamais" (= "à aucun moment"). Le verbe qui accompagne *never* est à la forme affirmative (sans *not*, sans *do*).

*Alice **never** says thank you.* (et non ~~Alice does never say~~ ...)
Alice ne dit jamais merci.

*I've **never** met him.*
Je ne l'ai jamais rencontré.

*"Give me a kiss!" **"Never!"***
"Donnez-moi un baiser!" "Jamais!"

6 *Never* ne s'emploie pas avec un autre mot négatif comme *not*, *nobody*, *nothing*. On emploie alors *ever.*

*I did**n't** think I would **ever** arrive.*
J'ai cru que je n'arriverais jamais.

***Nothing ever** happens here.*
Il ne se passe jamais rien ici.

On emploie également *ever* après *hardly* (voir 167).

*I **hardly ever** read novels.*
Je ne lis presque jamais de romans.

Exercices

***1.** Mettez* ever *ou* never :
1. Have you ... met Jim Kendall? 2. I ... go to the theatre. 3. Do you ... travel by boat? 4. It's the worst restaurant I've ... been to. 5. Nobody ... comes to visit us. 6. She hardly ... writes to me. 7. Come and see me if you ... need help. 8. My job is more boring than ...

***2.** Traduisez en anglais :*
1. Est-ce que tu te lèves parfois avant six heures? 2. Tu as déjà joué au rugby? 3. Je n'ai jamais rencontré ton frère. 4. C'est le livre le plus intéressant que j'aie jamais lu. 5. Etes-vous déjà allé en Afrique? 6. Est-ce que ça t'arrive de faire des cauchemars (= to have nightmares)? 7. Je ne bois presque jamais. 8. Personne ne me comprendra jamais. 9. Il est plus bête (= stupid) que jamais. 10. Si jamais tu vois Paul, dis-lui bonjour de ma part (= from me).

▶ Pour *whoever, whatever,* etc., voir section suivante.

131 Ever : ses composés

Les conjonctions *whoever, whatever, whichever, whenever, wherever* et *however* n'ont pas d'équivalent exact en français.

Elles expriment en général une absence de restriction – un peu comme les expressions françaises “qui que ce soit”, “quel que”, “n’importe qui/quoi/quel/quand/où/comment”.

*I’m not opening the door, **whoever** it is.*
Je n’ouvrirai pas la porte à qui que ce soit.

***Whoever** you marry, make sure he can cook.*
Quel que soit l’homme que tu épouses, assure-toi qu’il sait faire la cuisine.

***Whatever** you do, I’ll always love you.*
Quoi que tu fasses, je t’aimerai toujours.

***Whichever** day you come, we’ll be happy to see you.*
Tu peux venir n’importe quel jour, nous serons toujours contents de te voir.

*Call me **whenever** you like.*
Appelle-moi quand tu voudras.

***Wherever** you go you find advertisements.*
Partout où on va, il y a de la publicité.

***However** fast you drive, we’ll be late.*
Aussi vite que tu conduises, nous serons quand même en retard.

Exercice

Mettez un composé de ever *:*
1. ... you say, I don’t believe you. 2. ... carefully I speak German, I still have an accent. 3. I want to speak to ... is responsible. 4. It would be nice if you could travel ... you liked without a passport. 5. Come and stay with us ... you like. 6. “Which bicycle shall I take?” “... you prefer.”

132 Exclamations : *how ...!* et *what ...!*

1 *How* est généralement suivi d’un adjectif seul (= sans nom). *What* est suivi d’un nom, éventuellement précédé d’un adjectif.

how + adjectif	*what* (+ adjectif) + nom
***How** pretty!* Que c’est joli!	***What** pretty flowers!* Quelles jolies fleurs!
***How** stupid!* Que c’est bête!	***What** fools!* Quels idiots!

On emploie *a/an* devant les dénombrables singuliers. Comparez :

*What **a** pretty dress!*
Quelle jolie robe!

What_ dreadful weather!
Quel sale temps!

Notez les expressions :

*What **a** pity/shame!*
Quel dommage!

*What **a** relief!*
Quel soulagement!

*What **a** life!*
Quelle vie!

Exercice

Mettez how, what *ou* what a :
1. ... difficult language! 2. ... interesting! 3. ... funny animals! 4. ... fool! 5. ... lovely music! 6. ... nice!

---

2 Ces formes exclamatives peuvent être suivies d'un sujet et d'un verbe. Attention à l'ordre des mots :

forme exclamative + sujet + verbe

How strange ***it was****!* (et non ~~*How strange was it!*~~ ou ~~*How it was strange*~~!)
Comme c'était étrange!

What a lovely house ***your sister has****!*
Quelle jolie maison elle a, ta sœur!

Un adverbe se place tout de suite après *how*, comme un adjectif.

How fast *he's driving!* (et non ~~*How he's driving fast*~~!)
Comme il conduit vite!

Ne pas confondre question et exclamation. Comparez :

How old ***is he****?*
Quel âge a-t-il?

How old ***he is****!*
Comme il est vieux!

3 L'ordre des mots est le même dans les exclamations indirectes après *tell, know, realise, imagine*, etc.

We don't always realise ***how lucky we are****.*
On ne se rend pas toujours compte de la chance qu'on a.

You can't imagine ***what a liar he is****.*
Tu ne peux pas t'imaginer à quel point il est menteur.

Exercice

Traduisez en anglais :
1. Comme c'est intéressant! 2. Comme c'est cher! 3. Comme elle parle bien! 4. Quels grands yeux il a, ton frère! 5.Comme il est grand! 6. Tu ne sais pas à quel point je suis triste (= sad).

---

4 En français, on peut construire une exclamation avec seulement "adjectif + nom". Cette structure n'a pas d'équivalent direct en anglais, sauf dans les injures. Comparez :

What a beautiful car! (et non ~~*Oh, the beautiful car*~~!)
Oh, la belle voiture!

The stupid idiot!
L'imbécile!

▶ Pour *so* et *such*, voir 362.
Pour les exclamations interronégatives, voir section suivante.

133 Exclamations : isn't ...!, aren't ...!

Les formes interronégatives (voir 341) s'emploient souvent dans les exclamations, surtout en anglais parlé.

***Isn't the weather** nice!*
Qu'est-ce qu'il fait beau!

***Hasn't she** grown!*
Qu'est-ce qu'elle a grandi!

***Don't you** smell nice!*
Qu'est-ce que tu sens bon!

Exercice

Traduisez en anglais, en utilisant une structure interronégative :
1. Qu'est-ce qu'il fait chaud! 2. Qu'est-ce que vous avez changé! 3. Qu'est-ce que c'était drôle! 4. Qu'est-ce qu'il est grand!

Remarque : en américain, on emploie souvent la simple forme interrogative pour former des exclamations.

***Am I** hungry!*
Qu'est-ce que j'ai faim!

***Did she make** a mistake!*
L'erreur qu'elle a faite!

134 Explain

~~Explain me~~ ... est impossible en anglais.

Explique-moi/lui... = *explain (something)* ***to*** *me/him.*

*Can you **explain** this sentence **to me**?*
Pouvez-vous m'expliquer cette phrase?

*Can you **explain (to me)** how to get to your house?*
Pouvez-vous m'expliquer comment on va chez vous?

Exercice

Traduisez en anglais :
1. Je leur ai expliqué mon attitude (= my attitude). 2. Elle nous a tout expliqué. (prétérit) 3. Pouvez-vous m'expliquer pourquoi vous êtes en retard? 4. Expliquez-moi votre problème.

---

135 Faire du/de la/des (activités, sports)

1 "Faire du théâtre/de la danse" = ***to do + some, any ... + -ing.***

I ***do some*** *danc****ing****.*
Je fais de la danse. (un peu)

Do you ***do any*** *act****ing****?*
Est-ce que tu fais du théâtre?

On peut utiliser cette structure sans déterminant lorsqu'il s'agit de cours auxquels on s'inscrit.

I'm going to ***do dancing*** *next term.*
Je vais faire de la danse le trimestre prochain. (= suivre des cours de danse)

2 De la même manière, on peut dire ***to do some/any/a lot of... sport,*** mais on ne dira guère *to do sport* tout court.
• "Je fais du sport le samedi." = *I play football, tennis*, etc. ... (on mentionne de quel sport il s'agit).
• "Est-ce que tu fais du sport?" = *Do you do any sport?, Do you like sport?* ou *Do you play games?*

3 "Faire du vélo" peut se traduire par ***to go cycling*** (voir 162). Mais lorsqu'on précise si on en fait un peu, beaucoup, etc., on emploie ***do ...-ing***. Comparez :

I ***go cycling*** *at weekends.*
Je fais du vélo le week-end.

I ***do a lot of cycling****.*
Je fais beaucoup de vélo.

4 De la même manière, "faire des courses" = ***to go shopping***. Mais "faire les/ses courses" = ***to do the/one's shopping***. (On ne dit pas ~~*to do shopping*~~.) Comparez :

I ***go shopping*** *every day.*
Je fais des courses tous les jours.

I must ***do my shopping****.*
Il faut que je fasse mes courses.

Exercice

Traduisez en anglais :
1. Pat fait de la danse (= beaucoup). 2. Je n'ai pas fait beaucoup de théâtre. (present perfect) 3. Je fais du sport le dimanche. (Il s'agit de rugby.) 4. Est-ce que tu fais parfois du vélo? (= Do you ever ...?) 5. Qui a fait les courses hier?

136 Faire faire

L'infinitif qui suit "faire" peut avoir un sens actif ou passif. Comparez :

J'ai **fait rire** tout le monde. ("Rire" a un sens actif : tout le monde a ri.)
J'ai **fait réparer** ma montre. ("Réparer" a un sens passif : ma montre a été réparée.)

L'anglais est différent dans les deux cas.

1 Sens actif.

On emploie généralement :

make + complément d'objet + infinitif sans *to*

*I **made everybody laugh**.*
J'ai fait rire tout le monde.

*She **made me cry**.*
Elle m'a fait pleurer.

Exercice

Traduisez en anglais :
1. Je les ai fait travailler dur. 2. Ça me fait penser à mes vacances. 3. Ne me faites pas rire. 4. Tu m'as fait oublier mon train.

2 Sens passif.

On emploie :

have/get + complément d'objet + participe passé

*I **had my watch repaired**.*
J'ai fait réparer ma montre.
*I must **get my trousers cleaned**.*
Il faut que je fasse nettoyer mon pantalon.

Exercice

Traduisez en anglais :
1. J'ai fait laver la voiture. (prétérit) 2. Il a fait peindre (= paint) les murs. (prétérit) 3. Faites traduire cette lettre, s'il vous plaît. 4. Il faut que je fasse nettoyer mon manteau.

3 Cas particuliers.

"faire attendre quelqu'un" = *to keep somebody waiting*
"faire entrer quelqu'un" = *to let/show somebody in*
"faire visiter la maison à quelqu'un" = *to show somebody round*
"faire bouillir de l'eau" = *to boil water*
"se faire comprendre" = *to make oneself understood*

Remarque : les Américains emploient parfois *have* au lieu de *make*.

*He **had** me clean his car.*
Il m'a fait nettoyer sa voiture.

▶ Pour *to be made to do something*, voir 284.
Pour *to get somebody to do something*, voir 159.

137 Fairly

Fairly correspond à "assez". Il est moins positif que *quite* (voir 342). Si on dit à quelqu'un qu'il est *fairly nice* ou *fairly clever*, il ne sera pas flatté.

*"How was the film?" "Oh, **fairly** good. I've seen better."*
"Comment était le film?" "Oh, ça allait. Mais j'ai vu mieux."

138 Far

1 *Far* (= "loin") s'emploie rarement dans une phrase affirmative. On utilise alors plutôt *a long way*. Comparez :

*"Do you live **far** from here?" "No, not **far**."*
"Vous habitez loin d'ici?" "Non, pas loin."

*We walked **a long way**.* (et non ~~We walked far.~~)
Nous avons marché loin.

2 Toutefois, *far* peut s'employer dans une phrase affirmative après *too*, *so* et *as*.

*You've gone **too far**.*
Tu es allé trop loin.

*I ran **as far** as I could.*
J'ai couru aussi loin que je pouvais.

Notez ces emplois particuliers de *so far* et *as far as*.

*Everything's all right **so far**.*
Tout va bien jusqu'à présent.

***as far as** I know*
autant que je sache

3 Devant un comparatif, *far* = "beaucoup" (voir 84).
By far (+ superlatif) = "de loin".

*He's **far older** than me.*
Il est beaucoup plus âgé que moi.

*She's **by far** the best.*
Elle est de loin la meilleure.

Exercice

Mettez far, so far, by far *ou* a long way *:*
1. Rio de Janeiro is ... from here. 2. The station is not ... from my house. 3. Let's take the bus. It's too ... to walk. 5. It's ... to Tipperary. 5. Susan is ... the best tennis player in our team. 6. "How's everything going?" "All right ..."

▶ Pour le comparatif et le superlatif de *far* (*farther*, etc.), voir 82.
Pour *as far as* = "jusqu'à", voir 213.
Pour *How far ...?* (= "A quelle distance ...?"), voir 185.

139 Faux amis

Il existe énormément de mots en anglais qui ressemblent à des mots français, mais qui n'ont pas le même sens. En voici un certain nombre.

A

actual = vrai
actuel = *present, current;* "la société actuelle" = *present-day society*

actually = vraiment, en fait
actuellement = *now, at present*

advice (indénombrable – voir 256) = conseil;
a piece of advice = un conseil
avis = *opinion*

agenda = ordre du jour
agenda = *diary*

ancient = très vieux, très âgé
ancien = *former, old*

to arrive = arriver (quelque part)
arriver à faire = *to manage to do* (voir 38)

to assist = aider
assister à = *to attend, to see*

B

benefit = avantage
bénéfice = *profit*

C

camera = appareil photo
caméra = *cine-camera, video-camera*

car = voiture
car = *coach*

cave = grotte
cave = *cellar*

chance = possibilité, hasard
chance = *(piece of) luck;*
avoir de la chance = *to be lucky*

character = caractère (disposition), personnage (littéraire)
caractère (trait, aspect) = *characteristic*;
mauvais caractère = *bad temper*

to charge = accuser
charger (un camion, etc.) = *to load*

chips = frites
chips = *crisps*
(américain : chips = *chips;* frites = *French fries*)

circulation = circulation (en général)
circulation routière = *traffic*

college = faculté, grande école, etc.
collège (CES) = *school, junior high school* (US)

to command = commander (dans une armée, etc.)
commander (dans un restaurant) = *to order*

complete = entier
complet (plein) = *full*

comprehensive = complet (qui comprend l'ensemble)
compréhensif = *understanding*

conference = congrès, réunion de travail, séminaire
conférence = *lecture*

confused = pas clair, embrouillé (idées, explications, etc.)
confus = *embarrassed*

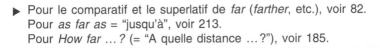

conscience = conscience (morale)
conscience (intellectuelle et physique) = *consciousness*

to control = diriger, maîtriser
contrôler = *to check*

course = stage, série de conférences
course = *race;*
cours = *class, lesson*

to cry = pleurer
crier = *to shout, scream* (voir 95)

D

to deceive = tromper
décevoir = *to disappoint*

deception = tromperie
déception = *disappointment*

defend = défendre (contre une agression)
défendre (interdire) = *to forbid, prohibit* (voir 206)

delay = retard
délai = *time, time-limit*

to demand = exiger
demander = *to ask*

distraction = le fait d'être distrait
distraction (divertissement) = *entertainment*

dramatic = théâtral, frappant, spectaculaire (ex. : *dramatic progress*)
dramatique = *terrible, disastrous*

E

education = instruction, éducation à l'école
éducation à la maison = *upbringing*

engaged = occupé, fiancé
engagé = *politically committed/involved*

eventual = final
éventuel = *possible, if any*

eventually = finalement
éventuellement = *perhaps, possibly*

evidence = preuves, témoignages
évidence = *something obvious*

evolution = évolution de l'espèce
évolution (autres sens) = *development.*

experience = expérience(s) vécue(s) ;
to experience = éprouver, vivre
une expérience scientifique = *an experiment* (voir 241)

F

fault = défaut ;
it's my fault = c'est de ma faute
une faute = *a mistake*

figure = chiffre, silhouette
figure = *face*

G

genial = jovial
génial = *brilliant;*
c'est génial ! = *it's great!*

I

to ignore = ne pas faire attention à
ignorer = *not to know*

important ne s'emploie pas au sens de "grand"
un nombre important de = *a large number of*

inconvenient = gênant, pas pratique
un inconvénient = *a disadvantage*

infancy = petite enfance
enfance = *childhood*

information = renseignements
une information = *a piece of information, a piece of news;*
les informations = *the news*

inhabited = habité
inhabité = *uninhabited*

to injure = blesser
injurier = *to insult, abuse*

interesting ne s'emploie pas au sens commercial ou

économique
une affaire intéressante = *a profitable deal;*
un prix intéressant = *a good price*

L ***large*** = grand (voir 163)
large = *wide, broad*

lecture = conférence
lecture = *reading*

library = bibliothèque
librairie = *bookshop*

licence = permis (de conduire, etc.)
licence (diplôme) = *degree*

location = endroit, lieu, emplacement
location = *hire*

M ***to march*** = marcher au pas, défiler
marcher = *to walk*

marriage = mariage (vie conjugale)
mariage (cérémonie) = *wedding*

miserable = triste
misérable = *very poor*

misery = tristesse profonde
misère = *extreme poverty*

moral = morale (d'une histoire)
la morale (mœurs) = *morals, morality;*
le moral = *morale* /mə'rɑːl/

N ***nervous*** = anxieux, nerveux
nerveux, énervé = *irritable, nervy*

O ***occasion*** = jour ou moment spécial
occasion = *bargain, opportunity*

to offer = proposer (voir 286)
offrir (cadeau, etc.) = *to give*

P ***parent*** = mère ou père
(autres) parents = *relations, relatives*

to pass (an exam) = réussir un examen (voir 347)
passer un examen = *to take/sit/do an exam;*
passer du temps = *to spend time*

pension = retraite (argent versé)
pension = *boarding house, boarding school*

petrol = essence
pétrole = *oil*

photograph = photographie
photographe = *photographer*

phrase = groupe de mots, expression
phrase = *sentence*

politics = politique (manière de gouverner)
(ligne) politique = *policy*

precise *(adj.)* = précis, exact
préciser = *to define, specify, make clear*

preservative = agent conservateur
préservatif = *condom*

to pretend = faire semblant
prétendre = *to claim*

price = prix (valeur)
prix (récompense) = *prize*

professor = professeur d'université (titulaire d'une chaire)
professeur = *teacher*

proper(ly) = correct(ement), comme il faut
propre(ment) = *clean(ly)*

property = propriété
propreté = *cleanness, cleanliness*

R ***to remark*** = mentionner
remarquer = *to notice*

to resent = trouver injuste
ressentir = *to feel, to be conscious of*

resignation = démission ou résignation

to rest = se reposer
rester = *to stay, to be left, to remain*

to resume = recommencer, reprendre une activité que l'on avait arrêtée
résumer = *to summarise, sum up*

to retire = prendre sa retraite
se retirer = *to withdraw*

reunion = retrouvailles
réunion = *meeting, party*

S

savage = féroce
sauvage = *wild*

sensible = sensé, raisonnable
sensible = *sensitive*

sentimental = larmoyant, à l'eau de rose
sentimental = *romantic*

service = service (en général)
service (division d'une entreprise, bureau) = *department*
rendre un service = *to do... a favour*

situation = situation, lieu
une (bonne) situation = *a (good) job/position* (voir 412)

society = la société (en général), association
société (commerciale) = *company, firm*

souvenir = souvenir (objet, cadeau)
souvenir (dans la mémoire) = *memory*

stage = étape, scène (dans un théâtre)
stage = *course*

station = gare
station de tourisme = *resort*

to support = soutenir, entretenir financièrement
supporter = *to stand, bear, put up with*

support = soutien
support = *prop*

surname = nom de famille
surnom = *nickname*

sympathetic = compatissant
sympathique = *pleasant, nice*

sympathise = compatir
sympathiser = *to make friends*

T

title = titre (en général)
titre de journal = *headline*

to trouble = déranger
troubler = *to upset, to disturb*

V

voyage = voyage en bateau
voyage = *journey, trip*
(voir 389)

Exercice

Traduisez en anglais :
1. Mon père est très compréhensif. 2. Il n'est pas là actuellement. 3. Ne crie pas, je ne suis pas sourd (= deaf) ! 4. Tu as eu beaucoup de chance. (prétérit) 5. un nombre important d'enfants 6. un prix intéressant 7. Je suis allée à leur mariage. 8. Elle est très sensible. 9. J'aime la lecture. 10. Janet est sympathique. 11. Quel est ton avis ? 12. Je n'arriverai jamais à comprendre. 13. Merci, nous avons déjà commandé. 14. Nous étions très déçus. 15. Ma mère travaille pour une société américaine. 16. Tu as remarqué ma nouvelle robe (= dress) ? 17. J'ai de très mauvais souvenirs de mes dernières vacances. 18. Je ne peux pas la supporter. 19. Il travaille maintenant dans un autre service. 20. Je l'ai acheté dans une petite librairie à Cambridge.

140 *Feel* et *feel like*

1 *Feel* peut être suivi d'un adjectif (comme *look*).

*This material **feels nice**.*
Ce tissu est agréable à toucher.

*She **felt tired**.*
Elle se sentait fatiguée.

*I **feel**/**I'm feeling happy** today.*
Je me sens heureux aujourd'hui.

Notez qu'on ne dit pas ~~*She felt herself tired*~~.

2 *Feel like* = "avoir l'impression d'être".

*I **feel like** a criminal.*
J'ai l'impression d'être un criminel.

It feels like = "on dirait".

***It feels like** silk.*
On dirait de la soie (au toucher).

Feel like peut aussi s'employer au sens de "avoir envie de". En ce cas, il peut être suivi d'un verbe en *-ing*.

*I **feel like** an ice cream.*
J'ai envie d'une glace.

*I **feel like dancing**.*
J'ai envie de danser.

Exercice

Traduisez en anglais :
1. Je me sens fatigué ce soir. 2. Comment vous sentez-vous ? 3. On dirait de la pierre au toucher. 4. Elle se sentait bizarre (= strange). 5. J'ai envie de parler avec quelqu'un. 6. Je me sens souvent seul (= lonely).

▶ Pour *feel as if/though*, voir 47.

141 *Finally* et *at last*

1 *Finally* et *at last* s'emploient tous deux pour indiquer qu'une longue attente est terminée (= "enfin"). *At last* exprime davantage d'émotion.

*When the train **finally** arrived I was really tired.*
Quand le train est enfin arrivé, j'étais vraiment fatigué.

***At last** I understand the present perfect!*
Je comprends enfin le present perfect !

At last (mais non *finally*) peut s'employer comme exclamation.

*Susan! **At last**! Where have you been?*
Susan ! Enfin ! D'où est-ce que tu viens ?

2 Pour parler du dernier élément d'une séquence, on emploie *finally* (mais non *at last*).

*He lived in Canada, Thailand, India and **finally** Peru.*
Il a vécu au Canada, en Thaïlande, en Inde et finalement au Pérou.

*... And **finally**, a word about the financial side of the problem.*
... Et pour terminer, un mot sur l'aspect financier du problème.

Exercice

Mettez finally *ou* at last *:*
1. ...! She's written to me! 2. I tried to get a job in computers, insurance, management and ... teaching. 3. And ..., I would like to thank all those people who helped to organise the reception. 4. It was a very long journey, but ... we arrived, thank God.

---

142 For (but)

1 ***For*** peut s'employer pour exprimer le but d'une action mais seulement **devant un nom**.

*I've come **for an interview**.*
Je viens pour une interview.

*We went to the pub **for a beer**.*
Nous sommes allés prendre une bière au pub.

"Pour" + infinitif se traduit le plus souvent par ***to*-infinitif** (voir 196).

*We went to the pub **to have** a beer.* (et non *...~~for have/having a beer~~*.)
Nous sommes allés au pub pour prendre une bière.

Exercice

Mettez for *ou* to :
1. I went to the library ... a dictionary. 2. He went to London ... learn English. 3. "Why did you come?" "Just ... see." 4. I play tennis ... the exercise and ... enjoy myself.

---

2 *For + ...-ing* s'emploie lorsqu'il s'agit d'exprimer le but ou la fonction de quelque chose.

***This knife** is **for cutting** meat.*
C'est un couteau à viande.

***Boxing Day** is a time **for visiting** friends.*
Le lendemain de Noël est un bon jour pour aller voir ses amis.

143 For + complément d'objet + to-infinitif

La structure *for ... to ...* est extrêmement fréquente, surtout après certains adjectifs. Elle correspond souvent à une tournure française tout à fait différente. Voici quelques cas typiques.

1 Après *important*, *(un)necessary*, *essential* et d'autres adjectifs exprimant l'idée d'importance.

*It's **important for** wine **to be kept** at a constant temperature.*
Il est important que le vin soit maintenu à une température constante.

2 Après *normal*, *(un)usual*, *rare*, *common*, etc. (idée de fréquence).

*It's **unusual for** her **to lose her temper**.*
C'est rare qu'elle se mette en colère.

3 Après *easy*, *difficult*, *impossible*, etc. (idée de facilité ou de difficulté).

*It's **difficult for** people **to talk** about death.*
Les gens ont du mal à parler de la mort.

4 Après *too* et *enough*.

*This box is **too heavy for** me **to lift**.*
Cette boîte est trop lourde pour que je la soulève.

*It's not **late enough for** me **to stop** work.*
Il est trop tôt pour que j'arrête de travailler.

5 Comme sujet de la phrase.

***For** a boy of your age **to get married** is a very big mistake.*
Qu'un garçon de ton âge se marie est une très grave erreur.

6 Après *wait* et *arrange*.

*I'm **waiting for** the man of my life **to come** along.*
J'attends que l'homme de ma vie se présente.

*He **arranged for** me **to go** to Italy.*
Il m'a organisé un voyage en Italie.

7 Après *something*, *anything* et *nothing*.

*Have you got **something for** me **to do**?*
Est-ce que vous avez quelque chose à me faire faire ?

*There's **nothing for** the children **to eat**.*
Il n'y a rien à manger pour les enfants.

8 Pour exprimer un but.

*He bought a video **for** his children **to be able** to watch cartoons.*
Il a acheté un magnétoscope pour que ses enfants puissent regarder des dessins animés.

Exercices

1. Traduisez en anglais, en utilisant la structure avec for *:*
1. Il est rare que Paul aille au cinéma. 2. Il est trop tard pour que je sorte. 3. Est-il nécessaire que Robert vienne avec nous? 4. J'attends qu'elle me téléphone. 5. Je n'ai rien trouvé qu'elle pourrait boire.

2. Complétez en exprimant la même idée que dans la phrase d'origine :
1. People absolutely need to relax. It's vital for ... 2. He can't remember all that. It's too difficult. It's too difficult ... 3. Children often make mistakes. It's normal. It's normal ... 4. She must have a good education. It's important. It's important ...

144 **Forget** et **leave**

Attention à la traduction de "oublier" dans des expressions comme "J'ai oublié mon sac dans le bus". *Forget* ne s'emploie pas lorsqu'on précise le lieu. Il faut alors employer *leave.* Comparez :

Oh damn! I've ***forgotten*** *my purse!*
Oh zut! J'ai oublié mon porte-monnaie!

Oh damn! I've ***left*** *my purse at home!*
Oh zut! J'ai oublié mon porte-monnaie à la maison!

Exercice

Traduisez en anglais (employez le present perfect) :
1. J'ai oublié mes clefs (= keys). 2. J'ai oublié mes clefs chez moi. 3. J'ai oublié mon écharpe (= scarf) dans le train. 4. J'ai oublié mon livre chez Annie (= at Annie's).

145 Formules de politesse

1 Présentations.
Lorsqu'on présente quelqu'un, on peut dire :

May I introduce James Barrett? (formel)
Have you met James (Barrett)?
Do you know James (Barrett)?
This is James (Barrett).

"Enchanté" se dit *How do you do?* (voir 181).

2 Remerciements.
Les formules les plus courantes pour remercier sont :

Thank you. — *Thank you very much.*
Thanks a lot. — *Thanks.* (plus familier)

Réponses typiques (= "De rien", "Je vous en prie") :

Not at all. *You're welcome.* *It's/It was a pleasure.*
That's all right. *That's OK.*

3 Salutations.

• Pour dire "Bonjour" :

Hello. *Hi.* (familier = "Salut.")
Good morning/afternoon/evening. (plus formel)

Notez que "Bonjour, Monsieur/Madame" = simplement *Hello* ou *Good morning*, et non ~~*Hello Sir/Madam*~~ (voir 242).

• Pour dire "Ça va?" et répondre :

How are you? *Very well, thanks.*
How are things? *Fine, thanks.*
How's it going? *Not too bad.*

• Pour dire "Au revoir" :

Goodbye. *Bye.* (informel)
Bye-bye. (souvent utilisé par les enfants ou à leur adresse)
See you. (= A plus tard.)
See you soon. (= A bientôt.)
See you some time. (= A un de ces jours.)
See you on Monday. (= A lundi.)
Goodnight. (= Bonne nuit.)

4 Excuses.

• On emploie *Excuse me...* **avant** de déranger quelqu'un et *Sorry...* **après**.

***Excuse me**, could I get past?*
Pardon, est-ce que je peux passer?

(On bouscule quelqu'un.)
*"Oh, **sorry**." "That's all right."* (et non ~~*"Excuse me."*~~)
"Oh, excusez-moi." "Ce n'est pas grave."

• Lorsqu'on n'a pas bien compris les paroles de quelqu'un, on dit *Pardon?, Sorry?* ou *What?* (familier) pour en demander la répétition.

*"Where's Arthur?" "**Pardon?/Sorry?/What?**" "I said ..."*
"Où est Arthur?" "Pardon?/Comment?/Quoi?" "J'ai dit ..."

5 Souhaits.

Beaucoup de souhaits commencent par "Bon ...!" en français. Certains existent en anglais, d'autres pas. Notez que très peu de souhaits commencent par *Good* ... en anglais.

Bonnes vacances! *Have a nice/good holiday.*
Bon voyage! *Have a good journey/trip.*

Bonne journée !	*Have a nice day.*
Bon week-end !	*Have a nice weekend.*
Bonne après-midi / soirée !	*Have a nice afternoon / evening.*
Bon séjour !	*Have a nice stay. / Have a nice time in ...*
Bonne route !	*Safe journey.*
Bon retour !	*Safe journey home.*
Bon ski !	*Ski well.*
Bonne chance !	*Good luck.*
Bon courage !	*Good luck.*
Bonne année !	*Happy New Year.*
Bon anniversaire !	*Happy Birthday.*
Bonne nuit ! Dors bien !	*Good night. Sleep well.*

Autres formules :

Meilleure santé !	*Get well soon.*
A la tienne / vôtre !	*Cheers.*
Joyeux Noël !	*Happy / Merry Christmas.*
Joyeuses Pâques !	*Happy Easter.*

"Bon appétit!" ne se dit pas en anglais.

146 Franglais

La plupart des mots franglais sont des "faux amis". Voici quelques-uns des plus courants ... et leur équivalent exact.

franglais	anglais
des baskets	*trainers*
un caddie	*a trolley*
un dancing	*a dance hall*
un flipper	*a pinball machine*
jouer au flipper	*to play pinball*
le foot	*football*
jouer au babyfoot	*to play table football*
faire un footing	*to go for a run*
un jean	*jeans (ou a pair of jeans)*
un jogging (vêtement)	*a tracksuit*
un living	*a living room*
un parking	*a car park*
un planning (horaire)	*a schedule* (/ˈʃedjuːl/)
un pressing	*a (dry) cleaner's*
un recordman	*a record holder*
être relax	*to be relaxed*
un rugbyman	*a rugby player*
un self	*a self-service (restaurant)*
un(e) speaker(ine)	*an announcer*
des tennis	*tennis shoes, trainers*

147 From

From = "de", parfois "à" ou "depuis/dès".

1 *From* exprime souvent l'idée de "point d'origine". Ce point peut être situé dans l'espace.

Where are you ***from****?*
D'où êtes-vous?

a long way ***from*** *home*
loin de chez moi

I can see the lake ***from*** *my room.*
Je vois le lac de ma chambre.

2 Le point d'origine peut aussi être situé dans le temps.

from *now on*
à partir de maintenant

He was blind ***from*** *birth.*
Il était aveugle de naissance.

From *her earliest childhood she was interested in animals.*
Elle s'est intéressée aux animaux dès/depuis sa plus tendre enfance.

3 Le point d'origine peut être une personne.

to borrow/take/steal/something ***from*** *somebody*
emprunter/prendre/voler quelque chose à quelqu'un

Have you heard ***from*** *Gareth?*
As-tu des nouvelles de Gareth?

▶ Pour *hear from/of/about,* voir 174.

4 "De ... à" = *from ... to.*

from *Monday* ***to*** *Friday*
de lundi à vendredi

from *Paris* ***to*** *Prague*
de Paris à Prague

from *A* ***to*** *Z*
de A à Z

5 *From* peut également exprimer une idée de séparation, de différence ou d'absence.

separate ***from***
séparé de

different ***from***
différent de

absent ***from***
absent de

He hides ***from*** *his parents to smoke.*
Il se cache de ses parents pour fumer.

Exercice

Traduisez ***seulement*** *les phrases où il faut employer* from :
1. de dix heures à onze heures 2. Il est de Milan. 3. un morceau de pain 4. J'ai une lettre de Paul. 5. le début du film 6. J'ai emprunté de l'argent à Luc. 7. Il est très différent de vous. 8. Je n'ai pas de nouvelles de Joe. 9. Je ne vois rien d'ici. 10 . Elle a parlé de ses problèmes.

▶ Pour la différence entre *from* et *since* (= "depuis"), voir 100.

148 Futur (1) : structures de base

En anglais, comme en français, trois structures de base sont utilisées pour parler de l'avenir. On peut employer soit le "temps futur", soit la tournure *I'm going* + *to*-infinitif ("je vais" + infinitif), soit un temps présent (surtout le présent progressif). En règle générale, chacune des trois structures anglaises s'emploie dans les mêmes cas que son équivalent français (pour les exceptions, voir 152).

temps futur	*I'**ll be** in Milan at 8.* Je serai à Milan à 8 h.	*He'**ll come** soon.* Il viendra bientôt.
***go** + **to**-infinitif*	***It's going to rain.*** Il va pleuvoir.	
temps présent	*I'**m moving** tomorrow.* Je déménage demain.	*The train **leaves** at 9.15.* Le train part à 9 h 15.

▶ Pour de plus amples détails sur ces trois structures, voir 149, 150 et 151. Pour le futur antérieur, voir 153.
Pour le futur progressif, voir 154.
Pour le "futur dans le passé", voir 155.
Pour l'expression du futur dans les subordonnées, voir 156.

149 Futur (2) : *will* et *shall*

will + infinitif sans *to*

Le futur français se traduit généralement ainsi. A la première personne, on peut aussi employer *shall* sans différence de sens. *Will* et *shall* se contractent en *'ll.* La contraction de *will not* est *won't* /wəʊnt/ ; celle de *shall not* est *shan't* /ʃɑːnt/.

*That **will be** difficult.*
Ce sera difficile.

*We **won't stay** long.*
Nous ne resterons pas longtemps.

*I'**ll do** it myself.*
Je le ferai moi-même.

*I **shall expect** him at midday.*
Je l'attendrai à midi.

Ne confondez pas le futur (ex. : "je ser**ai**/tu ser**as**/il ser**a**" = ***will** be*) et le conditionnel (ex. : "je ser**ais**/tu ser**ais**/il ser**ait**" = ***would** be*) – voir 91.

Exercice

1. *Traduisez en anglais :*
1. Je l'aurai demain. 2. Il saura bientôt. 3. Il ne dira rien. 4. Nous serons fatigués.

Exercice

2. Complétez les phrases avec 'll / will / won't + *verbe :*
1. If it rains, we ... to the cinema. (go) 2. What ... you ... yourself with the money you're going to earn? (buy) 3. How ... I ... who he is? I'm afraid I ... him. (know, recognise) 4. ... you ... of me when you're away? (think) 5. Of course I ... you. (forget) 6. I ... home before 8 o'clock. (be)

▶ Pour les autres emplois de *will* et *shall* (présent français), voir 152.
Pour les temps après *when, after, before...*, voir 156.
Pour l'emploi des formes contractées, voir 94.
Pour l'impératif anglais comme équivalent du futur français, voir 190.

150 Futur (3) : going to ...

1 Le verbe *go* peut s'employer pour parler de l'avenir, tout comme le verbe "aller" en français.

I'm going + *to*-infinitif = "je vais" + infinitif.

I'm ***going to give up*** *smoking.*
Je vais arrêter de fumer.

It's ***going to rain.***
Il va pleuvoir.

La tournure existe également au passé (voir 155).

I ***was going to tell*** *you.*
J'allais vous le dire.

Exercice

Traduisez en anglais :
1. Elle ne va pas m'aider. 2. Il va faire froid demain. 3. J'allais faire du thé. 4. Qu'est-ce qui va arriver? 5. Où allez-vous passer (= spend) vos vacances? 6. Tu ne vas pas me croire.

2 ***Be going to*** peut parfois s'appliquer à un projet à long terme. Dans ce cas, il ne se traduit pas toujours par "aller".

What ***are*** *you* ***going to be*** *when you grow up?*
Qu'est-ce que tu veux faire quand tu seras grande?

I'm always ***going to love*** *you.*
Je t'aimerai toujours.

▶ Pour la traduction de "aller" + infinitif par l'impératif anglais, voir 190.

151 Futur (4) : présent français = présent anglais

1 Présent progressif.

En français, on emploie souvent le présent pour parler du proche avenir. En anglais, on utilise alors normalement le présent **progressif**, et non le présent simple.

*What **are you doing** on Saturday?* (et non ~~*What do you do*~~ ...?)
Qu'est-ce que tu fais samedi?

*I'**m seeing** Donna tonight.*
Je vois Donna ce soir. (ou : Je dois voir Donna ...; voir 102.1.)

Notez qu'il s'agit ici d'actions **déjà décidées**. Pour parler d'une action que l'on décide **sur le moment même**, on utilise normalement *will* + infinitif (voir 152).

2 Présent simple.

On emploie le présent simple pour parler d'horaires et d'emplois du temps réguliers.

*"The train **leaves** at 6.30." "What time **does** it **arrive** in Glasgow?"*
"Le train part à 6 h 30." "A quelle heure est-ce qu'il arrive à Glasgow?"

*I **have** a literature class on Tuesday mornings.*
J'ai un cours de littérature le mardi matin.

Exercice

Traduisez en anglais (en employant un temps présent) :
1. Qu'est-ce que vous faites ce soir? 2. Nous allons à la campagne vendredi. 3. Robert vient demain. 4. Je vois Patricia ce week-end. 5. Je travaille samedi. 6. L'avion arrive à quelle heure? 7. A quelle heure joues-tu au tennis aujourd'hui? 8. Le film commence à sept heures et demie.

152 Futur (5) : présent français = will/shall + infinitif

Lorsque le présent français se réfère à des intentions ou attitudes envers autrui, on emploie *will* ou *shall.*

1 *Will/'ll.*

On emploie *will* (ou *'ll*) pour exprimer une **menace** ou une **promesse.**

*If you say that word again I'**ll slap** you.* (et non ...~~*I slap you*~~.)
Si tu répètes ce mot, je te gifle.

*If he isn't here at five, **I'll go** home.* (et non ...~~*I go home*~~.)
S'il n'est pas là à 5 heures, je rentre.

I'll ***phone*** *you tonight.* (et non ~~*I phone*~~ ...)
Je t'appelle ce soir.

I'll send *it to you on Tuesday.* (et non ~~*I send*~~ ...)
Je te l'envoie mardi.

On l'emploie aussi pour parler d'une action que l'on décide **sur le moment même**. (Pour les actions déjà décidées, on emploie un temps présent ou *be going to*: voir 151 et 150.)

(On sonne à la porte.) *I'll* ***go****.* (et non ~~*I go*~~.)
J'y vais. (Je décide, sur le moment même, d'aller ouvrir.)

(Le téléphone sonne.) *I'll* ***answer*** *it.* (et non ~~*I answer*~~...)
Je réponds.

(à la fin d'une lettre) *I'll* ***stop*** *now.* (et non ~~*I stop*~~ ...)
Je m'arrête.

2 *Will you ...?*

On emploie *Will you ...?* (au sens de "Veux-tu ...?") lorsqu'on demande à quelqu'un de l'aide ou un service.

Will you *help me?*
Tu m'aides?
(= Veux-tu m'aider?)

Will you *buy me a paper?*
Tu m'achètes un journal?
(= Veux-tu m'acheter un journal?)

3 *Shall I/we ...?*

On emploie *Shall I/we ...?* lorsqu'on se demande, ou lorsqu'on demande à quelqu'un d'autre, ce qu'on doit faire.

What ***shall I*** *do?*
Qu'est-ce que je fais?
(= Qu'est-ce que je dois faire?)

Shall we *tell her or not?*
On lui dit ou non?
(= Est-ce qu'on doit lui dire?)

On l'emploie aussi pour proposer son aide ou faire une suggestion.

Shall I *lay the table?*
Je mets la table?

Shall we *go?*
On y va?

Exercice

Traduisez en anglais :
1. "C'est combien?" "Non, c'est moi qui paie." (= Je paie.) 2. Je te donne la réponse jeudi. 3. Je prends (= to have) une bière, s'il vous plaît. 4. Si tu me parles comme ça, je rentre. 5. Tu me donnes de l'eau? 6. Qu'est-ce que je lui dis? 7. "Il y a quelqu'un à la porte." "J'y vais." 8. On arrête?

153 Futur (6) : futur antérieur

will have + participe passé (= "j'aurai/tu auras"... + p.p.)

1 Le futur antérieur s'emploie comme en français, pour parler d'une action qui aura été accomplie à un moment de l'avenir.

*I hope the world **will have made** a lot of progress by the year 3000.*
J'espère que le monde aura beaucoup progressé d'ici l'an 3000.

*I'll be freer after Christmas. **I'll have finished** my project.*
Je serai plus libre après Noël. J'aurai fini mon mémoire.

Attention ! Ne confondez pas le futur antérieur (ex. : "j'aur**ai**/tu aur**as** ... fini") avec le conditionnel passé (ex. : "j'aur**ais**/tu aur**ais** ... fini") ; voir 93.

Exercice

Traduisez en anglais :
1. Dans un mois, j'aurai quitté l'école. 2. Je n'aurai pas fait mes courses d'ici (= by) jeudi. 3. Est-ce que vous aurez bientôt fini la vaisselle (= the washing up) ? 4. Elle ne sera pas arrivée avant dix heures.

2 Le futur antérieur progressif *(will have been ...-ing)* s'emploie souvent avec *for.* Notez la traduction française.

***I'll have been living** here **for** three years next Monday.*
Lundi prochain, cela fera trois ans que j'habite ici.

*In October, **we'll have been working** together **for** five years.*
En octobre, cela fera cinq ans que nous travaillons ensemble.

▶ Pour l'emploi du present perfect au lieu du futur antérieur après *when*, *after*, etc., voir 156.2.

154 Futur (7) : futur progressif

will be + -ing

1 Ce temps s'emploie pour parler d'une action qui sera en train de se dérouler à un moment de l'avenir.

*At five o'clock tomorrow **I'll be playing** football.*
Demain à cinq heures, je serai en train de jouer au football.

*This time next week **I'll be lying** on the beach.*
La semaine prochaine, à cette heure-ci, je serai allongé sur la plage.

*Good luck with your exam tomorrow. **We'll be thinking** of you.*
Bonne chance pour ton examen demain. On pensera à toi.

2 On l'emploie aussi pour parler d'un projet qui a déjà été décidé, ou pour demander poliment à quelqu'un ce qu'il a décidé de faire.

*Professor Kidd **will be giving** a talk on Dutch painting next Monday at 3.15.*
Le Professeur Kidd fera une conférence sur la peinture hollandaise lundi à 15 h 15.

***Will** you **be using** the car tomorrow?*
Est-ce que tu as besoin de la voiture demain?

Exercice

Mettez le futur progressif :
1. In two weeks I ... in the sun. (sit) 2. I wonder what we ... this time tomorrow. (do) 3. Where do you think we ... ten years from now? (live) 4. At ten o'clock tomorrow morning I ... to Japan. (fly) 5. When you arrive, I ... at the station. (wait) 6. ... you ... this weekend? (work)

3 Le futur progressif est souvent plus neutre que le futur simple avec *will* + infinitif. Comparez :

***Will** you **be buying** milk?*
As tu l'intention d'acheter du lait? (simple question polie)
***Will** you **buy** me some milk?*
Tu m'achètes du lait? (sollicitation)

*I **won't be coming.***
Je ne viendrai pas. (simple constatation)
*I **won't come.***
Je ne viendrai pas. (refus)

155 Futur (8) : futur dans le passé

On peut parler du moment où une action, maintenant passée, se situait encore dans l'avenir. Pour exprimer cette idée, on emploie le même groupe de structures que pour parler du futur, mais le temps des verbes change (exactement comme en français).

1 Après un verbe principal au prétérit, on emploie *would* au lieu de *will.*

*I knew he **would** come back soon.*
Je savais qu'il reviendrait bientôt.

2 Au lieu de *am/is/are going to*, on emploie *was/were going to.*

*Last time I saw you, you **were going to** start a new job.*
La dernière fois que je t'ai vu, tu allais commencer un nouveau travail.

3 Au lieu d'un présent progressif ou simple, on emploie un prétérit progressif ou simple.

*She had a lot to do because she **was moving** the next day.*
Elle avait beaucoup à faire, parce qu'elle déménageait le lendemain. (ou ... devait déménager...)

*We had to hurry because the train **left** at eight.*
Nous avons dû nous dépêcher, parce que le train partait à huit heures.

4 *I am ...* + *to*-infinitif devient *I was ...* + *to*-infinitif (voir 60).

*I **was to see** Mr Callifax at ten.*
Je devais voir monsieur Callifax à dix heures.

Exercice

Mettez ces phrases au passé :
1. I can see that it's going to rain. (I could see ...) 2. She says I'll learn very fast. 3. He's pleased because he's changing schools in September. 4. She is to go to Canada in the summer. 5. I don't think he'll pass the exam. 6. He's saving money because he's going to spend a year in America.

156 *Futur et conditionnel : temps* après *when, after ...*

En anglais, on n'emploie pas le futur et le conditionnel dans la plupart des **propositions subordonnées** – c'est-à-dire **après** les conjonctions *when, after, before, as soon as, as long as, until, while, whenever, wherever, who, what, as much as, if, in case* et certaines autres.

1 On emploie le **présent** pour parler du **futur.**

***When I'm** rich I'll travel all over the world.* (et non ~~*When I will be rich*~~ ...)
Quand je serai riche, je voyagerai dans le monde entier.

*I will speak to her **as soon as** she **is** here.*
Je lui parlerai dès qu'elle sera là.

*We'll send your order **wherever** you **want.***
Nous enverrons votre commande où vous voudrez.

*I'll give £10 to anybody **who helps** me.*
Je donnerai dix livres à toute personne qui m'aidera.

2 On emploie le **present perfect** au lieu du **futur antérieur.**

*Come and see me **when** you**'ve finished.*** (et non ... ~~*when you'll have finished.*~~)
Viens me voir quand tu auras fini.

*I'll pay you back **as soon as** I**'ve found** a job.*
Je te rembourserai dès que j'aurai trouvé un travail.

Exercice

Mettez le verbe entre parenthèses au temps qui convient :
1. When I ... older, I'll probably be very good-looking. (be) 2. She'll make friends wherever she ... (go) 3.I'll give this ticket to the first person who ... me. (ask) 4. You'll see what ... (happen) 5. I'll help you as soon as I ... the shopping. (do) 6. Telephone me when you ... what to do. (decide)

3 On emploie le **prétérit** au lieu du **conditionnel présent.**

If I didn't have a job I'd get up ***when I wanted.***
Si je n'avais pas un travail, je me lèverais quand j'en aurais envie.
I'd help anybody ***who asked*** *me. (et non ...* ~~*who would ask me*~~ ...)
J'aiderais toute personne qui me le demanderait.

4 On emploie le **pluperfect** au lieu du **conditionnel passé.**

She said she would call me ***when she had received*** *the answer.* (et non ... ~~*when she would have received*~~...)
Ellle a dit qu'elle m'appellerait quand elle aurait reçu la réponse.

Exercice

Mettez le verbe entre parenthèses au temps qui convient :
1. She said she would write to me as soon as she ... (arrive) 2. If I was free I would only do what I ... (like) 3. I wish I could help everybody who ... it. (need) 4. She said she would marry me when I ... my studies. (finish) 5. I'd like to work when I ... and stop when I ... (want) 6. He promised to let me know as soon as he ... a place to live. (find)

▶ Pour le futur après *when*, voir 405.
Pour le futur et le conditionnel dans les subordonnées au discours indirect, voir 103.

g

157 Get (1) : sens principaux

Get a plusieurs sens, selon la structure de la phrase. Voici les plus fréquents.

1 ***Get* + objet direct** = "recevoir", "obtenir", "s'acheter", etc.

*I **got** a postcard from Peter this morning.*
J'ai reçu une carte de Peter ce matin.

*We'll have to **get** a new car.*
Il faut qu'on s' achète une nouvelle voiture.

2 ***Get* + particule/préposition** exprime généralement un mouvement.

*to **get out***
sortir

*to **get up***
se lever

*to **get down***
descendre

*to **get on/off** a bus*
monter dans/descendre d'un autobus

*to **get into/out of** a car*
monter dans/sortir d'une voiture

*What time do you think we'll **get to** Oxford?*
A quelle heure penses-tu qu'on arrivera à Oxford?

Notez la structure "*get* + objet direct + particule/préposition".

***Get her out of** here.*
Fais-la sortir d'ici.

3 ***Get* + adjectif** = "devenir".

*to **get old***
vieillir

*to **get hungry***
commencer à avoir faim

*to **get dark***
commencer à faire nuit

*to **get tired***
se fatiguer

*to **get wet***
se mouiller

*to **get ill***
tomber malade

On peut aussi utiliser "*get* + complément d'objet + adjectif".

*I can't **get my hands warm**.*
Je n'arrive pas à me réchauffer les mains.

Remarque : en anglais américain, le participe passé de *get* est *gotten*.

Exercice

Traduisez en anglais :
1. recevoir un cadeau 2. Sortez d'ici ! 3. Nous sommes arrivés à Bristol à minuit. 4. Monte dans la voiture. 5. Je vieillis. 6. Il commence à faire nuit ; dépêche-toi. 7. A quelle heure est-ce que tu te lèves demain ? 8. J'ai reçu une lettre de Paul ce matin.

▶ Pour *to get* = "aller chercher", voir 78.
Pour *I've got* = *I have*, voir 170.
Pour *get* + participe passé, voir section suivante.
Pour *get* + object direct + *to*-infinitif, voir 159.
Pour *go* employé au sens de *get* (ex. : *go bad, go bald*),voir 161.

158 Get (2) : get + participe passé

1 ***Get* + participe passé** correspond souvent à un verbe pronominal français (avec *se*).

get washed	*get dressed*	*get lost*
se laver	s'habiller	se perdre
get married	*get broken*	*get drowned*
se marier	se casser	se noyer

Ne confondez pas :
- *to **be** married/divorced* (= "être marié/divorcé"), voir 229) et *to **get** married/divorced* (= "se marier/divorcer"),
- *to **be** dressed* (= "être habillé") et *to **get** dressed* (= "s'habiller"),
- *to **be** drunk* (= "être saoûl") et *to **get** drunk* (= "se saoûler").

*Gaby **is married**. She **got married** last year.*
Gaby est mariée. Elle s'est mariée l'année dernière.

*"**Are** you **dressed**?" "**I'm getting dressed**."*
"Tu es habillée ?" "Je m'habille."

2 ***Get* + participe passé** remplace parfois un verbe au passif, souvent pour parler d'actions inattendues ou accidentelles.

*He **got arrested** for running a red light. (= He **was arrested** ...)*
Il a été arrêté parce qu'il avait grillé un feu rouge.

*I never **get invited** to their house..*
Je ne suis jamais invité chez eux.

*He **got killed** in a car crash.*
Il a été tué dans un accident de voiture.

▶ Pour *get* + objet direct + participe passé (ex. : *I must get my watch repaired*), voir 136.2.

Exercice

Traduisez en anglais :
1. Je me suis perdu dans la forêt. 2. Comment cette assiette s'est-elle cassée? 3. Elle a été tuée dans un accident d'avion. 4. Il faut que je m'habille. 5. Elle s'est mariée en mars. 6. Il a été blessé (= hurt) dans un match de football.

159 Get (3) : get + objet direct + to-infinitif

Get **+ objet direct +** ***to*-infinitif** s'emploie surtout pour exprimer l'idée de "réussir (par la persuasion) à faire faire quelque chose à quelqu'un".

I can't ***get him to tidy up*** *his room.*
Je n'arrive pas à lui faire ranger sa chambre.

Try to ***get her to help us****.*
Essaie de la convaincre de nous aider.

La structure peut aussi exprimer l'idée de "réussir à faire fonctionner un objet".

I couldn't ***get the television to work****.*
Je n'ai pas réussi à faire marcher la télévision.

Exercice

Traduisez en anglais :
1. Il a réussi à me faire payer pour tout le monde. 2. Elle n'arrivait pas à faire asseoir son chien. 3. J'ai réussi (prétérit) à lui faire accepter ma proposition (= proposal). 4. Nous avons essayé de la faire venir avec nous, mais elle n'a pas voulu.

▶ Pour les autres traductions de "faire faire", voir 136.

160 Go : been et gone

1 Si on dit *He has* ***gone*** *to London*, il est actuellement à Londres ou en route pour Londres.

*"Is Michael here?" "No, he****'s gone*** *to London." (= ... he has gone ...)*
"Est-ce que Michael est là?" "Non, il est parti à Londres."

Si on dit *He has* ***been*** *to London*, il est allé à Londres et en est revenu.

*Daniel****'s been*** *to London five times.*
Daniel est allé cinq fois à Londres. (Maintenant il est en France.)

2 On emploie *is gone* au sens de "n'est plus là" ou "a disparu".

When I came back my car ***was gone****.*
Quand je suis revenu, ma voiture n'était plus là.

Is all gone signifie "a été consommé".

The milk ***is all gone****. We'll have to get some more.*
Il n'y a plus de lait. Il faudra en racheter.

Exercice

Mettez been *ou* gone *:*
1. Have you ever ... to Canada? 2. "Where's Paul?" "He's ... shopping." 3. I've never ... to Scotland. 4. David and Emily have ... to Italy for a week. They'll be back tomorrow. 5. John isn't here. He's ... out for a few minutes. 6. When I looked round, she was ...

161 **Go** *et* **get**

1 On emploie *go* et non *get* au sens de "devenir" devant certains adjectifs. C'est surtout le cas quand on parle de changements de couleur, ou de changements indiquant une détérioration.

Leaves ***go yellow*** *in autumn.* Les feuilles jaunissent en automne.	*to* ***go red*** rougir	*to* ***go pale*** pâlir

Aunt Jane's ***going mad****.*
Tante Jane devient folle.

The milk has ***gone sour****.*
Le lait a tourné.

I don't want to ***go bald****.*
Je ne veux pas devenir chauve.

The tomatoes have ***gone bad****.*
Les tomates ont pourri.

2 Mais on emploie *get* (et non *go*) avec *old*, *tired* et *ill* (voir 157).

He's ***getting old****.*
Il vieillit.

Exercice

Traduisez en anglais :
1. Elle est devenue pâle. 2. Je deviens chauve. 3. La viande est pourrie. (present perfect) 4. Je ne veux pas devenir fou. 5. Je commence à me fatiguer.

162 Go/come ...-ing

On emploie *go/come ...-ing* dans beaucoup d'expressions se rapportant essentiellement aux activités de sport et de loisir.

*Let's **go walking** next weekend.*
Allons faire une randonnée le week-end prochain.

*Did you **go dancing** last night?*
Tu es allé danser hier soir?

***Come swimming** with us tomorrow.*
Viens à la piscine avec nous demain.

Autres expressions :

go climbing faire de la montagne	*go fishing* aller à la pêche	*go hunting* aller à la chasse
go riding faire du cheval	*go sailing* faire de la voile	*go cycling* faire du vélo
go skating faire du patin à glace	*go skiing* faire du ski	*go shopping* faire des courses

Exercice

Traduisez en anglais :
1. Je fais de la montagne tous les ans. 2. Je peux faire du cheval cet après-midi? 3. Elle ne va jamais danser. 4. Ça vous arrive de (= Do you ever ...) faire du ski?

▶ Pour *do ... dancing/cycling/the shopping*, etc., voir 135.

163 Grand

"Grand" peut se traduire par *large*, *great*, *big* ou *tall* selon les cas.

1 Avec les dénombrables.

• Avec les dénombrables à sens concret on emploie *large*.

*a **large garden*** (et non ~~*a great garden*~~)
un grand jardin

*a **large plate***
une grande assiette

• Avec les mots abstraits, on préfère *great*.

*a **great problem***
un grand problème

*a **great difference***
une grande différence

• Dans un style familier, on emploie souvent *big* à la place de *large* ou *great*.

*a **big** garden* *a **big** plate* *a **big** problem* *a **big** difference*

2 Avec les indénombrables.

Avec les indénombrables, *great* est normalement la seule possibilité.

great respect (et non ~~*big respect*~~)
un grand respect

3 Cas particuliers.

• *Great* s'emploie aussi au sens de "célèbre".

*Napoleon was not a **big** man, but he was a **great** man.*
Napoléon n'était pas grand, mais c'était un grand homme.

• *Tall* se rapporte uniquement à la hauteur. On l'emploie surtout pour parler des personnes, des arbres, et parfois des bâtiments.

*How **tall** are you?*
Combien mesurez-vous?

*the **tallest** tree in the forest.*
l'arbre le plus grand de la forêt

Notez que *a big man* est grand et fort, tandis que *a tall man* peut être mince ou fort, *tall* ne le précise pas.

Exercice

Mettez large, big, great *ou* tall *(il y a parfois deux possibilités) :*
1. a ... room 2. a ... difference 3. ... confusion 4. Einstein was a ... scientist. 5. She's very ..., she's nearly 6ft. 6. ... astonishment 7. a ... experience 8. a ... armchair

---

Remarque: le mot français "large" se traduit par *wide* et non ~~*large*~~.

h

164 Had better

1 You had better = "tu ferais bien de", "vous feriez bien de".

L'expression s'emploie pour donner des ordres et des conseils (y compris à soi-même). Le sens est présent ou futur, malgré la forme passée. *Had better* est suivi de l'infinitif **sans** ***to***.

*You'**d better hurry.***
Tu ferais bien de te dépêcher.

*You'**d better tell** the truth.*
Tu as intérêt à dire la vérité.

*I'**d better take** the car to the garage.*
Je ferais bien d'emmener la voiture au garage.

2 Attention à l'ordre des mots dans les phrases négatives.

*You'**d better not wake** her up.* (et non ~~*You hadn't better*~~...)
Tu ferais bien de ne pas la réveiller.

Exercice

Traduisez en anglais, en utilisant had better :
1. Tu ferais bien de mettre (= put on) un manteau. 2. Tu as intérêt à arrêter de fumer. 3. Vous avez intérêt à ne pas me déranger (= disturb). 4. Je ferais bien d'écrire à ma mère. 5. Je suis fatigué, je ferais bien d'aller me coucher (= go to bed). 6. Tu ferais bien d'acheter un réveil (= alarm clock).

165 Half

1 "La moitié" = *half* (sans article).

*I gave her **half**.* (et non ... ... ~~*the half*~~)
Je lui en ai donné la moitié.

***half** of them*
la moitié d'entre eux

Devant un nom, on l'emploie le plus souvent sans *of.*

***Half** the money is mine.*
La moitié de l'argent est à moi.

***Half** my friends are away.*
La moitié de mes amis sont absents.

2 *Half* s'emploie aussi comme équivalent de "demi". Attention à l'ordre des mots.

half *a pound*
une demi-livre

half *an hour*
une demi-heure

half *a bottle*
une demi-bouteille

On dit, par contre, *and a half.*

an hour ***and a half***
une heure et demie

one ***and a half hours*** (pluriel)
une heure et demie

Exercice

Traduisez en anglais :
1. Je voudrais la moitié de ce fromage. 2. un demi-litre (= litre) 3. Donnez-m'en la moitié. (Ne pas traduire "en".) 4. Attendez une demi-heure, s'il vous plaît. 5. une demi-douzaine (= dozen) 6. Nous avons déjà bu une bouteille et demie.

166 Happen

1 *To happen* = "arriver", "se passer". Attention à la forme du verbe.

*What'**s happening**?* (et non ~~*What's happen?*~~)
Qu'est-ce qui se passe ?

*What **has happened** to Ann?*
Qu'est-ce qui est arrivé à Ann ?

*What **happened** yesterday?*
Qu'est-ce qui s'est passé hier ?

Exercice

Complétez les phrases par what, what's *ou* happen *à la forme qui convient:*
1. ... happened last night? 2. Everything is ... at the same time. 3. You know ... happens to disobedient children? 4. This has never ... before. 5. Something very surprising ... yesterday. 6. ... happening here?

2 *Happen* + *to*-infinitif exprime l'idée de "par hasard".

*I **happened to meet** her this morning.*
Je l'ai rencontrée ce matin par hasard.

▶ Pour les autres traductions de "arriver", voir 38.

167 *Hard* et *hardly*

1 ***Hard*** **= "dur"** (adjectif ou adverbe).
Hardly **= "à peine", "ne ... guère".**

Comparez :

I'm working very ***hard*** *at the moment.*
Je travaille beaucoup ("dur") en ce moment.

I ***hardly*** *worked at all yesterday.*
J'ai à peine travaillé hier.

2 *Hardly any* = "ne ... presque pas de".
Hardly anything = "ne ... presque rien".
Hardly anybody = "ne ... presque personne".
Hardly ever = "ne ... presque jamais".

He's got ***hardly any*** *money.*
Il n'a presque pas d'argent.

Hardly anybody *can understand her.*
Presque personne ne la comprend.

Notez bien que le verbe anglais est affirmatif.

Exercices

1. *Mettez* hard *ou* hardly :
1. This bread is very ... 2. "Do you know Oscar?" "..." 3. I'm so tired I can ... stand up. 4. We tried very ... to understand.

2. *Traduisez en anglais :*
1. Il n'est presque jamais chez lui. 2. Elle a beaucoup travaillé l'année dernière. 3. Il ne mange presque rien. 4. Presque personne n'est venu me voir.

168 *Have* (1) : formes

Have peut se conjuguer de trois façons au présent et au prétérit.

1 ***Have*** **sans** ***do.***

	affirmation	question	négation
présent	I have (I've) he has (he's) ...	have I? has he? ...	I have not (haven't) he has not (hasn't) ...
prétérit	I had (I'd) ...	had I? ...	I had not (hadn't) ...

Ces formes s'emploient surtout lorsque *have* est auxiliaire (voir 169).

2 ***Have got.***

Dans certains cas, on peut ajouter *got* aux formes sans *do*, sans en changer le sens. (*I've got* = *I have* = "j'ai".)

	affirmation	question	négation
présent	I've got he's got ...	have I got? has he got? ...	I haven't got he hasn't got ...

Ces formes s'emploient dans un style familier, surtout au présent, lorsque *have* est un verbe ordinaire (voir 170).

3 ***Have* avec *do*.**

	affirmation	question	négation
présent	I have he has ...	do I have? does he have? ...	I do not (don't) have he does not (doesn't) have ...
prétérit	I had ...	did I have? ...	I did not (didn't) have ...

Ces formes s'emploient lorsque *have* correspond à "prendre", "passer", etc., dans des expressions comme *have breakfast / a bath / a holiday* (voir 171) ; et parfois aussi lorsque *have* correspond à "avoir", verbe ordinaire (voir 170)

Remarque : aux autres temps, *have* se conjugue toujours comme un verbe ordinaire (ex. : *I will have, would you have?*, etc.) ; voir 380.

▶ Pour *ain't* (= *haven't/hasn't*), voir 94.2.

169 Have (2) : auxiliaire

have + participe passé

1 *Have* (sans *do*, voir 168) s'emploie comme auxiliaire du present perfect et du pluperfect (voir 312 et 295).

*I've already **paid**.*
J'ai déjà payé.

***Had you** eaten?* (et non ~~*Did you have*~~...)
Aviez-vous mangé ?

2 *Have* sert aussi à former l'infinitif passé, donc le futur antérieur (voir 153), le conditionnel passé (voir 93), et les autres temps composés des modaux (voir 238).

*I'm sorry **to have made** a mistake.*
Je suis désolé de m'être trompé.

*I **would have come** earlier ...*
Je serais venu plus tôt ...

*I'**ll have finished** soon.*
J'aurai bientôt fini.

*She **may have forgotten**.*
Elle a peut-être oublié.

3 Notez bien que **tous les verbes** se conjuguent avec *have* à ces diverses formes, même lorsqu'il y a l'auxiliaire "être" en français.

*The Queen **has arrived**.* (et non ... ~~*is arrived*~~)
La reine est arrivée.

Exercice

Traduisez en anglais :
1. Il avait compris. 2. Regarde : j'ai fini. 3. Elle n'était pas venue avec nous. 4. Tout le monde avait bien travaillé. 5. "Où est Ken ?" "Il est parti à Londres." 6. Avez-vous mangé ?

---

170 Have (3) : have (got)

1 La structure *have got* (voir 168) s'emploie souvent en anglais familier comme équivalent de "avoir", verbe ordinaire. Notez bien que *got* ne change pas le sens du verbe.

I've got = *I have* = "j'ai".

*They'**ve got** a new car.*
Ils ont une nouvelle voiture.

***Has** she **got** any sisters ?*
Est-ce qu'elle a des sœurs ?

*The machine'**s got** two speeds.*
La machine a deux vitesses.

*I **haven't got** a headache any more.*
Je n'ai plus mal à la tête.

Au prétérit, *got* est rare, et les questions et les phrases négatives se construisent normalement avec *do*.

*She **had** flu.*
Elle avait la grippe.

***Did** Shakespeare **have** any children ?*
Est-ce que Shakespeare avait des enfants ?

Got ne s'emploie pas aux autres temps.

*I'**ve had** a brilliant idea !* (et non ~~*I've had got*~~...)
J'ai eu une idée géniale !

2 Notez que l'on n'emploie pas *have got* pour parler d'habitudes et de situations répétées.
Comparez :

*I've **got** toothache.*
J'ai mal aux dents.

*I often **have** toothache.*
J'ai souvent mal aux dents.

*I **haven't got** any beer today.*
Je n'ai pas de bière aujourd'hui.

*I **don't** often **have** beer in the house.*
Je n'ai pas souvent de bière à la maison.

Exercice

Traduisez en anglais, en utilisant les formes avec got *lorsque c'est possible :*
1. Ils ont un bel appartement (= flat). 2. J'ai trois frères. 3. Avez-vous cinq minutes pour moi ? 4. Elle n'a pas de temps libre. 5. Est-ce que vous avez une moto (= motorbike) ? 6. Nous avons souvent des invités (= guests). 7. Elle a les yeux bleus. (Ne pas traduire "les".) 8. Il avait une voiture très rapide.

3 Dans un style plus élevé, *got* ne s'emploie pas. *Have* se conjugue alors comme un verbe ordinaire, avec ou sans *do* aux formes interrogatives et négatives (voir 168).

*The new proposal **has** several advantages.*
La nouvelle proposition a plusieurs avantages.

*Excuse me. **Have you** a light?*
Pardon, avez-vous du feu ?

*The President **does not have** any health problems.*
Le Président n'a pas de problèmes de santé.

4 En anglais américain, les formes interrogatives et négatives se construisent presque toujours avec *do*. Cet usage se répand de plus en plus en Grande-Bretagne.

US : ***Do** you **have** a light?*
GB : ***Have** you **got**/**Do** you **have** a light?*
Avez-vous du feu ?
US : *We **don't have** a car.*
GB : *We **haven't got**/**don't have** a car.*
Nous n'avons pas de voiture.

▶ Pour "avoir" = *to be* (ex. : *to be cold, to be hungry*), voir 61.
Pour *have got to ...*, voir 172.

171 Have (4) : activités

1 *Have* ne correspond pas toujours à "avoir". On l'emploie aussi dans un grand nombre d'expressions se rapportant à une activité. Le verbe se traduit alors différemment selon le complément. Voici quelques exemples.

to have a dream	faire un rêve
to have a rest	se reposer
to have a wash	se laver
to have a shave	se raser
to have a bath/shower	prendre un bain/une douche
to have a swim	se baigner
to have a holiday	passer/prendre des vacances
to have breakfast	prendre le petit déjeuner
to have lunch, dinner	déjeuner, dîner
to have a cup of coffee/tea	prendre un café/un thé
to have a drink	prendre un verre
to have a good/nice time	bien s'amuser
to have a good journey/trip	faire un bon voyage
to have a look at ...	jeter un coup d'œil à ...
to have a try	faire un essai
to have a nervous breakdown	faire une dépression nerveuse

2 Dans ce type d'expression, *have* se conjugue comme un verbe ordinaire (voir 168), et il peut avoir des formes progressives.

***Did** you **have** a good rest?*
Vous vous êtes bien reposé?

***I'm having** a very good time.*
Je m'amuse très bien.

3 Notez l'emploi de l'impératif dans certaines formules de politesse (voir 145.5).

***Have** a good trip.*
Bon voyage!

***Have** a nice holiday.*
Bonnes vacances!

***Have** a nice rest.*
Reposez-vous bien.

Exercice

Traduisez en anglais :
1. J'ai fait un rêve bizarre (= strange) la nuit dernière. 2. A quelle heure est-ce que vous dînez en général (= usually)? 3. Je vais prendre un bain. 4. "Où est Karen?" "Elle prend une douche." (Attention au temps.) 5. Amusez-vous bien! 6. Vous voulez vous baigner?

172 Have (5) : have (got) to ...

1 *Have (got)* + *to*-infinitif (voir 168.2-3) exprime l'obligation.

> *I have (got) to* = "je suis obligé/forcé de...",
> "il faut que je...", "je dois..."

*I'm sorry. I **have to go**. (ou ... I've **got to go**.)*
Je suis désolé. Je dois m'en aller.

***I've got to telephone**. (ou ... I **have to telephone**.)*
Il faut que je téléphone.

2 Les tournures avec *got* ne s'emploient qu'au présent et dans la langue familière. Comparez :

***I've got to go** to London tomorrow.*
Il faut que j'aille à Londres demain.

***I had to go** to London yesterday.*
J'ai été obligé d'aller à Londres hier.

On ne les emploie pas pour parler d'obligations répétées ou habituelles. Comparez :

***I've got to do** the washing.*
Il faut que je fasse la lessive.

***I have to do** the washing every day.*
Il faut que je fasse la lessive tous les jours.

3 La forme négative exprime une absence d'obligation.

> *I don't have to/haven't got to* = "je ne suis pas obligé de...",
> "je ne suis pas forcé de..."

*You **don't have to tell** him the truth. (ou You **haven't got to** ...)*
Tu n'es pas obligé/forcé de lui dire la vérité.

4 Cette structure existe à tous les temps.

***I'll have to buy** some new shoes soon.*
Il va bientôt falloir que je m'achète de nouvelles chaussures.

*She **has** never **had to work**.*
Elle n'a jamais été obligée de travailler.

► Pour *would have to*, voir 102.3.

Exercice

Traduisez en anglais :

1. Je suis obligé de te quitter. 2. Il faut que j'écrive à Sally. 3. Est-ce que tu dois travailler demain ? 4. J'ai dû attendre pendant une heure. 5. Vous n'êtes pas obligé de rester si vous ne voulez pas. 6. Il faudra bientôt que je rentre chez moi.

5 N'utilisez pas *have to* pour exprimer une opinion morale ou parler d'un projet (voir "devoir", 102).

*We **should/must** help elderly people.* (et non ~~*We have to help*~~...)
On doit aider les personnes âgées.

*I'm **seeing** Betty tonight, I'll tell her.* (et non ~~*I have to see Betty*~~...)
Je dois voir Betty ce soir, je lui dirai.

173 Hear et listen (to)

***Hear* = "entendre", *listen* = "écouter".**

*"I can't **hear** anything."*	*"**Listen**!"*
"Je n'entends rien."	"Ecoute!"

Devant un nom ou un pronom, *listen* est toujours suivi de *to*:

listen to + nom/pronom

*When I'm alone, I often **listen to** music.* (et non ...~~*listen music*~~ ou ...~~*hear music*~~)
Quand je suis seul, j'écoute souvent de la musique.

*Don't **listen to** her.*
Ne l'écoute pas.

Exercice

Traduisez en anglais :
1. Ecoute, j'ai une idée! ... Ecoute-moi! 2. Est-ce que tu entends un bruit? 3. J'entends le train. 4. Je n'aime pas écouter des conférences (= lectures). 5. J'écoute les informations (= the news) tous les matins. 6. Il n'écoute jamais quand je parle.

▶ Pour l'emploi de *can* devant *hear*, voir 75.
Pour *hear* + objet direct + infinitif ou *–ing*, voir 350.

174 Hear from, of, about

To hear from = "avoir/recevoir des nouvelles de" (par lettre, téléphone, etc.).

*"Have you **heard from** Jim?" "No, he hasn't written."*
"Est-ce que tu as des nouvelles de Jim?" "Non, il n'a pas écrit."

To hear of = "entendre parler de", au sens de "apprendre/connaître l'existence de".

*I've never **heard of** Mencken. Who is he?*
Je n'ai jamais entendu parler de Mencken. Qui est-ce?

To hear about = "être au courant de/pour", à propos d'un fait ou d'un événement.

*"Have you **heard about** Susie?" "No, what's happened?"*
"Tu es au courant pour Susie?" "Non, qu'est-ce qui s'est passé?"

Exercice

Mettez of, from *ou* about :
1. I've heard ... Cassie – she phoned last night. 2. Have you heard ... the accident? 3. He says he's a famous writer, but I've never heard ... him. 4. I've just heard ... your exam results – congratulations! 5. "I live in Chilton." "I've never heard ... it." 6. We haven't heard ... Peter for weeks.

---

175 **Here** et **there**

here = "ici" ou "là"	***there*** = "là", "là-bas", "y"

1 *Here* désigne l'endroit où se trouve la personne qui parle (= "ici"). Mais, en français parlé, on emploie souvent "là" au sens de "ici". Attention à ne pas le traduire par *there*.

*What are you doing **here**?*
Qu'est-ce que tu fais ici?.

*I won't be **here** tomorrow.*
Je ne serai pas là (= ici) demain.

Notez les diverses traductions de *there*, en particulier "y".

*Is John **there**?* (au téléphone)
Est-ce que John est là?

*I'm going **there** tomorrow.*
J'y vais demain.

*Do you know the girl in the corner **over there**?*
Tu connais la fille qui est dans le coin là-bas?

2 N'utilisez pas *here is* pour les présentations. Comparez :

Here's *Barbara.*
Voilà Barbara. (Elle arrive.)

*Tom, **this is** Barbara.*
Tom, je te présente Barbara.

Exercice

Mettez here *ou* there :
1. "Do you know Naples?" "No, I've never been ..." 2. Hello. What are you doing ...? 3. Who's the boy over ... by the door? 4. "Hello, Cambridge 31468." "Hello, is Stephanie ..., please?" 5. "Where are you, Peter?" "..., in the kitchen." 6. I've been waiting ... for you since six o'clock.

---

176 **Heure** *(l'expression de l'heure)*

1 Pour demander l'heure, on peut dire : *What time is it?* ("Quelle heure est-il ?"), *What's the time?* (anglais familier = "Il est quelle heure ?") ou *What time do you make it?* ("Quelle heure as-tu ?")

2 L'heure se lit le plus souvent ainsi :

three (o'clock) — five past three — (a) quarter past three

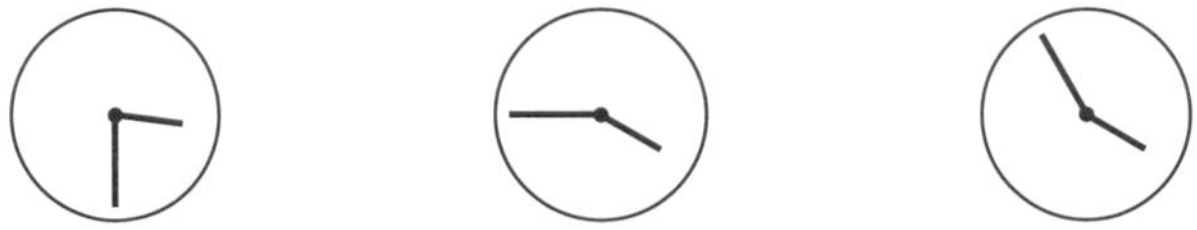

half past three — (a) quarter to four — five to four

• *O'clock* ne s'emploie qu'avec les heures justes et est facultatif. (On peut dire *three* ou *three o'clock* mais pas ~~*half past three o'clock*~~.)
• "Midi" = *twelve* (plus courant que *noon* ou *midday*).
"Minuit" = *midnight.*

Exercice

Ecrivez les heures :

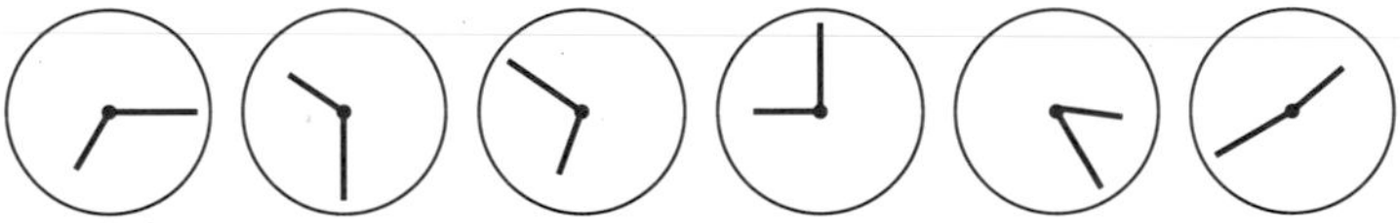

3 Dans le langage courant, les heures se comptent de 1 à 12. ("13 heures" = *one o'clock*, "14 heures" = *two o'clock*, etc.). Lorsqu'on veut préciser s'il s'agit du matin, de l'après-midi ou du soir, on ajoute *in the morning/ afternoon/ evening* ou, dans un style plus officiel, *a.m.* (*ante meridiem* = "avant midi") ou *p.m.* (*post meridiem* = "après midi").

We left at ***six (o'clock) in the evening****/at* ***6 p.m.***
Nous sommes partis à 6 heures du soir / à 18 heures.

Notez que *a.m.* et *p.m.* ne peuvent pas se combiner à *o'clock*. (~~*6 p.m. o'clock*~~ est impossible.)

Exercice

Traduisez en anglais :
1. Je partirai (= leave) à une heure. 2. Fred m'a téléphoné à deux heures du matin. 3. "Il est quelle heure?" "Midi dix." 4. La réunion (= meeting) commencera à 20 heures.

4 Lorsqu'on parle des horaires (de travail, de trains, etc.), on peut dire aussi *three five*, *three ten*, *three fifty*, etc. Les heures se comptent alors souvent de 1 à 24.

*The **ten-fifteen** train is delayed, and will arrive at **thirteen fifty**.*
Le train de 10h15 est en retard, il arrivera à 13h50.

▶ Pour *hour* et *time*, voir 179.

177 **Holiday** et **holidays**

1 *A holiday* = "des vacances" ou "un jour/quelques jours de congé". "Un jour férié" = *a bank holiday*.

*We had **a** wonderful **holiday** in Corsica.*
Nous avons passé des vacances formidables en Corse.

*We have **a holiday** next Tuesday.*
Nous avons un jour de congé mardi prochain.

*I've got **a** short **holiday** in September.*
J'ai quelques jours de vacances en septembre.

Lorsqu'on parle des "grandes vacances", on peut employer *holiday* ou *holidays*.

*I'm taking my **holiday(s)** in August this year.*
Je prends mes vacances en août cette année.

2 Le singulier est obligatoire dans *to be/go on holiday*; le pluriel est normal dans *during the holidays*.

"en vacances" = ***on holiday***
"pendant les vacances" = ***during the holidays***

*I'm **on holiday** at last!* (et non ...~~*in holiday*~~ ou ...~~*on holidays*~~)
Je suis enfin en vacances!

*I always go **on holiday** with my cousins.*
Je vais toujours en vacances avec mes cousins.

*It rained a lot **during the holidays** this year.*
Il a beaucoup plu pendant les vacances cette année.

Notez également l'emploi du singulier dans : *Have a nice holiday!* (et non ~~*Good holidays!*~~) = "Bonnes vacances!"

3 "Aller en vacances à" ne se traduit généralement pas par *go on holiday to*. Tournures courantes (notez les prépositions) :

*We always **go to** the seaside **for** our summer holiday.*
*We always **spend** our holidays **at** the seaside.*
Nous allons toujours en vacances à la mer.

Exercice

Traduisez en anglais :
1. Je suis en vacances la semaine prochaine. 2. Nous avons cinq jours de (= five days') vacances en mai. 3. Quand est-ce que vous prenez vos vacances cette année ? 4. "Où est Mme Rolland ?" "En vacances." 5. Nous sommes allés en vacances au Maroc.

Remarque : en anglais américain, on emploie *vacation* pour parler d'une période de vacances assez longue.

178 *Home* et *house*

1 *Home* = "maison" au sens de "foyer" (= là où on est chez soi).
House = "maison" au sens physique (un bâtiment d'habitation).
Comparez :

*I had a very happy **home** when I was a child.*
J'étais très heureux dans ma famille quand j'étais petit.
*They're building a new **house** at the end of our road.*
Ils construisent une nouvelle maison au bout de notre rue.

2 L'expression "à la maison" se traduit par *home* (sans préposition) lorsqu'il y a un déplacement, et par *at home* lorsqu'il n'y a pas de déplacement (après *be*, *stay*, etc.).
Comparez :

*I'm tired, let's **go home**.* (et non ...~~go at/to home~~)
Je suis fatigué, rentrons à la maison.
***Is** your mother **at home**?*
Est-ce que ta mère est à la maison ?

Exercice

Mettez house, home *ou* at home :
1. We live in a big ... near Hyde Park. 2. Is Alice ... ? 3. It's time to go ... 4. It's important for a child to have a secure ... 5. I'm sorry, she isn't ... 6. My uncle lives in the red ... over there.

Remarque : les Américains disent souvent *home* au lieu de *at home*.

▶ Pour la traduction de "chez moi", etc., voir 79.

179 *Hour* et *time*

1 *An hour* = une heure = 60 minutes (c'est une durée).

*You stayed in the water for two **hours**.*
Tu es resté deux heures dans l'eau.

"Un quart d'heure" = *a quarter of an hour*, "une demi-heure" = *half an hour*, "trois quarts d'heure" = *three quarters of an hour*.

2 *Time* se réfère à l'heure qu'indique la pendule.

***What time** did you get up?* (plus courant que ***At** what time ...?*)
A quelle heure t'es-tu levé ?

▶ Pour l'expression de l'heure et *o'clock*, voir 176.

Exercice

Traduisez les mots en italique :
1. I'll stay here for *(une heure ou deux)*. 2. I don't know *(à quelle heure)* the train leaves. 3. What would be *(une bonne heure)* to telephone you? 4. She practises the piano *(trois heures)* every day.

180 *How* et *what ... like?*

1 On emploie *how ...?* lorsqu'on veut s'enquérir de la santé ou des progrès de quelqu'un ou de quelque chose. On emploie *what ... like?* lorsqu'on veut obtenir une description.

How is ...? = "Comment **va** ...?"
What is ... like? = "Comment **est** ...?"

Comparez :

*"**How's** your mother?" "She's fine, thanks."*
"Comment va ta mère ?" "Elle va très bien, merci."
*"**What's** your mother **like**?" "She's small and shy."*
"Comment (elle) est, ta mère ?" "Elle est petite et timide."

2 *Be ... like* se réfère à l'apparence physique et au caractère. Lorsqu'on veut une description ou une appréciation purement physique, on utilise plutôt *look like*.

*"What does he **look like**?" "Super."*
"Il est comment physiquement?" "Super."

3 Ne confondez pas la préposition *like* de *what ... like?* avec le verbe *like*. Comparez :

*"What **is** she like?" "Lovely."*
"Comment est-elle?" "Charmante."
*"What **does** she like?" "Dancing and skiing."*
"Qu'est-ce qu'elle aime?" "La danse et le ski."

Exercice

Traduisez en anglais :
1. Comment va ta grand-mère? 2. Comment va ton travail? 3. Comment (elle) est, ta sœur? (Ne pas traduire "elle".) 4. C'est comment, la Nouvelle-Zélande (= New Zealand)? 5. Comment allez-vous? 6. Vous ne savez pas comment je suis!

---

181 How do you do? et how are you?

1 *How do you do?* = "Enchanté (de faire votre connaissance)."

Cette expression ne s'emploie que lors de présentations très formelles. Les jeunes ne l'utilisent pas entre eux. Ce n'est pas une vraie question; la réponse est également *How do you do?* (assortie d'une poignée de mains).

MARY : *Peter, this is Mark Simpson.*
PETER : ***How do you do?***
MARK : ***How do you do?***

2 *How are you ?* = "Comment allez-vous?"/"Ça va?" etc.

C'est une vraie question qui peut obtenir des réponses diverses.

*"**How are you**, Dan?" "I'm all right."*
"Ça va, Dan?" "Ça va."
*"**How's Fanny** today?" "A bit better."*
"Comment va Fanny aujourd'hui?" "Un peu mieux."

Notez bien que "Comment allez-vous?" ne se traduit jamais par ~~*How do you do?*~~

182 How long ...? (durée)

How long ...? = "pendant/depuis combien de temps ...?"

1 **"Pendant combien de temps ...?"** ou **"jusqu'à quand?"**
Plusieurs temps sont possibles, comme en français.

How long *did you stay in hospital?*
(Pendant) combien de temps es-tu resté à l'hôpital?

*"**How long** are you staying in France?" "Until Christmas."*
Tu restes (pendant) combien de temps en France?" "Jusqu'à Noël."

How long *are you here (for)?*
Tu es là jusqu'à quand?

How long *will you be away?*
Tu seras parti pendant combien de temps?

2 **"Depuis combien de temps"** ou **"depuis quand".**
Le présent français se traduit par un present perfect (voir 314).

*"**How long have you been** here?" "Three days."*
Tu es là depuis combien de temps?" "Trois jours."

How long have you been living *in Paris?*
Depuis combien de temps habites-tu à Paris?

L'imparfait se traduit par un pluperfect (voir 296).

*"**How long had you known** her?" "Since we were children."*
"Depuis quand la connaissais-tu?" "Depuis notre enfance."

Exercice

Traduisez en anglais (en commençant toujours par How long ...?*) :*
1. Tu es malade depuis combien de temps? 2. Vous vivez ensemble depuis quand? 3. Tu restes combien de temps à Paris? 4. Vous êtes marié depuis combien de temps? 5. Elle est en vacances jusqu'à quand? 6. Combien de temps as-tu passé à Londres l'année dernière?

---

3 Lorsque "depuis quand" est suivi d'un passé composé négatif, il se traduit généralement par *When did you last ...?*

When did you last *see Joe?* (et non ~~*How long haven't you seen Joe?*~~)
Depuis quand n'as-tu pas vu Joe?

183 How much ...? et how many ...?

1 *How much/many* = "combien (de)". On emploie :

how much + nom singulier	*how many* + nom pluriel

How much money *have you got with you?*
Tu as combien d'argent sur toi?
How many brothers and sisters *have you got?*
Combien as-tu de frères et sœurs?

2 Le nom peut être sous-entendu.

How much *are the peaches? (= How much* ***money*** *... ?)*
Les pêches sont à combien? (= à quel prix?)
"I'd like some peaches." "Yes, ***how many****?" (= "... how many* ***peaches****?")*
"Je voudrais des pêches." "Oui, combien?"

Exercice

Mettez how much *ou* how many :
1. ... money have you got on you? 2. ... petrol does your car use? 3. I don't know ... people are coming this evening. 4. "... is that book?" "Five pounds thirty." 5. ... languages can you speak? 6. "I've got several children." "... exactly?"

184 How often ...? *et* how many times ...?

1 *How often ...?* = "tous les combien ...?"

*"****How often*** *do you see him?" "Once a week."*
"Tu le vois tous les combien?" "Une fois par semaine."

Réponses possibles :

every day : "tous les jours"
every two days : "tous les deux jours"
once a week : "une fois par semaine"
twice a month : "deux fois par mois"
four times a year : "quatre fois par an"
every other weekend : "un week-end sur deux"

2 *How many times ...?* = "combien de fois ...?"

How many times *have you done the washing up this week?*
Combien de fois as-tu fait la vaisselle cette semaine?

Exercice

Traduisez en anglais :
1. "Tu vas au cinéma tous les combien?" "Une ou deux fois par mois." 2. "Ils sont payés tous les combien?" "Toutes les semaines." 3. "Je vais souvent à la piscine." "Tous les combien?" 4. Tu vois ton père tous les combien?" "Tous les deux jours."

185 How tall/high/long/wide/far ...?

1 Ces expressions interrogatives n'ont pas d'équivalent direct en français. Notez l'emploi de *to be* dans les exemples.

*"**How tall are** you?" "(I'**m**) five feet four."*
"Combien mesurez-vous?" "Je mesure 1,60m."

*"**How high is** Mount Everest?" "(It'**s**) 29,000 feet (**high**)."*
"Quelle est l'altitude de l'Everest?" "8 700 mètres."

*"**How long is** the Thames?" "(It'**s**) 210 miles (**long**)."*
"Quelle est la longueur de la Tamise?" "Elle a 336 km de long."

*"**How wide is** the kitchen?" "(It'**s**) two metres (**wide**)."*
"Quelle est la largeur de la cuisine?" "Deux mètres."

*"**How far is** the station?" "About a quarter of a mile."*
"On est loin de la gare?" "Environ quatre cents mètres."

***How far is** Bath **from** London?* (ou ***How far is** it **from** Bath **to** London?*)
Bath est à quelle distance de Londres? (ou : Quelle distance y a-t-il de Bath à Londres ...?)

Exercice

Traduisez en anglais :
1. Combien mesure votre mari? 2. Quelle est la hauteur de la Tour Eiffel (= the Eiffel Tower)? 3. Quelle est la longueur de la Seine? 4. On est loin de votre maison? 5. Je ne sais pas combien Christine mesure. 6. Quelle est la largeur du garage?

---

2 On peut utiliser la structure ***How* + adjectif + verbe + sujet...?** avec beaucoup d'autres adjectifs.

*"**How warm is it** outside?" "Not very."*
"Il fait chaud dehors?" "Pas très."

▶ Pour *tall*, voir aussi 163.
Pour *How long ...?* (durée), voir 182.
Pour *How old ...?* voir 17.

i

186 If (1) : concordance des temps

Dans les phrases construites avec *if*, la concordance des temps se fait comme en français. Structures de base :

SUBORDONNÉE	PRINCIPALE
if + présent	futur
If you invite *me to the cinema,*	***I will accept*** *with pleasure.*
Si tu m'invites au cinéma,	j'accepterai avec plaisir.
if + prétérit	conditionnel présent
If you invited *me to the cinema,*	***I would accept*** *with pleasure.*
Si tu m'invitais au cinéma,	j'accepterais avec plaisir.
if + pluperfect	conditionnel passé
If you had invited *me to the cinema,*	***I would have accepted*** *with pleasure.*
Si tu m'avais invité au cinéma,	j'aurais accepté avec plaisir.

Exercices

1. *Mettez* will *ou* would, *selon le contexte :*
1. If it gets warmer, I ... go swimming. 2. If it was warmer, I ... go swimming. 3. I ... buy a moped (= mobylette) if I can afford it. 4. I ... buy a moped if I could afford it. 5. I ... learn the guitar if I had the time. 6. I ... learn the guitar next year if I have the time.

2. *Mettez la forme correcte du verbe :*
1. If I ... the answer, I would tell you. (know) 2. If I ... enough money, I would buy you a drink. (have) 3. If you arrived earlier, you ... Jane. (meet) 4. If I ... you, we would have been very unhappy. (marry) 5. If I see Andrew, I ... him your love. (give) 6. I won't go out if it ... (rain) 7. I ... smoking if I had more will power. (give up) 8. What ... you ... if you had a lot of money? (do)

3. *Traduisez en anglais :*
1. Si j'étais très riche, je ferais le tour du monde (= go round the world). 2. Je t'aiderais si c'était possible. 3. J'irai voir Leslie si j'ai le temps. 4. Si j'avais su leurs noms, je t'aurais présenté (= introduce). 5. Tu aurais été déçu (= disappointed) si tu étais venu. 6. Je quitterais l'école si je pouvais.

▶ Pour le futur avec *will*, voir 149. Pour le conditionnel, voir 92 et 93.

187 If (2) : cas particuliers

1 ***If + will/would.***
Dans certaines circonstances, on peut employer *will* dans une proposition introduite par *if.* Ce n'est pas un futur; c'est un autre sens de *will*, qui correspond à "vouloir (bien)" (voir 410).

If you will *follow me ...*
Si vous voulez bien me suivre ...

Would s'emploie de la même façon; la phrase devient alors encore plus polie qu'avec *will.*

If you would *follow me ...*
Si vous voulez avoir l'obligeance de me suivre ...

▶ Pour les autres traductions de "vouloir bien", voir 400.

2 ***If + futur/conditionnel.***
Dans le discours indirect, *if* peut introduire une question au futur ou au conditionnel (comme "si" en français).

I don't know ***if she'll be*** *here tomorrow.*
Je ne sais pas si elle sera là demain.

I asked my boss ***if he would give*** *me a day off.*
J'ai demandé à mon patron s'il me donnerait un jour de congé.

3 ***If so, if not, if necessary.***
Dans ces expressions, on omet un sujet et un auxiliaire.

"I think he's Italian." ***"If so****, why's he speaking Greek?" (= If that is so ...)*
"Je crois qu'il est italien." "Dans ce cas-là, pourquoi parle-t-il en grec?"

Can you come tomorrow? ***If so****, let me know. (= If you can ...)*
Est-ce que tu peux venir demain? Si oui, préviens-moi.

I'll probably be here at ten, but ***if not*** *I'll phone. (= ... if I'm not ...)*
Je serai probablement là à dix heures, sinon je téléphonerai.

I'll go to the police ***if necessary****. (= ... if it is necessary.)*
J'irai à la police s'il le faut.

4 ***If ... were.***
Après *if*, on emploie parfois *were* au lieu de *was*, surtout en anglais écrit et dans la tournure *if I were you* (= "à votre place"). C'est un subjonctif (voir 372).

If *the climate* ***were*** *better, tourism could be developed.*
Si le climat était meilleur, on pourrait développer le tourisme.

If I were you *I would take an aspirin and go to bed.*
A votre place, je prendrais une aspirine et j'irais me coucher.

5 ***If … should*** (= "si … par hasard").

If you ***should*** *meet her, could you tell her to come to my office?*
Si par hasard vous la rencontriez, pourriez-vous lui dire de passer à mon bureau?

▶ Pour *if* et *whether*, voir 104.2.
Pour *should you* = *if you should*, voir 207.3.

188 *Il faut*

La tournure impersonnelle "il faut" n'existe pas en anglais. (On ne dit pas ~~*it must*~~ … dans ce sens-là).

1 "Il faut que je …" = "je dois …" = *I must* …

I must leave *straight away.*
Il faut que je parte tout de suite.
(= Je dois partir …)

You must realise *…*
Il faut que tu comprennes …
(= Tu dois comprendre …)

2 "Il faut" + nom = "on a besoin de" = *I/you … need.*

You need *four players for a game of bridge.*
Il faut quatre joueurs pour une partie de bridge. (= On a besoin de …)
We'll need *bread.*
Il nous faudra du pain.

3 "Il faut … pour" + infinitif = *It takes … to …*

It takes *an hour* ***to get*** *to his place.*
Il faut une heure pour aller chez lui.
It takes *a lot of patience* ***to bring up*** *a child.*
Il faut beaucoup de patience pour élever un enfant.

Exercice

Traduisez en anglais :
1. Il faut qu'on téléphone à Patrick. 2. Il faut se dépêcher (= qu'on se dépêche). 3. Il nous faudra des œufs. 4. Il faut deux heures pour aller à Londres. 5. Combien de personnes faut-il pour une partie de Monopoly? 6. Il faut que tu m'écoutes.

189 *Il y a*

1 Quand on parle de ce qui existe dans un endroit, dans une situation, etc., **"il y a"** = ***there is/are*** (voir 383).

There's *a man in the garden.*
Il y a un homme dans le jardin.

There are *still a few problems.*
Il y a encore quelques problèmes.

2 Quand on parle d'un moment du passé sans rapport avec le présent, **"il y a" + expression de temps** se traduit normalement par **expression de temps + *ago*** (voir 18).

*I saw him **three years ago**.*
Je l'ai vu il y a trois ans.

a long time ago
il y a longtemps

3 La structure **"il y a ... que ..."** n'a pas d'équivalent direct en anglais. Elle se traduit le plus souvent par le **present perfect + *for*** (voir 314).

***I've been working** here **for** three years.*
Il y a trois ans que je travaille ici.
***I haven't seen** him **for** a long time.*
Il y a longtemps que je ne l'ai pas vu.

Elle peut aussi correspondre à *It is ... since ...* (voir 359).

4 La structure "il y a ... qui ..." ne se traduit pas par *There is/are... who ...* devant un sujet bien défini. Il vaut mieux l'éviter avec un sujet indéfini lorsque le verbe est à la forme progressive.

***Your mother's waiting** for you*
Il y a ta mère qui t'attend. (sujet bien défini)
***A man's calling** you.* (ou *There's a man **calling** you.)*
Il y a un homme qui t'appelle. (sujet indéfini)

"Il y a quelqu'un qui ..." se traduit souvent par ***someone*** ..., et **"il y a des ... qui ..."** par ***some*** ...

***Someone** has just rung.*
Il y a quelqu'un qui a sonné.

***Some** people never read.*
Il y a des gens qui ne lisent jamais.

Exercice

Traduisez en anglais :
1. Il y a du fromage sur la table. 2. Est-ce qu'il y a un garage par ici (= around here)? 3. Keith est parti il y a cinq minutes. 4. Il y a longtemps que je travaille ici. 5. Elle a divorcé (= got divorced) il y a six mois. 6. Il n'y a personne dans la maison. 7. Est-ce qu'il y a des frites (= chips) aujourd'hui? 8. Il y a des années que nous nous connaissons. 9. Il y a des gens qui croient aux fantômes (= ghosts). 10. Il y avait des enfants qui riaient.

190 Impératif

1 L'impératif a exactement la même forme que l'infinitif sans *to.*

***Wait** here.*
Attends ici.

***Come** in.*
Entrez.

***Stop** talking.*
Arrêtez de parler.

2 L'impératif négatif se construit avec *don't.*

Don't stop. Ne t'arrête pas.

***Don't look** at her.* Ne la regarde pas.

3 On peut employer *do* pour renforcer un impératif (voir 106).

***Do** come in.* Veuillez entrer.

***Do** stop talking.* Arrête de parler, je t'en prie !

4 *Do* et *don't* s'emploient parfois sans verbe.

"Can I put the TV on ?" "Yes, ***do.****"* "Je peux allumer la télé ?" "Oui, vas-y."

***Don't**!* Ne faites pas cela !

5 *Always* et *never* précèdent un impératif.

***Always check** the oil before driving.* (et non ~~*Check always*~~ ...)
Vérifiez toujours le niveau d'huile avant de prendre le volant.

***Never tell** a teacher that he's wrong : it makes him unhappy.*
Ne dites jamais à un professeur qu'il a tort : cela le rend malheureux.

6 En français, on peut employer le futur (ou "aller" + infinitif) pour donner des instructions, indiquer une route, etc. En anglais on emploie toujours l'impératif.

***Go** straight ahead as far as the crossroads, then turn left ...*
Vous irez tout droit jusqu'au carrefour, puis vous tournerez à gauche ...
First of all, ***lie down*** *with your eyes closed ... Now,* ***breathe*** *slowly ...*
Dans un premier temps, vous allez vous allonger et fermer les yeux ... Maintenant, vous allez respirer lentement ...

Exercice

Traduisez en anglais :
1. Viens là. 2. Assieds-toi. 3. Ne me demandez pas de venir. 4. Veuillez vous asseoir. 5. Demandez toujours le prix (= the price) avant d'acheter quelque chose. 6. N'entrez jamais sans frapper (= knocking). 7. Servez-vous, je vous en prie (= ... help yourself). 8. Ne bougez pas. 9. Ne ris pas. 10. Fermez la porte, s'il vous plaît. 11. Vous irez tout droit pendant (= for) trois cents mètres ... 12. "J'aimerais m'asseoir." "Allez-y."

▶ Pour l'impératif de la première personne du pluriel, voir *Let's* (219).

191 *In* et *into, on* et *onto*

1 *In* et *into* correspondent tous deux à "dans". En règle générale, on emploie ***in*** lorsqu'il n'y a pas de changement de lieu (par exemple après *be* et *stay*), et ***into*** lorsqu'il y a un changement de lieu (souvent après des verbes de mouvement comme *go*, *come*, *fall*). Comparez :

*We **were in** the kitchen.*	*We **went into** the living-room.*
Nous étions dans la cuisine.	Nous sommes entrés dans le living.
*First I **walked in** the garden.*	*Then I **walked into** the house.*
J'ai d'abord marché dans le jardin.	Puis j'ai pénétré dans la maison.
(pas de changement de lieu)	(changement de lieu)

On dira donc normalement *She came **into** my room*, *He fell **into** the water*, etc.

2 Il y a la même différence d'emploi entre *on* et *onto* (= "sur").

*The cat was running **on** the carpet. Suddenly it jumped **onto** the table.*
Le chat courait sur le tapis. Soudain il a bondi sur la table.

Exercice

Mettez in, into, on *ou* onto :
1. When she walked ... the room, everyone stood up. 2. I was sitting ... the garden. 3. The children are trying to climb (= grimper) ... the roof. 4. Why are you lying ... the floor? 5. Sometimes I dance alone ... my room for hours. 6. Suddenly a bird flew ... my room.

3 On emploie parfois *in* et *on* au lieu de *into* et *onto*. C'est le cas lorsqu'on pense au résultat de l'action plutôt qu'au mouvement, surtout après certains verbes fréquents comme *come*, *go*, *fall*, *throw*, *jump*, *push*, *put*. La traduction française peut être différente dans les deux cas. Comparez :

*He **fell into** the river.*	*He **fell in** the river and drowned.*
Il est tombé dans la rivière.	Il tomba dans la rivière et se noya.
(action)	(résultat)

*I saw him **putting** the money **into** his pocket.*
Je l'ai vu mettre l'argent dans sa poche. (action)

*"Where's the money?" "I've **put** it **in** the safe."*
"Où est l'argent?" "Je l'ai mis dans le coffre-fort." (résultat)

192 In case

1 Comme la plupart des conjonctions, *in case* est suivi d'un temps présent lorsqu'on parle du futur.

*I'll take my umbrella, **in case it rains**.* (et non ... ~~*in case it will/would rain*~~.)
Je prends mon parapluie, au cas où/pour le cas où il pleuvrait.

Should **+ infinitif** exprime l'idée de "par hasard".

Let's stay at home, in case Granny ***should decide*** *to come.*
Restons chez nous, au cas où Mamie déciderait de venir.

2 Lorsqu'on parle du passé, ***should*** **+ infinitif sans *to*** est fréquent.

I took my violin ***in case I should have*** *a chance to play.*
J'ai emporté mon violon au cas où j'aurais l'occasion de jouer.

Exercice

Traduisez en anglais :
1. Je vais acheter de la bière, au cas où Bob viendrait. 2. Je prends mon maillot (= swimming costume), pour le cas où il y aurait une piscine. 3. Donne-moi de l'argent, au cas où je déciderais d'aller au café. 4. J'ai emporté ma canne (= rod), au cas où j'aurais l'occasion d'aller à la pêche (= to go fishing).

---

193 ***Infinitif (1) :*** *avec* **to**

1 L'infinitif est normalement **précédé de *to.***

I want ***to go*** *home.* (et non ~~*I want go*~~ ...)
Je veux rentrer chez moi.
I prefer ***to do*** *it myself.* (et non *I* ~~*I prefer do it*~~ ...)
Je préfère le faire moi-même.
I don't know how ***to describe*** *it.* (et non ~~*how describe it*~~....)
Je ne sais pas comment le décrire.

2 Attention à l'ordre des mots à l'infinitif négatif : ***not to*** ou ***never to.***

It's important ***not to*** *panic.* (et non ...~~*to not panic*~~.)
Il est important de ne pas paniquer.
I hope ***not to*** *be late.*
J'espère ne pas être en retard.
He'd like her ***never to*** *know about it.*
Il aimerait qu'elle ne le sache jamais.

3 *To*-infinitif peut aussi traduire **"à"/"de" + infinitif**; après *enough* et *too*, il traduit **"pour" + infinitif**.

easy ***to understand***	*the intention* ***to stay***
facile à comprendre	l'intention de rester
too *tired* ***to work***	***old*** *enough* ***to retire***
trop fatigué pour travailler	assez âgé pour prendre sa retraite

▶ Pour la traduction de "pour + infinitif", voir 196.

Exercice

Tradulsez en anglais :
1. Je veux dormir. 2. C'est difficile à lire. 3. Je ne veux pas sortir. 4. Je commence à comprendre. 5. Il a oublié de payer. 6. Essaie de ne pas tomber. 7. J'espère ne jamais oublier ce moment. 8. Elle préfère rester ici. 9. Je ne sais pas comment allumer (= switch on) la télévision. 10. Il est important de ne pas s'endormir pendant les cours (= the lessons). 11. Il est trop timide (= shy) pour parler. 12. Elle est assez rapide pour gagner (= win).

---

4 L'infinitif ne s'emploie pas pour donner des instructions ou des ordres. Il faut employer l'impératif.

***Knock** before entering.*
Frapper avant d'entrer.

Do not disturb.
Ne pas déranger.

5 N'oubliez pas qu'un infinitif français se traduit souvent par une forme en *-ing* (voir 199).

*without **stopping*** (et non ~~*without to stop*~~)
sans arrêter

▶ Pour *I don't want to*, etc., voir 198.

194 Infinitif (2) : sans *to*

On emploie l'infinitif sans *to* dans les cas suivants :

1 Après les auxiliaires modaux ***can, could, may, might, will, shall, would, should, must*** et parfois ***need*** *et* ***dare*** (voir 248.3 et 96).

***Can** you **swim**?* (et non ~~*Can you to swim?*~~)
Sais-tu nager ?

*I **must go**.*
Il faut que je m'en aille.

2 Après les expressions ***would rather*** (voir 414) et ***had better*** (voir 164).

***Would** you **rather walk** or **go** by car?*
Vous préférez y aller à pied ou en voiture ?

***I'd better leave**.*
Je ferais bien de partir.

3 Après ***Why (not) ... ?***

***Why not go** to Glasgow for your holiday this year?*
Pourquoi n'iriez-vous pas en vacances à Glasgow cette année ?

4 Après ***let, make, see*** et ***hear*** (voir 350), ***feel, watch, notice*** (et parfois ***help*** en anglais familier) + complément d'objet.

Let him go.
Laisse-le partir.

*She **made me cry**.*
Elle m'a fait pleurer.

*I **heard her get up**.*
Je l'ai entendue se lever.

*Can you **help me (to) lift** this barrel?*
Pouvez-vous m'aider à soulever ce tonneau?

▶ Pour *make*, *see* et *hear* + *to* -infinitif au passif, voir 284.

5 Après ***but*** (au sens de *except*, voir 70) et ***except***.

*He does nothing **but complain**.*
Il ne fait que se plaindre.

*I'll do anything **except teach**.*
Je ferai tout sauf enseigner.

Exercice

Traduisez en anglais :
1. Il faut que je travaille. 2. Tu ferais bien d'aller te coucher. 3. Pourquoi apprendre le latin (= Latin)? 4. Je préfère aller en voiture. 5. Il m'a vu sortir. 6. Elle m'a aidé à faire mes bagages (= my packing). 7. Je ne sais pas nager. 8. Pourquoi on n'irait pas en train? 9. Laissez-la partir. 10 . Elle ne fait qu'embêter (= annoy) tout le monde.

---

195 Infinitif (3) : infinitifs passé, passif et progressif

1 L'infinitif passé = ***(to) have*** + **participe passé.**

• Il s'emploie le plus souvent comme en français.

*He seems **to have given up**.*
Il semble avoir abandonné.

*I'm surprised **not to have seen** her.*
Je suis étonné de ne pas l'avoir vue.

Notez qu'il y a toujours *have* même s'il y a "être" en français.

*The rain seems **to have stopped**.*
La pluie a l'air de s'être arrêtée. (Ce n'est pas un passif.)

• L'infinitif passé s'emploie sans *to* avec les modaux (voir 238).

*You **must have enjoyed** yourself.*
Tu as dû bien t'amuser.

• On n'emploie pas l'infinitif passé après *after*, *before*, *without*, etc. (voir 204).
"Après avoir vu" = *after seeing*; "sans avoir pris" = *without taking*, etc.

Exercices

1. *Donnez l'infinitif passé des verbes suivants :*
to go - to decide - to understand - to take - to disturb (= déranger)

2. *Traduisez en anglais :*
1. Il semble avoir compris. 2. Je suis content (= glad) de ne pas les avoir rencontrés.

---

2 L'infinitif passif = ***(to) be*** **+ participe passé.**

(not) to be seen
(ne pas) être vu

That window must ***be repaired*** *today.*
Cette fenêtre doit absolument être réparée aujourd'hui.

Il peut correspondre à un verbe actif français.

not to be moved
à ne pas déplacer (= ne doit pas être déplacé)

Exercice

Donnez l'infinitif passif des verbes suivants :
to see - to invite - to hear - to stop - to leave

---

3 L'infinitif progressif = ***(to) be + -ing.***

Il s'emploie, comme les temps progressifs, pour parler d'une action en cours.

You seem ***to be travelling*** *a lot these days.*
Tu sembles beaucoup voyager ces temps-ci.

I would like ***not to be working****.*
J'aimerais bien ne pas être en train de travailler.

This time tomorrow ***I'll be lying*** *on the beach.*
Demain, à cette heure-ci, je serai allongé sur la plage.

Exercice

Donnez l'infinitif progressif des verbes suivants :
to write - to sit - to play - to travel

---

196 Infinitif (4) : to (= pour), in order to, so as to

1 En règle générale : "pour" + infinitif = ***to***-infinitif.

He did everything ***to make*** *her happy.* (et non ...~~for make~~ ...)
Il a tout fait pour la rendre heureuse.

He took the small roads ***to avoid*** *the police.*
Il a pris les petites routes pour éviter la police.

Exercice

Traduisez en anglais :
1. pour être libre 2. pour trouver une solution 3. pour avoir de l'argent 4. pour pouvoir (= be able to) comprendre 5. pour apprendre l'anglais 6. pour voyager beaucoup

---

2 Dans un style plus formel, on emploie souvent ***so as to*** ou ***in order to*** (= "afin de", "de manière à", etc.).

I moved to a new flat ***in order to be*** *(ou* ***so as to be****) near my work.*
J'ai déménagé afin d'être proche de mon lieu de travail.

3 Dans les phrases négatives, on emploie normalement ***so as not to*** ou ***in order not to***.

I'm going to leave now ***so as not to be*** *late.* (et non ... ~~not to be late.~~)
Je vais partir maintenant pour ne pas être en retard.

I spoke very tactfully ***in order not to upset*** *her.*
J'ai parlé avec beaucoup de tact afin de ne pas la contrarier.

Dans un style familier, la tournure "pour ne pas ..." correspond souvent à une proposition avec un verbe conjugué.

I spoke very tactfully ***because I didn't want to upset her.***

Exercice

Traduisez en anglais, en utilisant so as (not) to / in order (not) to :
1. Elle ouvrit la porte pour voir si son mari venait (= was coming). 2. Je ris pour ne pas pleurer. 3. J'ai pris un taxi afin de ne pas perdre de temps. 4. Il sortit de la pièce afin de ne pas entendre le reste.

---

197 Infinitif (5) : la proposition infinitive

1 On emploie la proposition infinitive après *want* et *like*.

want/like + nom ou pronom complément + *to*-infinitif

I ***want her to learn*** *the piano.* (et non ~~*I want that she learns*~~...)
Je veux qu'elle apprenne le piano.
I'd like Lydia to help *me.* (et non ~~*I'd like that Lydia helps me.*~~)
Je voudrais que Lydia m'aide.

Notez bien : "je veux que" ne se traduit jamais par ~~*I want that*~~ ....

Exercice

Traduisez en anglais :
1. Je veux que tu viennes avec nous. 2. J'aimerais qu'Alice me téléphone. 3. Je ne veux pas qu'elle soit en colère. 4. Je voudrais qu'ils me comprennent.

2 On met également la proposition infinitive après *ask*, *expect*, *hate*, *need*, *order*, *prefer* et *wait for* (voir 401.3).

Children ***need their parents to take care*** *of them.*
Les enfants ont besoin que leurs parents s'occupent d'eux.

Exercice

Traduisez en anglais :
1. Je préférerais que tu le fasses toi-même (= yourself). 2. J'ai besoin (= I need) que quelqu'un m'aime. 3. Il déteste que nous soyons en retard. 4. J'attendrai qu'elle me téléphone.

198 Infinitif (6) : reprise par to

1 Quand on veut éviter de répéter un infinitif, on emploie généralement *to* à la place de l'infinitif entier (et ses éventuels compléments).

"Do you want to come?" "No, I don't want ***to.*** *"* (et non ... ~~*I don't want.*~~)
"Tu veux venir ?" "Non, je ne veux pas."
"Would you like to live in America?" "No, I wouldn't like ***to.*** *"*
"Est-ce que tu aimerais vivre en Amérique ?" "Non, je n'aimerais pas."
"Why are you doing that?" "Harry told me ***to.*** *"*
"Pourquoi tu fais ça ?" "Harry m'a dit de le faire."

En règle générale, on ne peut pas omettre ce *to* (voir exemples ci-dessus). Pourtant, on emploie souvent *want* et *like* sans *to* après une conjonction.

Come ***when you like.***	*Take* ***what you want.***	***if you like***
Viens quand tu veux.	Prends ce que tu veux.	si tu veux

Exercice

Récrivez les phrases suivantes en supprimant les répétitions :
1. Please do what I ask you to do. 2. "Why are you driving so fast?" "Because I want to drive fast." 3. "Let's swim in the lake." "I don't think we're allowed to swim in the lake." 4. I haven't heard from her, but I expect to hear from her. 5. "Have you ever seen 'Gone with the Wind'?" "No, but I'd like to see it." 6. "Why don't you ask your father for money?" "Yes, I'm going to ask him."

---

2 Ne pas confondre *I don't want to, I'd like to*, etc. (où *to* reprend un verbe) avec *I don't want it, I'd like it*, etc. (où *it* reprend un nom). Comparez :

"Come with me." "I don't ***want to****."*
"Viens avec moi." "Je ne veux pas."

"Take this cake." "I don't ***want it****." (= the cake)*
"Prends ce gâteau." "Je n'en veux pas."

199 -ing (1) : sujet/attribut du sujet/complément

1 La forme en *-ing* peut s'employer comme une sorte de nom verbal ("gérondif"), qui correspond généralement à un infinitif français. Elle peut être sujet, attribut du sujet, complément d'objet, ou suivre une préposition.

Waiting *is always difficult.*
Attendre, c'est toujours difficile.

He doesn't like ***walking****.*
Il n'aime pas marcher.

My favourite activity is ***talking****.*
Mon activité préférée, c'est parler.

Don't go out ***without telling*** *me.*
Ne sors pas sans me prévenir.

2 La forme en *-ing* peut aussi correspondre à un nom français. C'est souvent le cas lorsqu'on parle des activités courantes.

reading	***dancing***	***skiing***	***travelling***	***drawing***
la lecture	la danse	le ski	les voyages	le dessin

Do you like ***sailing****?*
Est-ce que vous aimez la voile ?

I'm studying ***drawing****.*
J'étudie le dessin.

▶ Pour *come/go ...-ing*, voir 162. Pour *do ...-ing*, voir 135.

Exercice

Complétez avec des formes en -ing *:*
1. My favourite activity is ... 2. I like ... 3. I don't like ... 4. ... is more interesting than ... 5. ... is difficult. 6. ... is easy.

---

3 La forme en *-ing* peut elle-même être suivie d'un complément d'objet.

Beating a child *does not solve any problems.*
Battre un enfant ne résout aucun problème.

One of my bad habits is ***smoking cigars*** *in bed.*
L'une de mes mauvaises habitudes est de fumer des cigares au lit.

4 Comme les autres noms, la forme en *-ing* peut s'employer avec un article, un démonstratif, un adjectif possessif, etc. (surtout dans un style formel).

the building *of the ship*
la construction du bateau

I dislike ***your interrupting*** *me.*
Je n'aime pas que vous m'interrompiez.

all ***this*** *useless* ***arguing***
toutes ces disputes inutiles

Do you mind ***my smoking****?*
Cela vous dérange si je fume ?

En anglais familier, on a tendance à employer un pronom personnel complément au lieu d'un possessif, surtout après un verbe.

I don't like ***you interrupting*** *me.*

Do you mind ***me smoking****?*

Exercice

Traduisez en anglais, en utilisant la forme en -ing :
1. apprendre une langue 2. Fumer des cigarettes est mauvais pour la santé (= your health). 3. Gagner (= earn) de l'argent ne m'intéresse pas. 4. Je n'aime pas que tu me mentes (= lie, lying). 5. Ça vous dérange si je chante ? 6. Elever (= bring up) un enfant, ce n'est pas facile. (Ne pas traduire "ce".)

▶ Pour la forme en *-ing* utilisée comme adjectif épithète, voir 205.3.

200 -ing (2) : it ...-ing

It s'emploie pour anticiper une forme en *-ing* dans les expressions *It's (not) worth ...-ing* (voir 413), *It's no good ...-ing* et *It's no use ...-ing.*

It's worth visiting *Edinburgh.*
Ça vaut la peine de visiter Edimbourg.

It's no good talking *to him.*
Il est inutile de lui parler.

It's no use crying.
Ça ne sert à rien de pleurer.

Exercice

Traduisez en anglais :
1. Ça ne sert à rien d'attendre. 2. Il est inutile d'essayer. 3. Est-ce que ça vaut la peine de visiter Manchester ? 4. Ça ne vaut pas la peine d'inviter Maria : elle ne viendra pas.

201 -ing (3) : après certains verbes

1 La forme en *-ing* s'emploie obligatoirement au lieu de l'infinitif après certains verbes.
Les plus courants sont :
avoid, consider, dislike, enjoy (voir 124), *feel like* (voir 140), *finish, give up, (can't) help, imagine, keep (on), mind* (voir 237), *miss, practise, put off, risk, (can't) stand, spend time/money, suggest* (voir 373).

I ***avoided talking*** *to her.*
J'ai évité de lui parler.

She's ***given up smoking****.*
Elle a arrêté de fumer.

I ***feel like dancing****.*
J'ai envie de danser.

He ***keeps on complaining****.*
Il se plaint sans arrêt.

▶ Pour *go/come ...-ing* (activités de sport et de loisir), voir 162.
Pour *do ...-ing*, voir 135.

2 Certains verbes peuvent être suivis de *-ing* ou de l'infinitif avec peu de différence de sens.
Les plus importants sont : *can't bear, begin, start, continue, like, love, hate, prefer.*

How old were you when you ***started to play/playing*** *the piano?*
Quel âge avais-tu quand tu as commencé à jouer du piano?

Notez toutefois que *would like* (voir 220), *would love, would hate* et *would prefer* sont toujours suivis de *to*-infinitif.

I ***would like to go*** *home now.* (et non ~~*I would like going home now*~~.)
J'aimerais rentrer maintenant.

Avec d'autres verbes, comme *go on*, il y a une nette différence de sens. Comparez :

He ***went on talking****.*
Il a continué à parler.

He ***went on to talk*** *about something else.*
Il est passé à un autre sujet.

▶ Voir aussi *remember* et *forget* (344), *see* et *hear* (350), *stop* (370) et *try* (391).

Exercice

Traduisez en anglais :
1. Je n'aime pas courir. 2. Je ne peux pas m'empêcher de rire (= I can't help ...). 3. J'ai envie de pleurer. 4. Il a arrêté (= give up) de boire. (present perfect) 5. Elle a continué à chanter. 6. Il a évité de répondre. 7. Elle passait son temps à lui écrire. 8. Il prend des photos sans arrêt.

202 -ing (4) : après les prépositions

1 On met la forme en *-ing* après toutes les prépositions, par exemple *at, about, after, before, by, for, from, in, of, on, with, without.*

We talked ***about emigrating.***
Nous avons parlé d'émigrer.

Shake bottle ***before opening.***
Secouer la bouteille avant d'ouvrir.

I stayed at home ***instead of going*** *to work.*
Je suis resté chez moi au lieu d'aller travailler.

You can't live for long ***without breathing****.*
On ne peut pas vivre longtemps sans respirer.

I'm fed up ***(with) typing****.*
J'en ai marre de taper à la machine.

Après *fed up*, la préposition est souvent sous-entendue.

Exercice

Traduisez en anglais :
1. avant de sortir 2. Il a parlé d'aller en Amérique. 3. sans manger 4. au lieu de dormir

---

2 Notez la structure formelle *on ...-ing* (= "au moment de ..." ou "immédiatement après avoir ...").

On leaving *the building, please extinguish all lights.*
Au moment de quitter l'immeuble, veuillez éteindre toutes les lampes.

▶ Pour *to* (préposition) + *-ing*, voir section suivante.
Pour *afraid of ...-ing* et *afraid to ...*, voir 15.
Pour la traduction d'expressions comme "après avoir vu", "avant d'avoir lu", "sans être allé", voir 204.
Pour la traduction de "en + participe présent" par un verbe en...*-ing*, voir 120.

203 -ing (5) : to + -ing

Lorsque *to* est une préposition, il peut être suivi d'une forme en *-ing* (comme toutes les prépositions, voir 202). C'est notamment le cas dans les expressions suivantes.

I'm ***looking forward to being*** *on holiday.*
J'ai hâte d'être en vacances.

I ***look forward to hearing*** *from you/****seeing*** *you/****meeting*** *you.*
Dans l'attente de vous lire/voir/rencontrer, ... (formules de politesse employées en fin de lettres, voir 218)

*I'm **not used to driving** on the left.*
Je ne suis pas habitué à conduire à gauche.

*I don't **object to waiting** with you.*
Cela ne me dérange pas d'attendre avec vous.

*I **prefer** skiing **to skating**.*
Je préfère le ski au patinage.

To est une préposition lorsque le verbe qui suit peut être remplacé par un nom (ex. : *I'm looking forward to the holidays ..., I'm not used to this car*).

▶ Pour *look forward to*, voir aussi 226.
Pour *be used to*, voir 395.

Exercice

Traduisez en anglais :
1. J'ai hâte de te voir. 2. Je ne suis pas habitué à conduire en Angleterre. 3. J'ai hâte d'aller à Londres. 4. Cela ne me dérange pas de les écouter. 5. Elle a hâte de quitter l'école. 6. Je préfère la télévision à la lecture (= reading).

204 -ing (6) : après avoir ... = after + -ing

1 Les expressions comme "après avoir vu", "avant d'avoir lu", "sans être allé" se traduisent souvent en anglais par *after seeing, before reading, without going,* etc. (Il est possible de dire *after having seen*, etc., mais cette forme est moins courante.)

***After seeing** Lucy, he decided to go home.*
Après avoir vu Lucy, il décida de rentrer.

***Before reading** his letter I already knew what it would say.*
Avant d'avoir lu sa lettre, je savais déjà ce qu'il y aurait dedans.

*I didn't want to leave London **without going** to the British Museum.*
Je ne voulais pas quitter Londres sans être allé au British Museum.

Notez aussi *thank you for ...-ing* = "merci d'avoir/être ...".

*Thank you **for lending** me the key.*
Merci de m'avoir prêté la clé.

*Thanks for **coming**.*
Merci d'être venu.

Exercice

Traduisez en anglais :
1. après avoir terminé 2. avant d'être venu 3. sans avoir dit un mot 4. après avoir acheté la voiture 5. avant d'avoir mangé 6. après être tombé 7. Il est sorti sans m'avoir vu. 8. Merci de m'avoir invité.

2 Dans un style familier, on préfère employer un verbe conjugué après *after* et *before* (qui correspondent alors à "après que" et "avant que").

***After he had seen** Lucy, he decided to go home.*
***Before I (had) read** his letter, I already knew what it would say.*

205 -ing (7) : forme progressive abrégée

La forme en *-ing* s'emploie souvent avec un nom ou un pronom pour indiquer l'action qui est en train de se faire. Elle équivaut alors à une forme progressive abrégée. Elle correspond généralement à "qui", parfois à "en train de ...".

1 Après verbe + complément d'objet.

***I saw two men running**. (= They were running.)*
J'ai vu deux hommes qui couraient.
*I could **hear Jack giggling.** (= He was giggling.)*
J'entendais Jack qui rigolait ...
*I once **caught him drinking** whisky.*
Je l'ai pris une fois en train de boire du whisky.
*The police **found the spy burning** the documents.*
La police a trouvé l'espion en train de brûler les papiers.

▶ Pour *see* et *hear* + *-ing* ou *to*-infinitif, voir 350.

2 A la place d'une proposition relative.

*Who's **the man looking** at us? (= ... the man who is looking ...)*
Qui est l'homme qui nous regarde ?
*Do you know the **woman talking** to Pete? (= ... the woman who is talking ...)*
Tu connais la femme qui parle avec Pete ?

3 Comme adjectif épithète.

***Falling leaves** remind me of a poem I learnt at school.*
Les feuilles qui tombent me rappellent un poème que j'ai appris à l'école.
*I like the smell of **burning paper**.*
J'aime l'odeur du papier qui brûle.

Exercice

Traduisez en anglais :
1. J'ai vu une femme qui dansait avec son bébé. 2. Qui est le garçon là-bas (= over there) qui lit le journal ? 3. J'aime le bruit (= sound) de l'eau qui coule (= to run). 4. Elle l'a pris en train de voler (= steal) sa voiture. 5. Je n'aime pas les enfants qui boudent (= sulk). 6. Est-ce que vous connaissez l'homme qui conduit la voiture rouge ?

206 Interdire

1 "Interdire" se traduit normalement par une structure négative comme *not let, not allow, refuse to let/allow, tell ... not to.*

Her parents ***don't let her go/don't allow her to go*** *out in the evening.*
Ses parents lui interdisent de sortir le soir.

I refused to let him *take the car.*
Je lui ai interdit de prendre la voiture.

She ***told him not to*** *talk about it.*
Elle lui a interdit d'en parler.

"Je t'interdis de ..." (adressé à un enfant) peut se traduire par *You're not to ...* (voir 60).

2 *To forbid* s'emploie beaucoup moins que "interdire". On le trouve surtout sur les panneaux d'interdiction.

It is forbidden *to walk on the grass.*
Il est interdit de marcher sur l'herbe.

Exercice

Complétez les phrases avec let, allow, refuse *ou* tell *:*
1. Her parents don't ... her go out with boys. 2. The boss ... to let him leave early yesterday. 3. I don't ... my children to be aggressive. 4. She ... me not to phone her again. 5. He doesn't ... people to smoke in his restaurant. 6. I tried to discuss the problem, but he didn't ... me talk.

207 Inversion (1) : anglais formel

Dans un style formel, on emploie parfois certaines structures dans lesquelles le verbe précède le sujet, comme dans une question.

1 **Après une expression négative.**

At no time did the President say *he regretted his actions.*
A aucun moment le Président n'a dit qu'il regrettait ses actes.

Not only was she prevented *from voting, but ...*
Non seulement on l'empêcha de voter, mais ...

No sooner had I arrived *than ...*
A peine étais-je arrivé que ...

Hardly had we sat down *when ...*
A peine nous étions-nous assis que ...

2 **Après *only*.**

Only then did she realise *what was going to happen to her.*
Alors seulement, elle comprit ce qui allait lui arriver.

Only after long thought did he decide *to write to her.*
Ce n'est qu'après une longue réflexion qu'il décida de lui écrire.

3 Avec *had, should, were* (omission de *if*).

Had I known *what was to come ... (= If I had known ...)*
Si j'avais su ce qui allait se produire ...

Should you meet *my aunt ... (= If you should meet ...)*
Au cas où vous rencontreriez ma tante ...

Were he *ten years younger, he ... (= If he were ...)*
S'il avait dix ans de moins, il ...

▶ Pour l'ordre des mots après *neither, nor* et *so*, voir 378.

208 Inversion (2) : en français, pas en anglais

Dans certains cas, le sujet précède le verbe, en anglais, alors qu'en français, il le suit.

1 Dans les subordonnées introduites par *what, how, where, what time*, etc.

She didn't understand ***what the teachers wanted.***
Elle ne comprenait pas ce que voulaient les professeurs.

I am learning ***how English people live.***
J'apprends comment vivent les Anglais.

I wonder ***where the children are.***
Je me demande où sont les enfants.

Ask him ***what time the concert starts.***
Demande-lui à quelle heure commence le concert.

2 Après les pronoms relatifs, et *where* (utilisé comme relatif).

the cakes ***that my mother makes***
les gâteaux que fait ma mère

the place ***where the car stopped***
l'endroit où s'est arrêtée la voiture

3 Après *see, hear, let, make* + nom/pronom + infinitif.

I saw two soldiers come in.
J'ai vu entrer deux soldats.

Let the sun shine in!
Laissez entrer le soleil!

I heard the door bang.
J'ai entendu claquer la porte.

He ***made everybody work.***
Il a fait travailler tout le monde.

4 Après *perhaps.*

Perhaps he's *right.*
Peut-être a-t-il raison.

Exercice

Traduisez en anglais :
1. Je me demande comment vivent les Esquimaux (= Eskimos). 2. Je leur ai demandé où se trouvaient les toilettes (= the toilet). 3. Voici le bateau qu'a construit (= built) mon oncle. 4. Est-ce que tu as vu sortir ma sœur? 5. Pouvez-vous me dire à quelle heure arrive le train de (= from) Manchester? 6. Peut-être avez-vous oublié. 7. Ecoutez ce que dit Robert. (présent progressif) 8. Elle a fait rire tout le monde.

▶ Pour l'ordre des mots dans les phrases exclamatives, voir 132.2-3.

209 **It** *(I find **it** difficult to ...)*

1 On emploie souvent *it* pour anticiper un complément d'objet, lorsque celui-ci est formé d'un infinitif ou d'une proposition. C'est fréquent après *find, consider* et *think.*

***I find it** difficult **to talk** to her about anything serious.*
Je trouve difficile de lui parler de quelque chose de sérieux.

***I think it** important **that you should wait** for a few days.*
Je trouve important que tu attendes quelques jours.

2 *It* s'emploie aussi, comme "il" ou "ce" en français, pour anticiper un sujet infinitif ou une proposition.

***It**'s easy **to make mistakes**.*
Il est facile de se tromper.

***It**'s a pity **that he couldn't come**.*
C'est dommage qu'il n'ait pas pu venir.

210 **It is ... that (structure emphatique)**

1 Dans la plupart des cas, la structure "C'est ... qui ..." s'exprime simplement, en anglais parlé, par la prononciation (voir 337). Mais on fait parfois ressortir un élément d'une phrase en utilisant *It is ... that/who/which.*

***It's** the humidity **that** I hate, not the heat.*
C'est l'humidité que je déteste, pas la chaleur.

2 Pour parler du passé, on emploie *It was*. (En français, on garde le présent : "C'est ...".)

***It was** Tony **that** told the police.* (et non ~~*It is Tony that told*~~ ...)
C'est Tony qui a informé la police.

3 Après *that*, le verbe est toujours à la troisième personne.

It's you that ***doesn't*** *want to go.* (et non ... ~~*athat don't want to go*~~.)
C'est toi qui ne veux pas y aller.

It's me that ***is*** *responsible.* (et non ... ~~*that am responsible*~~.)
C'est moi qui suis responsable.

Exercice

Faites ressortir le mot accentué en utilisant la structure It is/was ... that ... :
1. *Robert* lives in Nelson Street. 2. *Mary* invited all those people. 3. *I* didn't ask. 4. *I* have the car.

211 It's time

1 *It's time* = "Il est l'heure (de)", "c'est l'heure/le moment (de)".

It's time *to go home.* (et non ~~*It's the time to go home*~~.)
Il est l'heure de rentrer.

Notez que l'expression s'emploie sans article.

2 *It's time* = "il serait temps que".
L'expression est alors suivie d'un verbe au prétérit pour parler d'une action future.

It's time *you* ***went*** *home.*
Il serait temps que tu rentres.

Exercice

Traduisez en anglais :
1. C'est le moment de dire au revoir. 2. Il est l'heure d'aller au lit. 3. Il serait temps que tu ailles te coucher. 4. Il serait temps que tu laves ton jean (= jeans).

J

212 Jeans, shorts, trousers ...

Tout vêtement "à deux jambes" est pluriel en anglais.

"un jean" = *jeans* (ou *a pair of jeans*) (et non ~~*a jean*~~)

"un short" = *shorts*
"un slip" = *pants*

"un pantalon" = *trousers*
"un pyjama" = *pyjamas*

*Where **are** my **jeans**?*
Où est mon jean?

*Your **pyjamas are** too small.*
Ton pyjama est trop petit.

Exercice

Traduisez en anglais :
1. Mon pantalon est trop long. 2. Où est mon pyjama? 3. J'aime bien ton short. Il est original (= unusual). 4. Il faut que j'achète un nouveau jean.

Remarque : en anglais américain, *pyjamas* s'écrit *pajamas*; *pants* = "pantalon"; *shorts* = "slip".

213 Jusqu'à

"Jusqu'à" se traduit de plusieurs façons selon le contexte.

1 Distance : *to, as far as.*
To indique simplement le point d'arrivée; *as far as* insiste sur la distance (longue ou courte) parcourue.

*I'll drive **to** York today and finish the journey tomorrow.*
J'irai jusqu'à York aujourd'hui, et je terminerai le voyage demain.
*We got **as far as** the cable car and then turned back.*
Nous sommes allés jusqu'au téléphérique, puis nous avons fait demi-tour.

Notez également les tournures *How far ...?* et *down/up to.*

***How far** did they go?*
Jusqu'où sont-ils allés?

*Read **down to** line 20.*
Lisez jusqu'à la ligne 20.

2 Temps : *until, till, up to.*

*I lived in Aberdeen **until/till** 1990.*
J'ai habité à Aberdeen jusqu'en 1990.

In some States, education is compulsory ***up to*** *the age of 18.*
Dans certains Etats, l'instruction est obligatoire jusqu'à l'âge de 18 ans.

"Jusqu'à présent" = *so far, up to now, until now.*

"How's the new job?" "OK ***so far****."*
"Comment va le nouvel emploi?" "Jusqu'à présent, ça va."

3 **Quantité, mesures : *up to, as much/many as.***
Up to indique simplement le chiffre maximum, *as much/many as* ajoute l'idée de "C'est beaucoup".

This car can do ***up to*** *120 miles per hour.*
Cette voiture peut faire jusqu'à 190 km à l'heure. (= 190 ou moins)
She smokes ***as many as*** *forty cigarettes a day.*
Elle fume jusqu'à deux paquets par jour. (= C'est beaucoup.)

▶ Pour la différence entre *much* et *many*, voir 243.

Exercice

Traduisez en anglais les mots en italique :
1. Je serai à Londres *jusqu'à Noël.* 2. Elle m'a accompagné *jusqu'à la gare.* 3. Nous sommes libres *jusqu'à trois heures.* 4. Ils produisent *jusqu'à 35 000 litres* par jour. (= 35 000 ou moins) 5. Il a couru *jusqu'à Versailles* avant de s'arrêter. 6. Les douaniers ont trouvé *jusqu'à une tonne* (= ton) d'héroïne dans le bateau.

---

214 Just *(je viens de ...)*

1 "Je viens de" + infinitif = *I have just* + participe passé.

I've ***just spoken*** *to Albert.*
Je viens de parler à Albert.

*They'****ve just eaten****.*
Ils viennent de manger.

2 "Je venais de" + infinitif = *I had just* + participe passé.

I had just come in *when he phoned.*
Je venais d'entrer lorsqu'il a téléphoné.

Exercice

Traduisez en anglais :
1. Elle vient d'arriver. 2. Qu'est-ce que tu viens de dire? 3. Je viens de comprendre quelque chose. 4. Nous venons de voir Malcolm. 5. Je venais de fermer la porte quand Jane est arrivée. 6. Il était une heure. Nous venions de déjeuner.

k

215 **Know, can ...** *(savoir, connaître)*

1 ***Know*** peut être suivi d'une structure avec ***how to***, mais non de *to*-infinitif.

Do you ***know how to tune*** *a guitar?* (et non ~~*Do you know to tune*~~ ...?)
Est-ce que tu sais accorder une guitare?

2 **"Savoir" + infinitif** se traduit souvent par ***can*** **+ infinitif sans *to***, surtout lorsqu'il s'agit d'activités très courantes.

I ***can swim.***
Je sais nager.
Can *you* ***sing****?*
Est-ce que tu sais chanter?

Exercice

Traduisez en anglais :
1. Je ne sais pas réparer (= repair) une montre. 2. Savez-vous dessiner (= draw)? 3. Est-ce que tu sais faire la pizza (= make pizza)? 4. Je ne sais pas conduire. 5. Elle sait très bien parler allemand. 6. Est-ce que tu sais utiliser une boussole (= a compass)?

---

3 Lorsque "savoir" signifie "apprendre", "entendre dire (que)", "découvrir", il se traduit le plus souvent par ***to hear that/about, to be told that/about*** ou ***to find out***, plutôt que par *to know.*

When I ***heard that*** *he was going to come here, I was furious.*
Quand j'ai su qu'il allait venir ici, j'étais furieuse.
When his mother ***found out****, she rang me at once.*
Quand sa mère l'a su (= l'a découvert), elle m'a tout de suite téléphoné.

4 "Connaître" au sens de "rencontrer", "faire la connaissance de" = ***to meet, to get to know***.

Two years ago he ***met/got to know*** *a girl.* (et non ...~~*he knew a girl*~~.)
Il y a deux ans, il a connu une fille.

5 "Connaître des problèmes" = ***to face/to be facing problems***.

Germany ***faces/is facing*** *a lot of problems at the moment.*
L'Allemagne connaît beaucoup de problèmes actuellement.

l

216 Laisser (let et leave)

1 Suivi d'un complément d'objet + verbe, "laisser" = "permettre". L'équivalent anglais est alors ***let***.

__Let__ me go.
Laissez-moi partir.
They didn't __let__ me speak.
Ils ne m'ont pas laissé parler.

Let us ne se contracte pas lorsque *let* signifie "laisser". Comparez :

***Let us** go.*	***Let's** go.* (voir 219)
Laissez-nous partir.	Partons.

2 Suivi d'un nom, "laisser" signifie généralement "abandonner", "déposer", etc. L'équivalent anglais est ***leave***.

He __left__ all his things.
Il a laissé toutes ses affaires.
__Leave__ me the keys.
Laisse-moi les clés.
You can __leave__ the letter with the porter.
Vous pouvez laisser la lettre chez le concierge.

Notez également l'expression *leave me alone* (= "laisse-moi tranquille").

3 *Leave* s'emploie aussi au sens de "quitter" ou "partir".

He's __left__ his wife.
Il a quitté sa femme.
What time does the train __leave__?
A quelle heure part le train ?

Exercice

Mettez let *ou* leave *.*
1. ... him speak. 2. ... me your address. 3. Did he ... his phone number? 4. I'll ... you now. I have to go home. 5. ... the children play for a while. 6. ... me try!

▶ Pour *forget* et *leave* (= "oublier"), voir 144.

217 Last, the last *et* (the) latest

1 Attention à la différence entre *last* et *the last*.

***Last week/year* ... = "la semaine/l'année ... dernière".**
***The last week/year* ... = "la dernière semaine/année ..."**

*I went to Spain **last week**.*
Je suis allé en Espagne la semaine dernière.
*This is **the last week** of our holidays.*
C'est la dernière semaine de nos vacances.

The last précède les chiffres.

*the **last three** days* (et non ~~*the three last days*~~)
les trois derniers jours
*the **last six** weeks*
les six dernières semaines

2 *The last week/year*,etc. peut aussi désigner une période qui vient de s'écouler.

***The last school year** has been very difficult.*
Cette année scolaire a été très difficile. (On est en juin ou juillet.)
*I haven't seen her for **the last two weeks**.*
Ça fait quinze jours que je ne l'ai pas vue.

Notez aussi l'expression *the last few days*.

*I've been away for **the last few days**.*
J'ai été absent ces derniers jours.

3 *Latest* veut dire "dernier" au sens de "plus récent". Comparez :

*Her **latest** novel has just been published.*
Son dernier roman vient d'être publié.
*His **last** novel was published in 1872.*
Son dernier roman a été publié en 1872.

Exercice

Mettez last, the last *ou* latest *:*
1. I was ill ... week. 2. I'll always remember ... year before the war. 3. They made a large profit ... month. 4. She got divorced ... year. 5. It's ... week of the sales (= les soldes). 6. We spent ... two weeks of the holiday in Greece. 7. Let me show you my ... poem. 8. Which was Shakespeare's ... play?

▶ Pour *last night* et *tonight*, voir 386.
Pour *at last* et *finally*, voir 141.

218 Lettres

La disposition des lettres est différente dans les deux langues. Dans l'exemple qui suit, notez bien où sont placés l'adresse, la date, le nom du correspondant, la formule d'introduction (*Dear* ...), la formule finale, la signature et le nom de l'auteur de la lettre.

37 High Street
Charlbury
London DC14 7XF

14 March 1994

Mr Simon Roberts
Principal
New School of English
4 Harbury Lane
Bath BA6 7GZ

Dear Sir

I should be grateful if you would send me information about summer courses at the New School in July and August this year.

I look forward to hearing from you.

Yours faithfully

Paul Martin

Paul Martin

Remarques :

• Une lettre qui commence par *Dear Sir/Madam* (l'équivalent de "Monsieur,"/"Madame,") se termine normalement par *Yours faithfully*. Une lettre qui commence par le nom (*Dear Mr Roberts,* l'équivalent de "Cher Monsieur") se termine par *Yours sincerely*. La première tournure est plus formelle.

• Dans une lettre informelle, on peut terminer par *Yours, Love, With love* ou *Lots of love.*
Et on écrit *(I'm) looking forward to hearing from you/seeing you* au lieu de *I look ...*

219 Let's

1 ***Let's = let us.***
Let's* + infinitif sans *to sert à exprimer une suggestion. Cette expression équivaut souvent à la première personne du pluriel de l'impératif français.

*Let's **go** to my room.*
Allons dans ma chambre.

*Let's **have** an ice-cream.*
Prenons une glace.

Mais elle peut aussi correspondre à un simple présent.

*Come on, Peter! **Let's go** upstairs.*
Viens, Peter! On monte.

2 La forme négative la plus correcte est *let's not* ... Mais dans un style familier, on dit souvent *don't let's* ...

***Let's not** get angry.* (ou ***Don't let's** get angry.*)
Ne nous mettons pas en colère.

Exercice

Traduisez en anglais (en utilisant let's *ou* let's not*) :*
1. Allons chez Bob (= Bob's). 2. Arrêtons de parler. 3. Essayons de trouver un hôtel. 4. Ne les oublions pas. 5. Demandons à Anne. 6. Allez! (= Come on!) On danse!

---

220 *Like* et *would like*

1 Ne confondez pas :

***I like* = "j'aime".**
***I would like* = "j'aimerais", "je voudrais".**

***I like** chocolate.*
J'aime le chocolat.

***I'd like** some chocolate.* (et non ~~*I would want*~~ ...)
Je voudrais du chocolat.

Dans les offres, *Would you like ...?* a le même sens que *Do you want ...?* mais est un peu plus poli.
L'équivalent français est plus souvent "Voulez-vous/Veux tu ...?" que "Voudriez-vous?".

*"**Would you like** some cheese?" "Yes, please."*
"Voulez-vous du fromage?" "Je veux bien."

2 *Like* peut généralement être suivi d'une forme en *-ing* ou de *to*-infinitif, sans grande différence de sens. Mais *would like* est toujours suivi de *to*-infinitif.

like + *-ing* ou *to*-infinitif

I like flying/to fly.
J'aime voyager en avion.

would like + *to*-infinitif

*Would you like **to dance**?* (et non ~~*Would you like dance/dancing?*~~)
Voulez-vous danser?

Exercice

Traduisez en anglais :
1. Est-ce que vous aimez les huîtres (= oysters)? 2. J'aimerais écouter du jazz. 3. Voulez-vous boire quelque chose? 4. Je voudrais une glace. 5. J'aime danser. 6. Ma mère aime voyager.

3 Notez que *like* s'emploie rarement aux temps parfaits.

*I really **liked** the lesson. Thanks very much.* (et non ~~*I have really liked the lesson*~~...)
J'ai beaucoup aimé la leçon. Merci beaucoup.

▶ Pour "Voudriez vous ...?" = *Would you mind ...?*, voir 237.3.

221 Likely

1 *Likely* exprime une idée de probabilité. On l'emploie souvent dans la structure *be likely to*, avec un sujet personnel.

*My mother**'s likely to** telephone. (= My mother will probably telephone.)*
Il est probable que ma mère téléphonera.
*Do you think England **is likely to** win the world cup?*
A votre avis, l'Angleterre est-elle susceptible de gagner la coupe du monde?

On peut aussi employer *it* ou *there* comme sujet.

***It's likely** to rain.*
Il y a des chances qu'il pleuve.
***There's likely** to be a war in the next five years.*
Il y aura probablement une guerre dans les cinq années à venir.

2 Le contraire de *likely* est *unlikely.*

*He's most **unlikely** to agree with your suggestion.*
Il est peu probable qu'il sera d'accord avec votre proposition.

Exercice

Récrivez les phrases suivantes en utilisant be likely/unlikely to *:*
1. My brother will probably be surprised. 2. It will probably happen. 3. There will probably be a storm tonight. 4. He will probably pass his exam brilliantly. 5. I don't think she will come. 6. It will probably not rain.

222 A little, a few; little, few; a bit

1

> *A little* (+ singulier) = "un peu (de)".
> *A few* (+ pluriel) = "quelques" ou "quelques-uns".

***a little** champagne*
un peu de champagne

***a few** friends*
quelques amis

*"Do you speak English?" **"A little."***
"Est-ce que vous parlez anglais?" "Un peu."

*"Did you get a lot of answers?" "Just **a few**."*
"Est-ce que tu as reçu beaucoup de réponses?" "Juste quelques-unes."

Ne confondez pas ***a little time*** (= "quelque temps", "un peu de temps") et ***a few times*** (= "quelques fois"). ~~*A few time*~~ n'existe pas.

Exercice

Mettez a little *ou* a few *:*
1. I've got ... questions to ask you. 2. Could I have ... water? 3. "Were you disappointed (= déçu)?" "..." 4. I've been to England ... times. 5. How's your mother?" "... better, thanks." 6. Can you lend me ... CD's for a party?

2 En anglais parlé, on emploie souvent ***a bit (of)*** à la place de *a little*. On met *of* devant un nom ou un pronom.

***a bit** tired*
un peu fatigué

***a bit of** work*
un peu de travail

3 "Pas mal (de)" se traduit par ***quite a lot (of)***, ***quite a few*** (+ pluriel) ou ***quite a bit (of)*** + singulier.

*"Have you got many CD's?" **"Quite a lot."***
"Est-ce que tu as beaucoup de disques compacts?" "Pas mal."

***quite a few** friends*
pas mal d'amis

quite a bit of money
pas mal d'argent

▶ Pour *quite a lot (of)*, voir aussi 227.4.

4 ***Little* (+ singulier) et *few* (+ pluriel) = "peu (de)".**
Ces mots s'emploient peu en anglais parlé sauf après *very*. On utilise plus souvent *not much/not many* (= "pas beaucoup").

little → not much	*few → not many*

The King had ***little power****.* (anglais formel)
Le roi avait peu de pouvoir.
*The King had****n't*** *got* ***much*** *power.* (anglais courant)
Le roi n'avait pas beaucoup de pouvoir.
There were ***few*** *people at the concert.* (anglais formel)
Il y avait peu de monde au concert.
There were ***not many*** *people at the concert.* (anglais courant)
Il n'y avait pas beaucoup de monde au concert.

Exercice

Récrivez les phrases afin de les rendre moins formelles :
Ex. : The king had little power. → The king hadn't got much power.
1. We have little money. 2. Few English people speak good French. 3. There is little that we can do to help you. 4. He met few people on the road. (He didn't ...)

▶ Pour *fewer*, voir 83.2.
Pour *some*, voir 365 et 367.

223 Long et (for) a long time

1 *Long* s'emploie surtout dans les questions, les phrases négatives et après *so*, *as* et *too*.

How long *did you wait?*
Combien de temps avez-vous attendu ?
*I did****n't*** *play for* ***long****.*
Je n'ai pas joué longtemps.
The concert lasted ***too long****.*
Le concert a duré trop longtemps.

2 Dans les phrases affirmatives (sauf après *so*, *as*, *too*), on emploie généralement *a long time*.

I waited (for) ***a long time****.* (et non ~~*I waited long*~~.)
J'ai attendu longtemps.

▶ Pour *How long...?* (durée), voir 182.

Exercice

Mettez long *ou* a long time *:*
1. Have you known Alice for ...? 2. I lived in Scotland for ... 3. How ... have you been waiting? 4. I've been waiting for ... 5. It takes ... to fly to Japan. 6. It doesn't take ... to fall in love. 7. I don't want to go by boat; it takes too ... 8. The film lasted so ... that I fell asleep.

---

224 Look (+ adjectif) et look like

1 ***To look like*** **= "ressembler à".**

*You **look like** your father.*
Tu ressembles à ton père.

*It **looks like** gold.*
Ça ressemble à de l'or.

2 ***To look*** **+ adjectif = "avoir l'air".**

*She **looks younger** than she is.* (et non ...~~*looks like younger*~~ ...)
Elle a l'air plus jeune que son âge.

*That peak **looks hard**.*
Ce sommet a l'air difficile.

3 "Avoir l'air de faire quelque chose" se traduit le plus souvent par *to seem* (= "sembler"). *Look* est impossible en ce cas.

*My son **seems** to be doing well in Canada.*
Mon fils a l'air de réussir au Canada.

Exercice

Traduisez en anglais :
1. Je ne ressemble pas à ma mère. 2. Il a l'air jeune. 3. Est-ce que j'ai l'air fatigué? 4. Le jardin ressemble à un désert (= a desert). 5. Tu as l'air étonné (= surprised). 6. Ils ont l'air de bien s'entendre (= to get on well).

---

4 Notez que l'on ne peut employer *look* que lorsqu'on voit la personne ou la chose en question. Si on parle de ce qu'on entend, on emploie *sound.*

*He **sounds** tired.*
Il a l'air fatigué. (= à sa voix)

► Pour *look at, see, watch*, voir 225.
Pour *look as if/though*, voir 47.

225 Look (at), see, watch

1 ***Look (at)* = "regarder", *see* = "voir".**

*"**Look**!" "I can't **see** anything."* (et non ~~*"Look at!"*~~ ...)
"Regarde !" "Je ne vois rien."

Look est suivi de la préposition *at* devant un complément d'objet.

*"**Look at** the cats !" "I'm **looking at** them."* (et non ~~*I'm looking them*~~.)
"Regarde les chats." "Je les regarde."

2 *Watch* s'emploie lorsqu'il s'agit de regarder, observer ou surveiller quelque chose pour voir ce qui se passe.

*"Did you **watch** the match last night ?" "No, I never **watch** TV."*
"Tu as regardé le match hier soir ?" "Non, je ne regarde jamais la télé."

*I like **watching birds**.*
J'aime observer les oiseaux.

***Watch** the baby for a moment.*
Surveille le bébé un instant.

> "regarder la télévision" = *to watch television*
> (et non ~~*to look at the television*~~)

Exercice

Mettez look (at), see *ou* watch :
1. I can ... the sea. 2. Please don't ... me like that. 3. I don't play football, but I often ... it. 4. ... ! Here comes Angela ! 5. Stop ...-ing out of the window. 6. When I close my eyes I ... strange visions.

226 Look forward to

1 *Look forward to* signifie "avoir hâte de".

*I'm **looking forward to** the holidays.*
J'ai hâte d'être en vacances.

2 Lorsque *look forward to* est suivi d'un verbe, celui-ci se met obligatoirement en *-ing* (voir 203).

*I **look forward to seeing** my friends again.* (et non ... ~~*to see*~~ ...)
J'ai hâte de revoir mes amis.

Exercice

Traduisez en anglais :
1. J'ai hâte de voir ma famille. 2. J'ai hâte d'aller à Londres. 3. J'ai hâte d'arriver. 4. J'ai hâte d'avoir un appartement (= a flat).

▶ Pour l'emploi de *look forward to* à la fin d'une lettre, voir 219.
Pour d'autres exemples de *to ...-ing*, voir 203.

227 A lot (of), lots (of)

1 ***A lot* = "beaucoup".**
Cette expression s'emploie surtout dans la langue familière.

*He talks **a lot**.*
Il parle beaucoup.

*They travel **a lot**.* (et non ...~~*a lot of*~~.)
Ils voyagent beaucoup.

2 ***A lot of* et *lots of* = "beaucoup de".**
Les deux tournures s'emploient indifféremment.

*She's got **a lot of** free time.* (ou ... ***lots of** free time.*)
Elle a beaucoup de temps libre.

*I know **a lot of** Italians.* (ou ... ***lots of** Italians.*)
Je connais beaucoup d'Italiens.

3 Lorsque le nom qui suit *a lot of* ou *lots of* est le sujet de la phrase, le verbe s'accorde avec ce nom.

*Lots of **imagination is** needed to write stories.*
Il faut beaucoup d'imagination pour écrire des histoires.

*A lot of **my friends are** pacifists.*
J'ai beaucoup d'amis pacifistes.

*There'**s** lots of **fog** today.*
Il y a beaucoup de brouillard aujourd'hui.

*There **are** a lot of **Indian restaurants** in London.*
Il y a beaucoup de restaurants indiens à Londres.

4 ***Quite a lot (of)* = "pas mal (de)".**

*"Have you got much work?" **"Quite a lot."***
"Est-ce que tu as beaucoup de travail?" "Pas mal."

*He has **quite a lot of** money and **quite a lot of** friends.*
Il a pas mal d'argent et pas mal d'amis.

Exercice

Traduisez en anglais :
1. Je rêve beaucoup. 2. Il a beaucoup d'argent. 3. Beaucoup de problèmes sont difficiles à résoudre (= to solve). 4. Il y a beaucoup d'oiseaux dans le jardin. 5. J'ai pas mal de choses à faire. 6. Il y a pas mal de bonnes émissions (= programmes) à la télévision.

m

228 Manquer

"Manquer" se traduit de plusieurs façons selon le sens.

1 ***To lack*** (style formel), ***not to have*** = "manquer de" au sens de "ne pas avoir".

*She **lacks** tact.*
Elle manque de tact.

*You **haven't got** any imagination.*
Tu manques d'imagination.

Ces tournures peuvent aussi traduire la forme impersonnelle "il manque ...".

*We **lack/haven't got** the latest figures.*
Il nous manque les derniers chiffres.

2 ***To be short of, not to have enough (of)*** = "manquer de", au sens de "ne pas avoir assez de".

*We're **short of** teachers.*
Nous manquons de professeurs.

*I **haven't got enough** time.*
Je manque de temps.

3 ***To miss*** exprime l'idée de "manquer" au sens de "regretter". Attention à la construction de la phrase : "je te manque" = ***you** miss me;* "tu me manques" = ***I** miss you.*

***Do you miss me** when I'm away?*
Est-ce que je te manque quand je ne suis pas là ?

4 ***To miss*** exprime aussi l'idée de "rater" (un train, un avion, un rendez-vous, etc.) ou "manquer" (une cible, une occasion).

*I **missed** the train by two minutes.*
J'ai raté le train de deux minutes.

*He never **misses** an opportunity.*
Il ne manque jamais une occasion.

Exercice

Traduisez en anglais :
1. Jean manque de patience. (= Il n'en a pas.) 2. Vous me manquez beaucoup. 3. Je viens de rater l'avion. 4. Je manque d'argent. (= Je n'en ai pas assez.) 5. Ils manquent de tout. (= Ils n'ont rien.) 6. Ma famille me manque.

229 ***Marry*** *et* ***divorce***

1 *Marry* et *divorce* s'emploient, sans préposition, devant un complément d'objet.

She ***married a bake****r.* (et non ~~*She married with a baker.*~~)
Elle s'est mariée avec un boulanger.

Will you ***marry me****?*
Veux-tu m'épouser?

Mary wants to ***divorce Peter****.*
Mary veut divorcer d'avec Peter.

2 Lorsqu'il n'y a pas de complément, on emploie plutôt *get married* et *get divorced*, surtout dans un style informel.

Lulu ***got married*** *last year.* (plutôt que *Lulu married ...*)
Lulu s'est mariée l'année dernière.

Andrew and Sarah are ***getting divorced****.*
Andrew et Sarah sont en cours de divorce.

3 Ne confondez pas :
to ***get*** *married* ("se marier") et *to* ***be*** *married* ("être marié"),
to ***get*** *divorced* ("divorcer") et *to* ***be*** *divorced* ("être divorcé").

My sister ***is divorced****. She* ***got divorced*** *two years ago.*
Ma sœur est divorcée. Elle a divorcé il y a deux ans.

4 *To get/be married* peuvent être suivis d'un complément introduit par *to.*

Barbara is ***married to*** *Peter.* (et non ... ~~*with Peter.*~~)
Barbara est mariée avec Peter.

Exercice

Traduisez en anglais :
1. Il a épousé une Italienne quand il avait 18 ans. 2. Quand j'aurai (= I am) 30 ans, je serai mariée. 3. Je ne me marierai jamais. 4. De plus en plus de couples divorcent chaque année. 5. Il est marié avec Anne, pas avec Alice! 6. Alice est son ex-femme (= ex-wife). Ils sont divorcés.

230 ***May*** *et* ***might (1) : formes***

1 *May* et *might* sont des modaux (voir 238).
Ils ne prennent pas d's à la troisième personne.

He ***may****.* *She* ***might****.*

Les questions et les négations se construisent sans *do*.

***May we** go?*	*He **might not** come.*
Pouvons-nous partir?	Il pourrait ne pas venir.

Ils sont suivis de l'infinitif sans *to*.

*May I **help** you?*	*It might **rain**.*

2 Ils n'ont pas d'infinitif.
"Pouvoir" (au sens de "avoir la permission de") = ***to be allowed to***.

*She'd like **to be allowed to** go out more often.*
Elle voudrait pouvoir sortir plus souvent. (= avoir la permission)

3 *May* et *might* peuvent avoir un sens présent ou futur. (On ne dit pas ~~*will may*~~). *Might* peut aussi avoir un sens conditionnel (voir 232).

4 La forme contractée de *might not* est *mightn't*. (*Mayn't* est très rare.)

▶ Pour *may* et *might* exprimant la permission, voir 231; la probabilité, voir 232, 233. Pour *may* dans les souhaits, voir 234.
Pour *might* après *so that / in order that*, voir 364.

231 *May* et *might* (2): permission

1 *May* peut s'employer dans un style plutôt formel pour demander ou accorder une permission, et *may not* pour la refuser. (Dans un style familier, *can* est beaucoup plus courant; voir 74.)

***May** I buy you a drink?*
Puis-je vous offrir quelque chose?

*"**May** I go home now?" "Yes, you **may**."*
"Puis-je rentrer chez moi maintenant?" "Oui."

*You **may** go home now, children.*
Vous pouvez rentrer chez vous maintenant, les enfants.

*Students **may not** use the staff car park.*
Les étudiants sont priés de ne pas utiliser le parking des professeurs.

Might est très formel et rarement utilisé.

*I wonder if I **might** ask you a favour?*
Puis-je me permettre de vous demander un service?

2 *May* et *might* ne s'emploient pas pour parler d'une permission déjà accordée ou refusée. Il faut employer *can*, *could* ou *be allowed to*.

*These days, children **can** do what they like.* (et non ... ~~*children may do what they like*~~.)
De nos jours, les enfants peuvent faire tout ce qu'ils veulent.

232 *May* et *might* (3) : possibilité, probabilité

1 ***May*** exprime l'idée de **"peut-être"** ou **"il se peut que/il peut"**.
Il remplace un présent ou un futur + *perhaps*.

*You **may be** right.*
Tu as peut-être raison.

*It **may rain** tonight.*
Il se peut qu'il pleuve ce soir. (Ou : Il peut pleuvoir...)

*He **may be** ill. (= Perhaps he is ill.)*
Il est peut-être malade.

*They **may come** tomorrow. (= Perhaps they will come.)*
Ils viendront peut-être demain.

Notez qu'on ne dit pas ~~They will may~~ ... (voir 230).

2 ***Might*** exprime l'idée de **"je/tu... pourrais ... (peut-être)"** ou **"il se pourrait que"**.
Il correspond à un présent, un futur ou un conditionnel + *perhaps*.

• Au sens d'un présent ou d'un futur, la probabilité est moins forte qu'avec *may*. Comparez :

*Jim **may** phone tonight.* (50 % de chances)
*Jim **might** phone tonight.* (30 % de chances)
Il est possible que Jim téléphone ce soir.

• Au sens d'un conditionnel, *might* est la seule forme possible.

*If she heard you, she **might be** offended. (= Perhaps she **would be** ...)*
Si elle t'entendait, elle serait peut-être vexée.

*Don't play with that knife. You **might** get hurt (if you did).*
Ne joue pas avec ce couteau, tu pourrais te blesser. (= peut-être)

Might correspond alors à *would* ou *could* + *perhaps*.

3 Au discours indirect après un verbe au passé, on emploie *might* au lieu de *may*. Comparez :

*"It **may** rain."*
"Il se peut qu'il pleuve."

*They **said** it **might** rain.*
Ils ont dit qu'il allait peut-être pleuvoir.

4 *Might*, comme *could*, peut s'employer pour faire des suggestions et des critiques.

*"Who can we ask for help?" "You **might/could** ask John."*
"A qui pouvons-nous demander de l'aide?" "Tu pourrais demander à John."

*You **might/could** take your boots off in the house.*
Tu pourrais enlever tes bottes dans la maison.

Exercices

***1.** Récrivez ces phrases en utilisant* may *ou* might *:*
1. Perhaps she's ill. 2. Perhaps I'll be late tomorrow. 3. If you ask her nicely, perhaps she will say yes. 4. If you asked her nicely, perhaps she would say yes.

***2.** Traduisez en anglais :*
1. Il va peut-être neiger. 2. Il se pourrait que j'aille en Amérique l'année prochaine. 3. Il sera peut-être le prochain président. 4. J'ai peut-être vos clés. 5. Tu pourrais demander avant de prendre mes affaires (= things). 6. Attention, tu pourrais tomber.

▶ Pour une comparaison entre *may/might* et *can/could*, voir 235.

233 May *et* might (4) : + infinitif passé

1 *May have* + participe passé = passé composé + "peut-être".

*She **may have missed** her bus.*
Elle a peut-être raté son autobus.
*They **may have come** while I was out.*
Ils sont peut-être venus pendant que j'étais sorti.

2 *I might have* + participe passé = "j'aurais pu" + infinitif.

Cette structure implique l'idée que "ça aurait pu arriver".

*He **might have broken** his leg.*
Il aurait pu se casser une jambe.
*You **might have woken** her up.*
Tu aurais pu la réveiller. (Tu l'aurais peut-être réveillée.)

Elle peut exprimer aussi un reproche (comme *could have* ..., voir 77.2).

*You **might have phoned** me earlier!*
Tu aurais pu me téléphoner plus tôt!

▶ Pour le sens exact de *might*, voir 232.

Exercice

Traduisez en anglais :
1. Elle aurait pu me demander. 2. J'ai peut-être oublié de le poster (= to post). 3. Il a peut-être pris le train. 4. Tu aurais pu te noyer (= to get drowned). 5. Elle aurait peut-être compris. 6. Annie est peut-être sortie avec David.

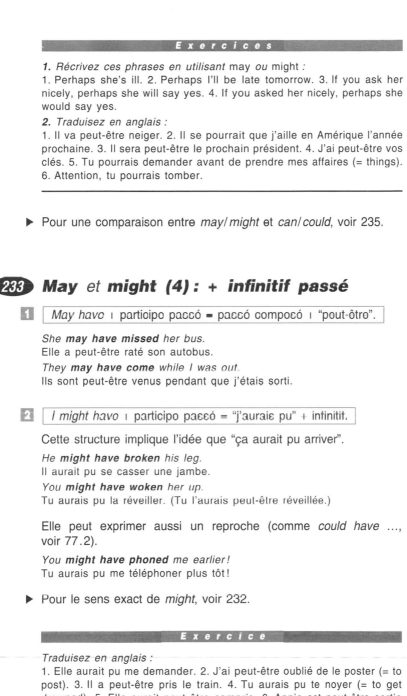

234 *May* et *might* (5) : souhaits avec *may*

May s'emploie dans certains souhaits de bonheur, santé, succès, etc. Il se place alors avant le sujet.

***May** your happiness last for ever!*
Puisse votre bonheur durer toujours.

***May** God be with you.*
Que Dieu soit avec vous.

***May** the New Year bring all your heart desires.*
Que la nouvelle année vous apporte tout ce que votre cœur désire.

235 *May, might, can, could* : comparaison

1 Possibilité (phrases affirmatives).
Dans les phrases affirmatives, *can* s'emploie surtout pour parler des cas généraux. Lorsqu'on parle de la possibilité d'une situation spécifique, on utilise *may/might/could.* Comparez :

*People **can** get ill at any time.*
Les gens peuvent tomber malade à n'importe quel moment.
*Don't lose hope. He **may** change his mind.*
Ne désespère pas. Il peut changer d'avis.

2 Possibilité (questions).
May s'emploie rarement pour poser des questions sur la probabilité.

***Are you likely to go** to Greece this summer?* (et non ~~*May you go*~~ ...?)
Y a-t-il des chances que vous partiez en Grèce cet été?

Can peut s'employer dans les questions pour parler d'une situation spécifique, au sens de "Est-ce possible que ...?"

***Can** she really be married?*
Est-ce vraiment possible qu'elle soit mariée?

3 Possibilité (phrases négatives).
Comparez :

*He **may/might not** be here.*
Il peut/pourrait ne pas être là. (Il est possible qu'il ne soit pas là.)
*He **can't/couldn't** be here.*
Il ne peut/pourrait pas être là. (Il est/serait impossible qu'il soit là.)

▶ Pour plus de détails sur l'expression de la possibilité, voir 73 *(can/could)* et 232 *(may/might).*

4 Permission.
Pour demander, accorder et refuser la permission, on emploie normalement *can* et *could* . *May* est utilisé surtout dans un style formel; *might* est extrêmement formel. Pour les détails, voir 74 et 231.

236 Meet

1 *Meet* s'emploie à la fois comme équivalent de "rencontrer", "se rencontrer", "se réunir", "se retrouver", et "avoir rendez-vous" (avec des amis ou parents).

*I **met** a very interesting girl yesterday.*
J'ai rencontré une fille très intéressante hier.
*We first **met** in 1982.*
Nous nous sommes connus en 1982. (= Nous nous sommes rencontrés.)
*The group **meets** twice a week.*
Le groupe se réunit deux fois par semaine.
*Shall we **meet** outside the cinema at eight o'clock?*
On se retrouve à huit heures devant le cinéma?
*I'**m meeting** Tom at six.*
J'ai rendez-vous avec Tom à six heures.

▶ Pour "avoir rendez-vous avec quelqu'un", voir aussi 346.

Exercice

Traduisez en anglais :
1. J'ai rencontré deux Américains hier soir. 2. "Où vous êtes-vous connus?" "A Londres." 3. J'ai rendez-vous avec elle à cinq heures. 4. On se retrouve après dîner? 5. Nous nous réunirons chez Maxim. 6. Ils se sont rencontrés dans la rue. (prétérit)

---

2 "Rencontrer des problèmes/des difficultés", etc. = *to run into problems*, etc. ou (plus formel) *to encounter* ....

*They **ran into/encountered** a lot of difficulties.*
Ils ont rencontré beaucoup de difficultés.

237 Mind (verbe)

Le verbe *mind* s'emploie surtout dans des phrases négatives et des questions. Il peut être suivi d'un nom, d'une forme en *-ing* ou d'une proposition.

1 ***I don't mind*, etc. (+ *-ing*) = "cela ne me dérange pas", "ça m'est égal", "je veux bien".**

*I **don't mind** rain.*
La pluie ne me dérange pas.
*I **don't mind doing** the washing up.*
Cela ne me dérange pas de faire la vaisselle.
*"What would you like to do?" **"I don't mind."***
"Qu'est-ce que tu veux faire?" "Ça m'est égal."

I'll ask her a few questions, if she ***doesn't mind.***
Je lui poserai quelques questions, si elle veut bien.

2 ***Do you mind if ...?*** **(+ présent simple) = "Cela ne vous dérange pas que ...?", "Est-ce que cela t'ennuie si ...?"**

*"**Do you mind if** I smoke?" "No, go ahead."*
"Cela ne vous dérange pas que je fume?" "Non, allez-y."

(Dans un style formel, on pourrait dire aussi *Do you mind my smoking?*)
Notez bien que si vous répondez *"Yes"*, cela correspond à un refus (= "Cela me dérange.").

3 ***Would you mind + -ing*** **= "Voudriez-vous ...?" "Tu veux bien ...?", "Cela ne te/vous dérangerait pas de ...?"**

Would you mind doing *some shopping for me?*
Tu veux bien me faire quelques courses?
Would you mind opening *the window?*
Cela ne vous dérangerait pas d'ouvrir la fenêtre?

4 Notez aussi ces deux autres emplois de *mind*:

• *Mind* = "attention à".

Mind *the step.*
Attention à la marche.

• *Mind you* = "remarque".

The rent seems very high. ***Mind you,*** *it's a big house.*
Le loyer me semble très élevé. Remarque, la maison est grande.

Exercice

Traduisez en anglais :
1. Cela t'ennuie si je viens avec une amie? 2. Cela ne vous dérange pas que j'enlève (= take off) mes chaussures? 3. "Où veux-tu aller?" "Ça m'est égal." 4. Cela ne t'ennuierait pas de poster cette lettre? 5. Voudriez-vous m'attendre au salon (= living room), s'il vous plaît? 6. Tu peux dormir chez moi, ma mère veut bien. 7. Attention à votre tête! 8. Elle sort tous les soirs. Remarque, c'est normal (= normal) à son âge.

238 Modaux

1 **Les auxiliaires modaux sont :**

can could may might must shall should ought will would

2 **Particularités grammaticales.**

pas d's	pas *to* (sauf *ought*)	pas *do*
*he can_*	*he can go*	*can he?* *he can't*

peu de formes	pas d'infinitif	pas de participes
can, could (72)	*to be able to*	*being/been able to*
may, might (230)	*to be allowed to* (permission)	*being/been allowed to*
must (244)	*to have to*	*having/had to*

3 **Tableau récapitulatif** (pour les détails, voir les sections indiquées).

FORMES SIMPLES modal + infinitif sans *to*	TEMPS PASSÉ modal + *have* + participe passé
I ***can*** *do it.* (73-74) Je peux le faire.	*I* ***can't have done*** *it.* (77) Je n'ai pas pu faire cela.
I ***could*** *do it.* (73-74) Je pouvais/pourrais le faire.	*I* ***could have done*** *it.* (77) J'aurais pu le faire.
I ***may*** *do it.* (232) Je le ferai peut-être.	*I* ***may have done*** *it.* (233) Je l'ai peut-être fait.
I ***might*** *do it.* (232) Je le ferai/ferais peut-être.	*I* ***might have done*** *it.* (233) Je l'aurais peut-être fait.
I ***must*** *do it.* (244) Je dois le faire.	*I* ***must have done*** *it.* (245) J'ai dû le faire (certainement).
Shall *I do it?* (352) Est-ce que je dois le faire?	
I ***should*** *do it.* (353) Je devrais le faire.	*I* ***should have done*** *it.* (354) J'aurais dû le faire.
I ***ought to*** *do it.* (278) Je devrais le faire.	*I* ***ought to have done*** *it.* (279) J'aurais dû le faire.
I ***will*** *do it.* (149) Je le ferai.	*I* ***will have done*** *it.* (153) Je l'aurai fait.
I ***would*** *do it.* (92) Je le ferais.	*I* ***would have done*** *it.* (93) Je l'aurais fait.

239 *Most* et *most of*

Most (of) **= "la plupart/la majorité/la plus grande partie de".**

1 On emploie ***most*** devant un nom employé sans déterminant – c'est-à-dire lorsqu'on parle "en général".

Most people *like holidays.* (et non ~~Most of people~~ ...)
La plupart des gens aiment les vacances.
I hate ***most modern music.*** (et non ... ~~most of the modern music.~~)
Je déteste la plus grande partie de la musique moderne.

"la plupart/la majorité des gens" (en général) = ***most people***

2 On emploie ***most of*** devant un déterminant (ex. : *the, my, this*) ou un pronom (ex. : *us, you, them*).

most of the *people I know*
la plupart des gens que je connais

most of these *countries*
la majorité de ces pays

most of my *friends*
la plupart de mes amis

most of them
la plupart d'entre eux

On dit également *most of* devant un nom propre.

most of France
la plus grande partie de la France

▶ Pour l'emploi et l'omission de *the* devant un nom, voir 42-43.

Exercices

1. *Mettez* most *ou* most of :
1. I forget ... the things I learn. 2. ... my friends can speak English. 3. ... people are afraid of something. 4. There's a Hilton hotel in ... big cities. 5. ... these problems are easy to solve. 6. I've experienced ... climates.

2. *Traduisez en anglais* :
1. la plupart de mes opinions 2. la majorité de nos problèmes 3. La plupart des Américains parlent anglais. 4. La plupart des magasins ferment (= close) le dimanche (= on Sundays). 5. la plupart des disques que j'ai 6. la plupart des gens de (=in) notre village

---

240 Mots de liaison

Voici une liste de mots de liaison fréquents. (F = formel.)

• ***according to*** = selon, d'après (pour citer ce que quelqu'un d'autre a rapporté, voir 5)

According to *the radio it's going to snow.*
D'après la radio, il va neiger.

• ***actually, in fact*** = en fait (voir 139)

He says he's 16, but ***actually*** *he's 14.*
Il dit qu'il a 16 ans, mais en fait il a 14 ans.

- ***all the same*** = tout de même, quand même

*Thanks **all the same**.*
Merci quand même.

- ***anyway*** = en tout cas, de toute façon

*I'll phone, or I'll write. **Anyway**, I'll contact you.*
Je vous téléphonerai ou je vous écrirai. De toute façon, je vous contacterai.

- ***as a result/consequently*** (F) = aussi, par conséquent

*He did not revise for the exam. **As a result/consequently**, he failed.*
Il n'a pas révisé son examen. Aussi a-t-il échoué.

- ***as a rule/generally speaking*** = en règle générale

***As a rule/generally speaking**, artists dislike criticism.*
En règle générale, les artistes n'aiment pas la critique.

- ***as for*** = quant à

*I'll talk to Alice now. And **as for the others**, I'll see them tomorrow.*
Je vais parler à Alice maintenant. Quant aux autres, je les verrai demain.

- ***as regards*** (F) = en ce qui concerne

***As regards** the budget, we are having a meeting next week.*
En ce qui concerne le budget, nous avons une réunion la semaine prochaine.

- ***at least*** = au moins, du moins

*Anne's getting married – **at least**, that's what Cathy told me.*
Anne se marie, du moins, c'est ce que m'a dit Cathy.

- ***besides*** = d'ailleurs

*I don't want to go out. It's cold. **Besides**, I'm tired.*
Je ne veux pas sortir. Il fait froid. D'ailleurs, je suis fatigué.

- ***by the way*** = au fait

***By the way**, Jan's got a new job.*
Au fait, Jan a un nouveau poste.

- ***firstly, secondly, ...*** (F) = en premier lieu, puis, ...

***Firstly**, I shall explain the origins of the problem. Secondly, ...*
En premier lieu, j'expliquerai les origines du problème. Puis, ...

- ***for*** (F) = car

*She was shocked, **for** she had never seen a dead body.*
Elle était choquée, car elle n'avait jamais vu un mort.

• ***however*** (F) = cependant

*Our room was over the street. **However**, we were too tired to be troubled by the noise.*
Notre chambre donnait sur la rue. Cependant, nous étions trop fatigués pour être dérangés par le bruit.

• ***I think*** = je pense, je trouve, à mon avis, d'après moi, "pour moi" (voir 5)

***I think** his latest film was a disaster.*
A mon avis, son dernier film était un désastre.

• ***in a way*** = d'un côté

***In a way** I agree with you.*
D'un côté, je suis d'accord avec vous.

• ***in addition*** (F) = de plus

*This is a risky project. **In addition**, it is extremely expensive.*
C'est un projet risqué. De plus, il est extrêmement coûteux.

• ***in conclusion*** (F) = pour conclure

*And **in conclusion**, I should like to thank all those who ...*
Et pour conclure, je voudrais remercier tous ceux qui ...

• ***in my opinion*** = à mon avis, d'après/selon moi (voir 5)

***In my opinion**, there is only one solution.*
A mon avis, il n'y a qu'une solution.

• ***in other words*** = autrement dit

*I can't help you. **In other words**, you'll have to do it yourself.*
Je ne peux pas vous aider. Autrement dit, il faudra que vous le fassiez vous-même.

• ***in short, in a word*** = bref

*He composes, he plays six instruments, he sings, he conducts. **In short**, he's a musical genius.*
Il compose, il joue de six instruments, il chante, il dirige un orchestre. Bref, c'est un génie musical.

• ***let me see, let me think*** = attendez (que je réfléchisse)

*"When can we meet?" "**Let me see** – what about tomorrow?"*
"Quand est-ce qu'on peut se voir?" "Attendez ... Est-ce que demain vous irait?"

• ***mind you*** = remarque (voir 237.4)

*He doesn't do much work. **Mind you**, he gets good results.*
Il ne travaille pas beaucoup. Remarque, il obtient de bons résultats.

- ***moreover*** (F) = de plus

He found the weather depressing. ***Moreover,*** *his health was not good.*
Il trouvait le temps déprimant. De plus, sa santé n'était pas bonne.

- ***on the contrary*** = au contraire

This is not an exclusive club. ***On the contrary****, anyone can join.*
Ce n'est pas un club fermé. Au contraire, tout le monde peut y adhérer.

- ***on the one hand*** (F) = d'une part

On the one hand*, we have a lot of preparations to make, ...*
D'une part, nous avons beaucoup de préparatifs à faire ...

- ***on the other hand*** = d'un autre côté, d'autre part

... ***on the other hand****, we need to move fast.*
... d'autre part, il faut agir vite.

- ***on the whole*** = dans l'ensemble

On the whole *I'm satisfied with my job.*
Dans l'ensemble, je suis content de mon travail.

- ***otherwise*** = sinon

We'd better start now, ***otherwise*** *we'll be late.*
Nous avons intérêt à partir maintenant, sinon nous serons en retard.

- ***still*** = toutefois

It wasn't a very good hotel. ***Still****, it was better than nothing.*
Ce n'était pas un très bon hôtel. Toutefois, c'était mieux que rien.

- ***that is to say*** (F) = c'est-à-dire

For us, ***that is to say*** *my colleagues and myself, the problem is simple.*
Pour nous, c'est-à-dire mes collègues et moi-même, le problème est simple.

- ***therefore*** (F) = par conséquent

Alan Bowles is ill. The part of the Idiot will ***therefore*** *be played by Mike Gabb.*
Alan Bowles est malade. Par conséquent, le rôle de l'Idiot sera joué par Mike Gabb.

- ***thus*** (F) = ainsi

Thus *we are forced to conclude that ...*
Nous sommes ainsi obligés de conclure que ...

- ***to sum up*** (F) = en résumé

To sum up *: I feel that there are convincing arguments on both sides.*
En résumé : je trouve qu'il y a des arguments convaincants des deux côtés.

• ***yet*** = pourtant

*He was far from strong, and **yet** people were afraid of him.*
Il était loin d'être fort, pourtant les gens avaient peur de lui.

▶ Pour les conjonctions, consulter l'index.

241 Mots voisins

Ne confondez pas les mots suivants.

beside = "à côté de"

***beside** the fire* à côté du feu

besides = "d'ailleurs"

*I don't like those jeans. **Besides**, they're too expensive.*
Je n'aime pas ce jean. D'ailleurs, il est trop cher.

cloth /klɒθ/ = "tissu", "chiffon"

*It's very expensive **cloth**.* C'est du tissu très cher.
*Pass me a **cloth**.* Passe-moi un chiffon.

clothes /kləʊðz/ (pas de singulier) = "vêtements"

*All my **clothes** are dirty.* Tous mes vêtements sont sales.

economic = "qui concerne l'économie"

economic problems problèmes économiques

economical = "qui sait économiser", "qui consomme peu"

*She's very **economical**.* Elle est très économe.
*an **economical** car* une voiture économique

efficient = "qui travaille bien, sans perte de temps/d'énergie"

*My secretary's very **efficient** : she's fast, and never makes mistakes.*
Ma secrétaire est très efficace : elle est rapide et ne fait jamais d'erreur.

effective = "qui résout bien un problème"

*Nobody's found an **effective** treatment for cancer.*
Personne n'a encore trouvé de traitement efficace contre le cancer.

experiment = "expérience scientifique", "essai"

*I'm going to try an **experiment**.* Je vais tenter une expérience.

experience = "expérience(s) vécue(s)"

*She had some interesting **experiences** in America.*
Elle a fait des expériences intéressantes en Amérique.

to feel (felt, felt) = "(se) sentir", "éprouver"

*She **felt** ill.* Elle se sentait malade.

to fall (fell, fallen) = "tomber"

*She **fell** down the stairs.* Elle est tombée dans l'escalier.

to fill (filled, filled) = "remplir"

*She **filled** the bottle.* Elle a rempli la bouteille.

to fly (flew, flown) = "voler" (avion, oiseau)

*The birds have **flown** away.* Les oiseaux se sont envolés.

to flow (flowed, flowed) = "couler" (eau, etc.)

*The water **flowed** under the door.* L'eau coulait sous la porte.

its = possessif neutre (voir 297)

*What are **its** dimensions?* Quelles sont ses dimensions?

it's = *it is; it has*

***It's** late.* Il est tard. ***It's** got six legs.* Il a six pattes.

to leave (left, left) = "partir", "quitter"

*Don't **leave** me.* Ne me quitte pas.

to live (lived, lived) = "vivre", "habiter"

*I prefer to **live** alone.* Je préfère vivre seul.

to lie (lay, lain) = "être couché"

*He **lay** on his side.* Il était couché sur le côté.

to lay (laid, laid) = "poser", "mettre" (la table)

*He **laid** the table.* Il a mis la table.

to lie (lied, lied) = "mentir"

*He **lied** to her.* Il lui a menti.

to look after = "garder", "s'occuper de"

*Can you **look after** the children for a few minutes?*
Tu peux garder les enfants pendant quelques minutes?

to look for = "chercher", "essayer de trouver"

*I'm **looking for** a flat.* Je cherche un appartement.

to lose (lost, lost) = "perdre"

*I keep **losing** my glasses.* Je perds tout le temps mes lunettes.

loose /luːs/ = "mal attaché/mal serré"

*One of the screws is **loose**.* L'une des vis est mal serrée.

politics = "politique" (manière de gouverner)

*I'm not interested in **politics**.* Je ne m'intéresse pas à la politique.

policy = "(ligne) politique", "règle de conduite"

*The best **policy** is to do nothing.*
La meilleure politique est de ne rien faire.

price = "prix" (qu'on paie)

*half-**price*** à moitié prix

prize = "prix" (qu'on gagne)

*Nobel **prize*** prix Nobel

quite = "assez"; "tout à fait" (voir 342)

*She's **quite** pretty.* Elle est assez jolie.
*You're **quite** right.* Vous avez tout à fait raison.

quiet = "tranquille", "calme"

*It's a very **quiet** street.* C'est une rue très tranquille.

seat = "place", "siège"

*That's my **seat**.* Ça, c'est ma place.

to sit (sat, sat) = "s'asseoir"

*Come and **sit** by me.* Viens t'asseoir à côté de moi.

sometimes = "quelquefois, "parfois", et (familier) "des fois"

*I **sometimes** get depressed.* Je suis parfois déprimé.

some time = "quelque temps"; "un de ces jours"

*I spent **some time** in Brussels last year.*
J'ai passé quelque temps à Bruxelles l'année dernière.
*I'll come and see you **some time**.* Je viendrai te voir un de ces jours.

there = "là(-bas)"

*She's not **there**.* Elle n'est pas là.

their = "leur"

*I've forgotten **their** names.* J'ai oublié leurs noms.

they're = *they are*

***They're** lost.* Ils sont perdus.

to = le signe de l'infinitif; "à", "chez", "dans", etc. (voir 54)

I want to go ***to*** *London.* Je veux aller à Londres.

too = "trop" (voir 390); "aussi" (voir 56)

You're ***too*** *young.* Tu es trop jeune.
Your brother is, ***too.*** Ton frère aussi.

whose = "à qui" (voir 299); "dont" (voir 329)

Whose *is this coat?* A qui est ce manteau?
a woman ***whose*** *judgement I respect*
une femme dont je respecte le jugement

Who's = *who is*

the man ***who's*** *speaking* l'homme qui parle
Who's *there?* Qui est là?

▶ Voir aussi 98 *(dead* et *died)*, 82 *(elder/eldest* et *older/oldest)*, 217 *(last* et *latest)*, 139 (*sensible* et *sensitive*).

242 Mr, Mrs, sir ...

1 *Mr, Mrs* /ˈmɪsɪz/ et *Ms* /mɪz, məz/ sont toujours suivis d'un nom propre. *Ms* n'indique pas si une femme est mariée ou non.

Mr *and* ***Mrs*** *Brown* — Monsieur et Madame Brown
Ms *Kendall* — Madame ou Mademoiselle Kendall

Attention à l'orthographe : *Mr*, et non ~~*Mr.*~~ ou ~~*M^r.*~~
La forme pleine *Mister* est rare; il n'existe pas de forme pleine pour *Mrs* ou *Ms*.

2 *Miss* est généralement suivi d'un nom propre mais s'emploie parfois seul. Les élèves appellent souvent leurs professeurs féminins *Miss*.

Miss *(Barbara) Garland*
Good morning, ***Miss****.*

(Par contre, on ne pourrait pas dire *Good morning Mr/Mrs/Ms.*)

3 *Sir* et *madam* s'emploient surtout pour parler aux clients dans les magasins.

Can I help you, ***sir****?* — Monsieur, vous désirez?
Your change, ***madam****.* — Votre monnaie, madame.

Dans les autres situations, ils ne sont guère utilisés.

Excuse me. Could you tell me the time? (et non ~~*Excuse me, sir*~~ ...)
Pardon, Monsieur. Vous pouvez me dire l'heure, s'il vous plaît?

Exercice

Traduisez en anglais :
1. Madame Villiers. 2. Monsieur Danson. 3. Mademoiselle Roger. 4. Pardon, Monsieur, est-ce que vous avez du feu (= a light) ? 5. "Bonjour, Madame. Est-ce que vous vendez des tennis (= tennis shoes) ?" 6. "Oui, Madame. Quelle pointure (= what size) ?"

---

243 Much, many, a lot ...

1 On emploie :

much + nom singulier	*many* + nom pluriel
*I haven't got **much time**.*	*I haven't got **many shirts**.*
Je n'ai pas beaucoup de temps.	Je n'ai pas beaucoup de chemises.

Le nom peut être sous-entendu.

*"Have you got any money?" "Not **much**." (= "Not **much money**.")*
"Est-ce que tu as de l'argent ?" "Pas beaucoup."
*"Did you go to any interesting places?" "Not **many**."*
"Est-ce que vous avez visité des endroits intéressants ?" "Pas beaucoup."

2 *Much* s'emploie aussi comme adverbe.

*It doesn't interest me **much**.*
Ça ne m'intéresse pas beaucoup.

Exercice

Mettez much *ou* many :
1. There isn't ... room. 2. He doesn't have ... friends. 3. "Have you seen any good films recently?" "Not ...." 4. I don't like him ...

---

3 *Much* et *many* s'emploient surtout dans les phrases négatives et les questions. Ils s'emploient rarement dans les phrases affirmatives, sauf après *too*, *as*, *so* et parfois *very* (ou dans un style très formel). On les remplace généralement par *a lot of/lots of* (voir 227), *plenty of* ou une autre expression. Comparez :

*He's got **plenty of** charm but **not much intelligence**.* (et non ~~*He's got much charm*~~ ...)
Il a beaucoup de charme mais il manque d'intelligence.
*I **don't read many** books but I **read a lot of** comics.* (et non ~~*I read many comics*~~.)
Je ne lis pas beaucoup de livres mais je lis beaucoup de bandes dessinées.

***"Have you got many** discs?" "Yes, **lots – too many** – take **as many** as you like." "Thank you **very much.**"*
"Est-ce que tu as beaucoup de disques?" "Oui, beaucoup ... trop! Prends-en autant que tu veux." "Merci beaucoup."

▶ Pour plus de détails sur *too much/many*, voir 390.
Pour *so much/many*, voir 363.
Pour *as much/many*, voir 49.

Exercice

Mettez much *ou* many *lorsque c'est possible,* a lot of *dans les autres cas :*
1. We've got ... English friends. 2. I drink ... milk. 3. He doesn't go to ... parties. 4. Do you watch ... TV? 5. I've seen this film too ... times. 6. There are ... tourists here.

244 Must

1 *Must* est un auxiliaire modal (voir 238). Il ne prend pas d's à la troisième personne. Les questions et les négations se forment sans *do*. Après *must*, on emploie l'infinitif sans *to*. La contraction négative est *mustn't* /ˈmʌsnt/.

*He **must** stop.*	***Must you** really go?*	*He **mustn't** see me.*
Il faut qu'il arrête.	Tu dois vraiment partir?	Il ne faut pas qu'il me voie.

Must n'a pas d'infinitif. "Devoir" = ***to have to.***

2 *Must* exprime l'obligation. *Must not* exprime une interdiction.

*You **must** work harder.*
Vous devez travailler davantage.
*You **mustn't** smoke here.*
Vous ne devez pas fumer ici.

Must n'existe qu'au présent. A l'infinitif et aux autres temps, il faut employer *have (got) to* (voir 172) pour parler de l'obligation.

3 *Must* peut aussi exprimer une déduction. La forme négative est alors ***can't***.

*She writes to him every day. She **must** love him.*
Elle lui écrit tous les jours. Elle doit l'aimer. (= Elle l'aime certainement.)
*He never answers her letters. He **can't** love her.*
Il ne répond jamais à ses lettres. Il ne doit pas l'aimer. (Il ne l'aime certainement pas.)

4 *Must* (obligation) n'a pas de passé. On emploie ***had to*** (= "j'ai dû ...", "il a fallu que je ...").

*I **had to** explain everything.*
J'ai dû tout expliquer.

Toutefois, *must* peut s'employer au discours indirect après un verbe au prétérit (voir 103.2).

*The doctor said I **must** stop smoking.*
Le médecin m'a dit que je devais arrêter de fumer.

Le passé de *must* (déduction) est ***must have* + participe passé** (= "j'ai dû" + infinitif, "j'ai certainement" + participe passé : voir 245).

5 *Have to* s'emploie également aux autres temps (voir 172.4).

***I'll have to** come again tomorrow.*
Je serai obligé de revenir demain.

Exercice

Traduisez en anglais :
1. Il faut que je parte. 2. Dites-lui qu'il doit me téléphoner. 3. Vous ne devez pas l'écouter. 4. "Je suis comédien (= an actor)." "Ça doit être intéressant." 5. Ellle ne doit pas être là : la porte est fermée à clé (= locked). 6. Il a fallu que je prenne le train. 7. Il faudra que tu m'aides ce soir.

▶ Pour la différence entre *must* et *have to* au présent, voir 246. Pour *must* et *should*, voir 357. Pour "il faut que", voir 188.

245 Must have + participe passé

I must have + participe passé = "j'ai dû" + infinitif.

1 Cette structure sert à exprimer une déduction à propos du passé. On l'emploie pour dire qu'un fait s'est certainement produit.

*The grass is soaked. It **must have rained**.*
L'herbe est trempée. Il a dû pleuvoir.

*Anne isn't here. She **must have gone** out.*
Anne n'est pas là. Elle a dû sortir.

2 La forme négative est ***can't have* + participe passé**.

*She hasn't phoned. She **can't have seen** my message.*
Elle n'a pas appelé. Elle n'a pas dû voir mon message.

3 Ne confondez pas ***must have*** **+ participe passé** avec ***had to***, qui exprime une obligation passée. Comparez :

*She **must have got** up early. She looks tired.*
Elle a dû se lever de bonne heure. Elle a l'air fatigué.
(= Elle s'est certainement levée de bonne heure.)

*She **had to get** up early to be in London at 8.00.*
Elle a dû se lever tôt pour être à Londres à 8 heures.
(= Elle a été obligée de se lever de bonne heure.)

Exercices

1. *Complétez les phrases suivantes à l'aide de* must have *+ participe passé :*
1. The car is still wet. It ... a lot. (to rain) 2. Tom is very brown. He ... plenty of sun on holiday. (to have) 3. I can't see Betty's things. She ... home. (to go) 4. They're very late. They ... (to get lost)

2. *Analysez le sens de "avoir dû" dans les phrases suivantes, puis traduisez-les en anglais :*
1. J'ai dû me dépêcher, j'étais en retard. 2. Il ne m'a pas téléphoné (present perfect), il a dû oublier. 3. Sa femme était tellement malade qu'il a dû appeler le médecin. 4. Elle n'est pas encore arrivée. Elle a dû rater le train.

246 *Must* et *have (got) to*

1 Entre *must* et *have (got) to*, il y a une nuance. Avec *must*, l'obligation vient généralement de celui qui parle ou de celui qui écoute. Avec *have (got) to*, l'obligation vient d'ailleurs. Comparez :

*I **must** stop smoking.*
Il faut que j'arrête de fumer. (Je me le dis à moi-même.)

*I've **got to** stop smoking – doctor's orders.*
Il faut que j'arrête de fumer. C'est un ordre du docteur.

***Must I** pay you now?*
Dois-je vous payer maintenant?

*Where **do I have to** pay?*
Où faut-il que je paie?

2 *Must not* exprime une interdiction, *do not have to* une absence d'obligation. Le sens est alors très différent.

must not: "c'est interdit"	***do not have to*** : "ce n'est pas obligé"
*You **mustn't** tell her.* Tu ne dois pas lui dire. (= Il ne faut pas.)	*You **don't have to** tell her.* Tu n'es pas obligé de lui dire. (= ...mais tu peux si tu veux.)

Need not exprime la même idée que *do not have to* (voir 248.3).

3 Les deux formes n'existent en parallèle qu'au présent. Seul *have to* est possible à l'infinitif et aux autres temps (voir 244).

Exercice

Choisissez :

1. I'm tired. I (*really must/have really got to*) go to bed. 2. What time (*must you/do you have to*) start work in the mornings? 3. I (*must go/have got to go*) to the dentist on Thursday. 4. Please – you (*must stop/have got to stop*) interrupting me! 5. I (*mustn't/don't have to*) work on Saturdays. 6. She (*mustn't/doesn't have to)* use the car without asking me.

247 Nationalités

On emploie deux types de mots pour parler des nationalités :
- l'**adjectif** (ex. : *Greek, Swedish, Welsh*),
- le **nom** qui désigne une personne de la nationalité en question (ex. : *a Greek, a Swede, a Welshman*).

Voici quelques exemples.

PAYS	ADJECTIF	NOM
Australia	Australian	an Australian
Belgium	Belgian	a Belgian
Brazil	Brazilian	a Brazilian
Britain	British	(a Briton, a Britisher)
Canada	Canadian	a Canadian
China	Chinese	a Chinese
Denmark	Danish	a Dane
England	English	an Englishman, an Englishwoman
Finland	Finnish	a Finn
France	French	a Frenchman, a Frenchwoman
Germany	German	a German
Greece	Greek	a Greek
Holland	Dutch	a Dutchman, a Dutchwoman
Hungary	Hungarian	a Hungarian
India	Indian	an Indian
Iran	Iranian	an Iranian
Ireland	Irish	an Irishman, an Irishwoman
Israel	Israeli	an Israeli
Japan	Japanese	a Japanese
Mexico	Mexican	a Mexican
Morocco	Moroccan	a Moroccan
Norway	Norwegian	a Norwegian
Poland	Polish	a Pole
Portugal	Portuguese	a Portuguese
Russia	Russian	a Russian
Scotland	Scottish / Scotch	a Scot
Spain	Spanish	a Spaniard
Sweden	Swedish	a Swede
Switzerland	Swiss	a Swiss
Turkey	Turkish	a Turk
the USA	American	an American
Vietnam	Vietnamese	a Vietnamese
Wales	Welsh	a Welshman, a Welshwoman
Zambia	Zambian	a Zambian

Remarques :

• Pour parler de la nation en général, on emploie normalement *the* + le pluriel du nom (ex. : *the Greeks, the Scots, the Americans*). Pourtant, dans certains cas, on emploie l'adjectif (sans *-s*) au lieu du nom : *the Chinese, the Japanese* (de même pour tous les mots qui se terminent en *-ese*) ; *the British, the English, the French, the Dutch, the Irish, the Spanish, the Welsh, the Swiss.*

• *Briton* et *Britisher* sont rares ; pour parler des Britanniques, on dit normalement *the British* ou *British people.*

• *Arab* s'emploie souvent comme adjectif dans un contexte politique ; *Arabic* s'emploie pour parler de la langue ou de la culture arabe.

• L'adjectif s'emploie normalement pour désigner la langue (ex. : *English, French*).

• L'adjectif s'écrit avec une majuscule, comme tous les mots qui se rapportent à la nationalité.

248 Need

1 ***Need* + nom/pronom = "avoir besoin de".**

*She **needs** some milk.* (et non ~~*She has need of*~~ ...)
Elle a besoin de lait.

*Do you **need** me?*
As-tu besoin de moi ?

*We **don't need** any help.*
Nous n'avons pas besoin d'aide.

2 ***Need* + *to*-infinitif = *have to* ("être obligé de"**, etc., voir 172).
Need peut s'employer pour poser une question à propos d'une obligation, ou pour parler d'une absence d'obligation.

*Do I **need to come** to work tomorrow? (= Do I have to ... ?)*
Faut-il que je vienne travailler demain ?

*You don't **need to answer** all the questions. (= You don't have to ...)*
Vous n'êtes pas obligé de répondre à toutes les questions.

3 ***Needn't (= don't have to).***
Il existe aussi une forme négative *needn't* qui s'emploie sans *do*, sans *-s* à la troisième personne, et est suivie de l'infinitif **sans *to.***

*He **needn't tell** us if he doesn't want to.*
Il n'est pas obligé de nous le dire s'il ne veut pas.

Exercice

Traduisez en anglais :
1. As-tu besoin d'argent ? 2. J'ai besoin de plus de temps. 3. Tout le monde a besoin d'amour. 4. Faut-il que je paie en espèces (= in cash) ? 5. Je n'ai pas besoin de tes conseils (= advice). 6. Elle n'est pas obligée de répondre si elle ne veut pas.

4 ***Needn't have*** **+ participe passé = "ce n'était pas la peine de".**

*You **needn't have woken** me up. I'm not working today.*
Ce n'était pas la peine de me réveiller. Je ne travaille pas aujourd'hui.

5 ***Need*** **+ *-ing.***
Après *need*, une forme en *-ing* a un sens passif.

*The car **needs cleaning.** (= The car needs to be cleaned.)*
La voiture a besoin d'être nettoyée.

Exercice

Traduisez en anglais :
1. Ma montre a besoin d'être réparée (= to repair). 2. Ce n'était pas la peine que j'arrose (= to water) les fleurs : il pleut.

249 Négation

1 On ne met normalement qu'une seule négation dans une phrase. Par conséquent, lorsqu'il y a déjà un terme négatif *(never, nobody, neither ...nor, etc.)*, le verbe est à la forme affirmative.

*I **never smoke.*** (et non *~~I don't never smoke.~~*)
Je ne fume jamais.

***Nobody's** perfect.*
Personne n'est parfait.

*I **like neither** gin **nor** whisky.*
Je n'aime ni le gin, ni le whisky.

Lorsque le verbe est négatif, il ne faut pas utiliser *no* et ses composés mais *any* et ses composés.

*I **don't** know **anybody**.* (et non *I don't ~~know nobody~~*.)
Je ne connais personne.

2 *Hardly* (= "à peine", "ne ... guère") est considéré comme un terme négatif. Les mots qui l'accompagnent sont donc affirmatifs.

*I **hardly ever** see my father.* (et non *~~I don't hardly~~* ...)
Je ne vois presque jamais mon père.

Notez l'emploi de *ever, any,* etc. après *without.*

*He spent three months **without ever** going out.*
Il a passé trois mois sans jamais sortir de chez lui.

*We found her house **without any** difficulty.*
Nous avons trouvé sa maison sans difficulté.

Exercice

Traduisez en anglais :
1. Il ne boit jamais. 2. Je ne sais rien. 3. Personne ne me comprend. 4. Elle ne mange ni viande ni poisson. 5. Il ne gagne (= to earn) presque rien. 6. Elle a vécu toute sa vie sans jamais aller en vacances.

▶ Pour les formes négatives des divers temps, voir 380.
Pour *be*, voir 59; pour *have*, voir 168 à 172.
Pour l'impératif négatif, voir 190.
Pour l'interronégation, voir 341.

250 Next *et* the next

1 Attention à la différence entre *next* et *the next.*

***Next week/year ...* = "la semaine/année ...prochaine".**
***The next week/year ...* = "la semaine/année ... suivante/ d'après".**

I'm going to Italy ***next month***.
Je vais en Italie le mois prochain.
I'll spend the first week in Rome and ***the next*** *two weeks in Venice.*
Je passerai la première semaine à Rome et les deux suivantes à Venise.

The next précède les chiffres.

the ***next three*** *days* (et non ~~*the three next days*~~)
les trois jours suivants

2 *The next week/year ...* peut aussi désigner une période qui commence juste au moment où l'on parle.

The next school year *is going to be very difficult.*
Cette année scolaire va être très difficile. (On est en septembre.)

Notez aussi l'expression *the next few days.*

I'll be away for ***the next few days***.
Je serai absent pendant les jours qui viennent.

Exercice

Mettez next *ou* the next :
1. I don't know what I'm going to do ... week. 2. The first year was very difficult, but ... year was easier. 3. There's a holiday on Wednesday ... week. 4. I shall be very busy for ... few weeks.

---

251 Nombres (1) : dozen(s), hundred(s) ...

1 *Dozen, hundred, thousand, million, billion* ne prennent pas d'*s* après un nombre précis, ni après *several, a few, many.*

***two dozen** eggs*
deux douzaines d'œufs

***three hundred** houses*
trois cents maisons

***a few thousand** years*
quelques milliers d'années

***several million** people*
plusieurs millions de personnes

2 Dans les autres cas, ils prennent un *-s* au pluriel et sont suivis de *of.*

***hundreds of** houses*
des centaines de maisons

***millions of** people*
des millions de gens

Exercice

Traduisez en anglais :
1. trois douzaines de verres 2. des milliers de fois 3. plusieurs centaines de kilomètres 4. cinq mille ans 5. des centaines de gens 6. quelques milliers de tonnes (= tons)

252 Nombres (2) : ordinaux (1er, 2e, 3e ...)

1 Les nombres ordinaux se forment normalement en ajoutant *-th* au nombre cardinal.

*four → four**th** (4th)* *eleven → eleven**th** (11th)*

Exceptions : *one, two, three*, et les nombres terminés par *one, two, three.*

one	→ ***first** (1**st**)*	*twenty-one*	→ *twenty-**first** (21**st**)*
two	→ ***second** (2**nd**)*	*thirty-two*	→ *thirty-**second** (32**nd**)*
three	→ ***third** (3**rd**)*	*sixty-three*	→ *sixty-**third** (63**rd**)*

Attention à l'orthographe des formes suivantes :

5th	= ***fifth** /fɪfθ/*	*8th*	= ***eighth** /eɪtθ/*
9th	= ***ninth** /naɪnθ/*	*12th*	= ***twelfth** /twelfθ/*

La terminaison *-ty* se transforme en *-tieth* /tiəθ/.

*20th = twen**tieth*** *30th = thir**tieth***

2 Les nombres ordinaux s'emploient parfois dans des cas où le français emploie un nombre cardinal : lorsqu'on dit les dates (voir 97.2), et les noms de rois ou de papes.

21st May = ***the twenty-first** of May*
Louis XIV = *Louis **the Fourteenth***
John XXIII = *John **the Twenty-third***

Exercice

Ecrivez en toutes lettres, et prononcez :
15th 27th 51st 92nd 43rd 55th 40th 70th 21 January
Louis XV Henry VIII

253 Nombres (3) : problèmes divers

1 *A/one hundred, thousand, pound...*

Devant *hundred*, *thousand* et *million*, on emploie le plus souvent *a*.

*I owe Jim **a hundred** and twenty pounds.*
Je dois cent vingt livres à Jim.

***a thousand** years*
mille ans

One est plus formel, ou exprime une idée de précision.

*Pay Mr Lovelace **one hundred** pounds.* (sur un chèque)
Payer cent livres à M. Lovelace.

*He died just **one hundred** years ago.*
Il est mort il y a juste cent ans.

2 Numéros de téléphone.

Ils se lisent chiffre par chiffre, mais on dit souvent *double* devant un double chiffre.

47150 : four seven one five 0 /əʊ/
31226 : three one double two six

3 Décimales et milliers.

Les décimales sont précédées d'un point, et non d'une virgule comme en français. Par contre, on met une virgule pour les milliers (sauf dans les dates, voir 97).

***1.625** (one point six two five)* = 1,625 en français
***1,625** (one thousand, six hundred and twenty-five)* = 1 625 en français

4 Fractions.

les 3/4 = *three quarters*   1/7 = *a/one seventh*

► Pour *half a*, *one and a half*, voir 165.

5 Prépositions.

Notez l'emploi de *out of* et *by* dans les cas suivants.

*10 **out of** 20*
10 sur 20

*Production has risen **by** 8 % (= per cent).*
La production a augmenté de 8 %.

Exercices

1. Exprimez en anglais (écrivez les chiffres en toutes lettres) :
1km (juste) 1km 3,675 3 675 8 sur 10 les 9/10e du pays
Mon salaire va augmenter de 2 %.

2. Lisez, et écrivez en toutes lettres :
(My phone number is) 4991036/(votre propre numéro de téléphone).

▶ Pour la traduction de "zéro", voir 415.

254 Noms (1) : formation du pluriel

1 En règle générale, on forme le pluriel des noms en ajoutant un *-s* au singulier.

*car – car**s***   *clock – clock**s***   *house – house**s***

2 Les mots qui se terminent en *-s, -sh, -ch* et *-x* forment leur pluriel en *-es*, ainsi que certains mots terminés en *-o*.

*bus – bus**es***   *glass – glass**es***   *brush – brush**es***
*match – match**es***   *box – box**es***   *tomato – tomat**oes***
*potato – potat**oes***

3 Les mots qui se terminent par un *-y* précédé d'une consonne forment leur pluriel en *-ies*.

*baby – bab**ies***   *country – countr**ies***   *factory – factor**ies***

Les mots qui se terminent par un *-y* précédé d'une voyelle forment leur pluriel en *-s*.

*day – day**s***   *boy – boy**s***

4 Les mots suivants forment leur pluriel en *-ves* :

*half – hal**ves***   *thief – thie**ves***
*shelf – shel**ves***   *calf – cal**ves***
*knife – kni**ves***   *life – li**ves***
*wolf – wol**ves***   *leaf – lea**ves***
*self – sel**ves***   *loaf – loa**ves***
*wife – wi**ves***

Les autres mots terminés en *-f* ont un pluriel régulier.

*roof – roof**s***   *cliff – cliff**s***   *chief – chief**s***

5 Les mots *fish*, *sheep*, *deer* ne prennent pas d'*s* au pluriel.

6 Les noms composés terminés par une particule adverbiale forment leur pluriel de façon régulière, sauf si le premier élément se termine en *-er*.

grown-up – grown-ups *hold-up – hold-ups*
Mais :
passer-by – passers-by *hanger-on – hangers-on*

7 Pluriels irréguliers :

*man – **men***	*woman – **women***
*child – **children***	*foot – **feet***
*mouse – **mice***	*tooth – **teeth***
*penny – **pence***	*means – **means***
*species – **species***	*series – **series***
*crisis – **crises***	*analysis – **analyses***
*criterion – **criteria***	*phenomenon – **phenomena***

Data (= "donnée/données") peut être singulier ou pluriel en anglais moderne.

8 Notez :

*woman driver/doctor – wom**en** drivers/doctors* (voir 258.2).

9 **Prononciation du pluriel.**

- Après les sons /s/, /ʃ/, /tʃ/, /z/, /ʒ/ et /dʒ/, *-es* se prononce /ɪz/.

buses /'bʌsɪz/ *roses* /'rəʊzɪz/
brushes /'brʌʃɪz/ *garages* /'gærɪdʒɪz/
matches /'mætʃɪz/ *bridges* /'brɪdʒɪz/

- Dans les autres cas, le *-s* ou *-es* du pluriel se prononce /s/ après une consonne "sourde" (/p/, /f/, /θ/, /t/, /k/), et /z/ après tous les autres sons.

cups /kʌps/ *heads* /hedz/
baths /bɑːθs/ *clothes* /kləʊðz/
hats /hæts/ *names* /neɪmz/
books /bʊks/ *days* /deɪz/

- Notez : *house* /haʊs/, *houses* /'haʊzɪz/.

E x e r c i c e s

1. *Ecrivez le pluriel de :*
coat – kiss – fox – story – toy – tree – lamp – journey – boss – spy – watch – thief – roof – child – mouse
2. *Dites si la désinence du pluriel se prononce /ɪz/, /s/ ou /z/ dans les mots suivants :*
shoes – clothes – churches – judges – ships – chairs – boats – paths

255 Noms (2) : singulier et pluriel (emploi)

En règle générale, le singulier et le pluriel s'emploient de la même manière dans les deux langues. Pourtant, dans certains cas, l'usage anglais diffère du français.

1 Les noms de groupes s'emploient souvent avec un verbe au pluriel en anglais.

*The **government have** (ou has) decided ...*
Le gouvernement a décidé ...

Si le verbe est au pluriel, les pronoms et possessifs le sont aussi.

*The **team are** (ou is) confident that **they** will win **their** next match.*
L'équipe est sûre de gagner son prochain match.

2 Avec des expressions comme *five pounds, ten litres, three miles,* qui désignent une quantité ou une mesure, l'accord se fait au singulier.

*Where **is that five pounds** I lent you?*
Où sont ces cinq livres que je t'ai prêtées?

***Ten litres isn't** enough.*
Dix litres ne suffisent pas.

3 Dans certains cas, un nom singulier français se traduit par un pluriel anglais.

the customs	***the middle ages***	***in/to the mountains***
la douane	le moyen âge	à la montagne

Tout vêtement "à deux jambes" est pluriel en anglais.
"Un jean" = ***jeans*** (et non ~~*a jean*~~).
Notez aussi *shorts, pyjamas, trousers* (= "un pantalon") et *pants* (= "un slip").

*Where **are** my **jeans**?*
Où est mon jean?

*Your **pyjamas are** too small.*
Ton pyjama est trop petit.

▶ Pour les pluriels français qui se traduisent en anglais par des indénombrables (ex. : "meubles", "bagages", "informations"), voir 256.

4 Avec les mots *people* et *police,* le verbe est au pluriel.

***People are** funny.*
Les gens sont marrants.

***The police are** unable to find him.*
La police est incapable de le retrouver.

Le nom pluriel *clothes* (= "vêtements") n'a pas de singulier. "Un vêtement" = *an article of clothing.*

5 Attention aux mots suivants. Ce sont des singuliers, même s'ils se terminent en *-s*.

crossroads (= carrefour), *news* (= informations)
mathematics, physics, economics, politics, athletics, etc.
the United States
series, means, species (pluriel *series, means, species* – voir 254.7)

Here ***is*** *the* ***news****.*
Voici les informations.

Physics is *my favourite subject.*
Ma matière préférée, c'est la physique.

The United States is *facing serious economic problems.*
Les Etats-Unis connaissent de graves difficultés économiques.

a series *of disasters*
une série de désastres

Exercice

Traduisez en anglais :
1. Le gouvernement ne veut pas donner son autorisation (= permission). 2. Est-ce que ces trois francs sont à toi ? 3. L'équipe ne va pas gagner son prochain match. 4. Où est mon jean ? 5. J'aime bien marcher à la montagne. 6. Les gens ne comprennent pas. 7. La police a abandonné (= given up). 8. La physique est très difficile.

---

256 Noms (3) : indénombrables

1 Les noms indénombrables désignent des substances, des concepts, etc., qui ne peuvent pas se diviser en éléments séparés, donc qu'on ne peut pas compter. Normalement, ces noms n'ont pas de pluriel.

music (mais non ~~*two musics*~~)	*milk*	*astonishment*
la musique	le lait	l'étonnement

2 Il est très rare d'employer l'article indéfini *a/an* avec les indénombrables.

I heard soft ***music****.* (et non ... ~~*a solf music*~~.)
J'ai entendu une musique douce.

We're having horrible ***weather****.* (et non ... ~~*a horrible weather*~~.)
Nous avons un temps horrible.

She speaks very correct ***English****.* (et non ... ~~*a very correct English*~~.)
Elle parle un anglais très correct.

Notez toutefois les expressions suivantes :

It's ***a pity/shame****.*	*in* ***a hurry***
C'est dommage.	pressé

3 Certains noms sont dénombrables en français et indénombrables (donc suivis d'un verbe au singulier) en anglais.
Voici les plus courants.

advice	conseil(s) (un conseil = *a piece of advice*)
fruit	des fruits (un fruit = *some fruit/a piece of fruit*)
furniture	meubles (un meuble = *a piece of furniture*)
hair	cheveux (mais un poil = *a hair*, pluriel *hairs*)
information	renseignements (un renseignement = *some information, a piece of information*)
knowledge	connaissance(s)
luggage, baggage	bagages
news	information(s), (une nouvelle = *some news/a piece of news*)
progress	progrès
spaghetti	spaghettis

*Your **hair is** nice.* (et non ~~*Your hair are nice*~~.)
Ils sont beaux, les cheveux.

*"Where**'s the luggage**?" "**It's** in the car."*
"Où sont les bagages ?" "Ils sont dans la voiture."

*Do your parents give you **advice**?*
Est-ce que tes parents te donnent des conseils ?

Exercice

Traduisez en anglais :
1. Nous avons un temps splendide (= splendid). 2. Il parle un très mauvais anglais. 3. J'ai perdu mes bagages. (present perfect) 4. Les informations sont à dix heures. 5. Les cheveux de Carol sont très longs. 6. Pouvez-vous me donner un conseil ? 7. Nous allons acheter des meubles. 8. J'ai besoin d' (= I need) un renseignement. 9. un meuble très cher 10. Les spaghettis sont prêts.

257 Noms (4) : masculin et féminin

Certains noms ont une forme masculine et une forme féminine.

1 Le féminin de certains noms se forme en *-ess*.

actor – actress
acteur – actrice

waiter – waitress
garçon – serveuse

prince – princess
prince – princesse

host – hostess
hôte – hôtesse

2 Le genre peut aussi être précisé par *boy/girl*, *man/woman* ou *male/female* (pas du tout péjoratif en anglais).

boyfriend – girlfriend
ami/copain – amie/copine

policeman – policewoman
agent de police

male student – female student
étudiant – étudiante

3 Notez également :

hero – heroine	*widower – widow*	*(bride)groom – bride*
héros – héroïne	veuf – veuve	marié – mariée

4 Certaines formes masculines qui se terminent en *-man*, comme *chairman* (= "président d'un comité") ou *spokesman* (= "porte-parole"), n'ont pas d'équivalent féminin, et s'emploient parfois pour les deux sexes. Pourtant, on a tendance maintenant à remplacer de telles expressions par des formes non-sexistes comme *chairperson*, *spokesperson*.

▶ Pour l'emploi de *he* et *she* avec les noms d'animaux, de voitures, de pays, etc., voir 322.
Pour *he* or *she*, (et *they* = *he* or *she*), voir 324.

258 Noms (5) : noms composés

1 Il est extrêmement fréquent en anglais de mettre un nom devant un autre.

a ***road map***	a ***business trip***
une carte routière	un voyage d'affaires

Attention à l'ordre des mots ! Il est souvent l'inverse de l'ordre français. Comparez :

a ***race horse***	a ***horse race***
un cheval de course	une course de chevaux

Certains noms composés fréquents s'écrivent avec un trait d'union (ex. : *dining-room*) et d'autres en un seul mot (ex. : *toothbrush*). Il n'y a pas de règle générale.

On peut mettre plusieurs noms ensemble.

sports car manufacture
la fabrication des voitures de sport

2 Le premier nom joue le rôle d'un **adjectif**. C'est pourquoi il est généralement au singulier, et reste invariable lorsque le nom composé est mis au pluriel.

*a **computer** exhibition*
une exposition d'ordinateurs

*a **shoe** shop*
un magasin de chaussures

*a five-**pound** note*
un billet de cinq livres

***shoe** shops* (et non ~~*shoes shops*~~)
des magasins de chaussures

Notez toutefois : *a woman driver* ("une conductrice"), *women drivers* ("des conductrices").

3 Parfois, le premier terme est au pluriel.

*a **sports** car*
une voiture de sport

*a **careers** adviser*
un conseiller d'orientation professionnelle

C'est également le cas des noms qui n'ont pas de singulier
Ex. : *a goods train* ("un train de marchandises"), *a clothes shop* ("une boutique de vêtements").

Exercices

***1.** Choisissez la bonne combinaison :*
1. une vitrine : a shop window ou a window shop ? 2. un jardin potager : a garden vegetable ou a vegetable garden ? 3. un billet de train : a train ticket ou a ticket train ? 4. un réveil : an alarm clock ou a clock alarm ?

***2.** Transformez les expressions suivantes en noms composés :*
Ex. : an exhibition of computers → a computer exhibition
1. a gallery with pictures in 2. a shop that sells books 3. an album for photographs 4. a ticket that costs three pounds 5. a garden with roses in 6. a holiday that lasts ten days

***3.**Mettez ces noms composés au pluriel :*
a road map – a five-pound note – a sports car – a flower shop – a dinner plate

259 Noms (6) : nom composé, cas possessif ou préposition ?

On peut combiner les noms de trois façons différentes :

- **nom composé,**

*a **bookshop***
une librairie

*a **war film***
un film de guerre

• **cas possessif,**

my ***sister's car*** — la voiture de ma sœur
Jake's idea — l'idée de Jake

• **expression avec préposition.**

the ***top of the page***
le haut de la page

Il est difficile de savoir laquelle des trois combinaisons s'emploie dans un cas particulier. Voici quelques indications.

1 Nom composé et cas possessif.
Si on "décompose" un nom composé, le premier nom se transforme le plus souvent en complément.

a ***book****shop* → *a shop that sells* ***books***
a ***war*** *film* → *a film about* ***war***

Si on "décompose" une expression construite avec le cas possessif, le premier nom se transforme le plus souvent en sujet (généralement du verbe *have*).

my sister*'s car* → ***My sister has*** *a car.*
Jake*'s idea* → ***Jake had*** *an idea.*

2 Nom composé et expression avec préposition.
Un nom composé se réfère normalement à une catégorie bien connue. Dans les autres cas, on emploie plutôt une expression avec préposition. Comparez :

a ***history book*** un livre d'histoire	*a* ***book about the moon*** (et non ~~*a moon book*~~) un livre sur la lune
the ***postman*** le facteur	*a* ***man from the insurance office*** un homme du bureau d'assurances
a ***road sign*** un signal routier	***signs of tiredness*** des signes de fatigue

3 Cas possessif et expression avec préposition.
Le cas possessif s'emploie surtout lorsque le premier nom indique une personne, un groupe de personnes, un organisme, un animal ou un pays. Dans les autres cas, on utilise généralement une expression avec préposition. Comparez :

my ***father's name*** le nom de mon père	*the* ***name of the book*** (et non ~~*the book's name*~~) le nom du livre
America's influence l'influence des Etats-Unis	*the* ***influence of alcohol*** l'influence de l'alcool

▶ Voir aussi 302.3.

260 Not ... any, not ... a, no, none

1 "Ne ... pas de" = ***not ... any*** ou ***no.***

*I have**n't got** any matches.* (ou *I've got **no** matches.*)
Je n'ai pas d'allumettes.

*We do**n't** want **any** help.* (ou *We want **no** help.*)
Nous ne voulons pas d'aide.

La tournure avec *not ... any* est la plus fréquente. Celle avec *no* est plus emphatique.

Notez que :
- le verbe est à la forme négative avec *any* et à la forme affirmative avec *no* (voir 249),
- *not* ne peut pas être omis, contrairement à "ne" en français familier.

2 Devant un dénombrable singulier, "(ne) ... pas de" se traduit généralement par *not ... a* et non *not ... any*.

*I have**n't** got **a brother**./I have**n't** got **any brothers**.* (et non ~~*I haven't got any brother*~~.)
Je n'ai pas de frère(s.)

3 **"Aucun" = *no* + nom ou *none* (pronom).**

***No** problem.*
Aucun problème.

*"Did you have any problems?" "**None**."*
"Tu as eu des problèmes?" "Aucun."

None s'emploie fréquemment devant *of* + nom/pronom.

***None of these shirts** fits me.*
Aucune de ces chemises ne me va.

none of us
aucun d'entre nous

Notez également l'expression familière :

That's none of your business.
Cela ne te regarde pas.

Exercice

Traduisez en anglais :
1. Je n'ai pas de verres (= glasses). 2. Il n'a pas d'argent. 3. "Tu as posé beaucoup de questions?" "Non, aucune." 4. Je n'ai pas de sœur. 5. Il n'y a pas de place (= room) pour toi. 6. Il n'y a aucune possibilité (= possibility).

261 **Not ... anything** et **nothing** **not ... anybody** et **nobody** **not ... anywhere** et **nowhere**

Ils suivent les mêmes règles que *not any* et *no*.

1 "(Ne) ... rien" = *not ... anything* ou *nothing*.
"(Ne) ... personne" = *not ... anybody* ou *nobody*.
"(Ne) ... nulle part" = *not ... anywhere* ou *nowhere*.

*I **didn't** see **anything**.* (ou *I saw **nothing**.*)
Je n'ai rien vu.

*Do**n't** speak to **anybody**.* (ou *Speak to **nobody**.*)
Ne parle à personne.

*I do**n't** feel at home **anywhere**.* (ou *I feel at home **nowhere**.*)
Je ne me sens chez moi nulle part.

La tournure avec *not any* est la plus fréquente. Celle avec *no* est plus emphatique. Le verbe est à la forme négative avec *any* et à la forme affirmative avec *no* (voir 249).

2 Lorsque "rien", "personne" et "nulle part" se trouvent en début de phrase ou seuls, ils se traduisent toujours par *nothing*, *nobody/no one*, *nowhere*.

***Nothing** moved.*
Rien ne bougea.

***Nobody** came.*
Personne n'est venu.

*"Who's there?" "**Nobody**."*
"Qui est là?" "Personne."

*"Where are you going?" "**Nowhere**."*
"Où est-ce que vous allez?" "Nulle part."

Exercice

Traduisez en anglais :
1. Je n'ai rien dit. 2. Ne le donnez à personne. 3. Je n'ai rien compris. 4. Personne n'a parlé. 5. "Qu'est-ce que vous voulez?" "Rien." 6. "Qui est à la porte?" "Personne."

262 **Not ... any more/longer, no more/longer (ne ... plus)**

"Ne ... plus" peut se rapporter à une quantité ou avoir un sens temporel.

1 "Ne ... plus" (quantité) = *not ... any more* ou *no more*.

*"More potatoes?" "No, thanks. I do**n't** want **any more**."*
"Tu veux encore des pommes de terre?" "Non, merci, je n'en veux plus."

*There's **no more** petrol.*
Il n'y a plus d'essence.

2 "Ne ... plus" (sens temporel) = *not ... any longer* ou *no longer* (anglais formel).

*I do **not** wish to work here **any longer**.*
*I **no longer** wish to work here.*
Je ne veux plus travailler ici.

"Ne ... plus" (sens temporel) = *not ... any more* (anglais familier).

*Annie doesn't live here **any more**.*
Annie n'habite plus ici.

No more ne peut pas s'employer en ce sens.

Exercice

Traduisez en anglais :
1. Je n'habite plus chez (= with) mes parents. 2. Je ne veux plus jouer. 3. Je ne veux plus boire, merci. 4. Il ne pouvait plus marcher. 5. Mon père ne travaille plus. 6. Nous n'avons plus de pain.

263 Now (that) et once (conjonctions)

On peut employer *now (that)* et *once* comme conjonctions.

***Now (that)** you've arrived, we can start.*
Maintenant que vous êtes arrivé, nous pouvons commencer.
***Once** I had understood the basic idea, it was easy.* (et non ~~*Once that*~~ ...)
Une fois que j'avais compris l'idée de base, c'était facile.

O

264 *S'occuper de*

1 "S'occuper de" se traduit normalement par ***to take care of*** ou ***to look after***.

We need somebody ***to take care of/look after*** *the children this evening.*
Il nous faut quelqu'un pour s'occuper des enfants ce soir.

Can you ***take care of/look after*** *my plants while I'm away?*
Est-ce que tu pourras t'occuper de mes plantes pendant mon absence?

2 On emploie ***to see to***, ***to deal with*** ou ***to look after*** au sens de "s'occuper d'un projet, d'une tâche matérielle précise".

I'll ***see to/deal with/look after*** *the tickets.*
Je m'occuperai des billets.

Don't worry, I'll ***see to/deal with/look after*** *everything.*
Ne t'inquiète pas. Je m'occupe(rai) de tout.

3 On emploie ***to deal with*** ou ***to take care of*** au sens de "résoudre des problèmes".

I'll ***deal with/take care of*** *this problem myself.*
Je m'occuperai moi-même de ce problème.

4 ***To be in charge of*** suggère un poste de responsabilité.

I ***was in charge of*** *a group of Japanese tourists.*
Je m'occupais d'un groupe de touristes japonais.

5 ***To serve*** = "s'occuper de quelqu'un dans un magasin, etc."

Are *you* ***being served****?*
On s'occupe de vous?

Exercice

Traduisez en anglais :
1. Est-ce que tu peux t'occuper du bébé pendant une demi-heure? 2. Je m'occuperai des réservations (= reservations). 3. Mr Parker s'occupe du marketing (= marketing). 4. Je ne peux pas m'occuper de tes problèmes personnels.

265 **Of** après **some, many, all, both...**

1 Les mots suivants s'emploient normalement sans *of* quand ils se trouvent juste devant un nom.

some (= du, de la, des ; quelques)
much (= beaucoup de)
more (= plus de)
(a) little (= un peu de, peu de)
less (= moins de)
enough (= assez de, suffisamment)
many (= beaucoup de)
most (= la plupart de)
(a) few (= quelques, peu de)
least (= le moins de)

▶ Pour la différence entre *little*, *a little*, *few, a few*, voir 222.

enough time (et non ~~*enough of time*~~)
assez de temps

*He hasn't got **much money**.*
Il n'a pas beaucoup d'argent.

more effort
plus d'effort

less difficulty
moins de difficulté

most people
la plupart des gens

2 Ces mots s'emploient avec *of* lorsqu'ils sont suivis d'un déterminant ou d'un pronom personnel complément.

***most of these** people*
la plupart de ces gens

*I don't know **many of your** friends.*
Je ne connais pas beaucoup de tes amis.

some of them
quelques-uns d'entre eux

3 *All* et *both* s'emploient de la même manière, mais *of* est facultatif devant un déterminant, surtout en anglais britannique.

***all (of) the** money*
tout l'argent

***all (of) my** friends*
tous mes amis

***Both (of) these** cars are very old.*
Ces voitures sont toutes les deux très anciennes.

Exercice

Traduisez en anglais :
1. assez de tomates 2. la plupart des femmes (N'employez pas "the".) 3. la plupart de vos amis 4. peu d'intelligence 5. suffisamment de chaises 6. quelques-uns d'entre nous 7. un peu de ce vin 8. toutes nos idées 9. Je n'ai pas beaucoup de temps. 10. Mes parents sont tous les deux italiens.

266 Omission de mots après un auxiliaire

On évite souvent de répéter un verbe principal (et ses éventuels compléments) après un auxiliaire.

*He said he'd write, but he **hasn't.** (= ... he hasn't written.)*
Il a dit qu'il écrirait, mais il ne l'a pas fait.

*I haven't phoned her yet, but I **will.** (= ... I will phone her.)*
Je ne lui ai pas encore téléphoné, mais je le ferai.

*"Have you finished?" "Yes, I **have.**" (= ... I have finished.)*
"Avez-vous terminé ?" "Oui."

*"We haven't paid the rent." "Nor **have** we." (= ... have we paid the rent.)*
"Nous n'avons pas payé le loyer." "Nous non plus."

Exercice

Récrivez les phrases suivantes, en supprimant les répétitions :
1. I haven't told them, but I will tell them. 2. I thought it would rain, but it didn't rain. 3. I wanted to run, but I couldn't run. 4. We thought she didn't understand, but she did understand. 5. "Are you waiting for somebody?" "Yes, I am waiting." 6. "Can you swim under water?" "No, I can't swim under water."

267 Omission de mots en début de phrase

En anglais familier, on omet souvent des "petits mots" en début de phrase, si le sens reste clair.

Car's running well. (= The car's ...)
La voiture roule bien.

Leg hurts. (= My leg hurts.)
J'ai mal à la jambe.

Couldn't understand what he wanted. (= I couldn't ...)
Je n'arrivais pas à comprendre ce qu'il voulait.

Seen Andy? (= Have you seen Andy?)
Tu as vu Andy ?

Doesn't say much, does she? (= She doesn't ...)
Elle ne dit pas grand-chose, hein ?

Exercice

Rétablissez les phrases complètes :
1. "You OK?" "Yes, fine." 2. Weather isn't much good. 3. Been to school, love? 4. "Mary telephoned?" "Not yet." 5. Don't want to go home. 6. Difficult to answer that question, isn't it?

268 On : équivalents anglais

"On" n'a pas d'équivalent direct en anglais. Il se traduit de plusieurs façons selon le contexte.

1 *You* ou *one.*

Quand "on" signifie "n'importe quel individu", il se traduit le plus souvent par *you* (et non ~~we~~).

***You** can't learn a language in six weeks.*
On ne peut pas apprendre une langue en six semaines.

Dans un style formel, on emploie *one* à la place de *you*.

***One** cannot learn a language in six weeks.*

2 *We, they, people.*

Lorsque "on" désigne tout un groupe, il peut se traduire par *we* ou *they* , selon le sens, ou bien *people*. (N'employez *we* que lorsqu'on pourrait dire "nous" en français.) Comparez :

***We/people** drink a lot of coffee in France.*
On boit beaucoup de café en France.
*In England **they/people** drink a lot of tea.*
On boit beaucoup de thé en Angleterre.

3 *We* (= "on" familier).

En français familier, "on" remplace souvent "nous". Il faut employer *we* dans ces cas-là.

*Yesterday evening **we** went to see a film.*
Hier soir, on est allé voir un film.

*What shall **we** do ?*
Qu'est-ce qu'on fait ?

Exercice

Traduisez en anglais :
1. On a besoin d'argent pour voyager. 2. On ne peut pas vivre complètement seul. 3. On ne peut pas changer le monde. 4. Au Japon (= Japan), on conduit à gauche (= on the left). 5. On a trouvé un très bon hôtel à Londres. (prétérit) 6. On n'a pas vu Patrick depuis longtemps.

---

4 Le passif.

Lorsque le verbe et le complément français ont plus d'importance que le sujet "on", on emploie généralement le passif en anglais.

*I'**m being served.***
On s'occupe de moi. (= Je suis servi, peu importe par qui.)
*We'**ve been invited** ...*
On nous a invités ...(= Nous sommes invités, peu importe par qui.)

▶ Voir aussi 282.

5 ***Someone/somebody.***

Lorsque "on" signifie "quelqu'un", il se traduit par *someone* ou *somebody.*

Someone*'s knocking at the door.*
On frappe à la porte.

Exercice

Traduisez en anglais :
1. On m'a invité aux (= to ...) Etats-Unis. (present perfect) 2. Est-ce qu'on s'occupe de vous ? 3. On parle anglais ici (= dans cette boutique). 4. On vous demande au téléphone (= on the phone).

269 One(s)

1 Pour éviter de répéter un nom, on le reprend souvent par *one.*

I'd like a nice ***room****. Have you got* ***one*** *with a bath ?*
Je voudrais une bonne chambre. Est-ce que vous en avez une avec bain ?

Avec un adjectif, on met *a ... one.*

I've got two scarves : ***a blue one*** *and* ***a red one****.* (et non ... ~~*a blue*~~ ou ... ~~*a red*~~)
J'ai deux foulards : un bleu et un rouge.

Pour reprendre un pluriel, on utilise *ones.*

These boots are too small. Have you got bigger ***ones*** *?*
Ces bottes sont trop petites. Est-ce que vous en avez de plus grandes ?

2 *One* ne peut pas remplacer un indénombrable, par exemple *hair* (voir 256).

Which do you prefer – dark ***hair*** *or fair* ***hair****?* (et non ... ~~*fair one*~~.)
Qu'est-ce que tu préfères : les cheveux bruns ou les cheveux blonds ?

Exercice

Remplacez le nom répété par one *ou* ones *:*
Ex. : I don't want her old shoes. I want new shoes. → I want new ones.
1. Pam's got a yellow bike. Bob's got a blue bike. 2. "What kind of apples would you like ?" "A pound of the green apples." 3. I don't want this small map. I want a bigger map. 4. "Which sweater do you prefer ?" "This sweater." 5. I don't know many jokes (= blagues), but I know some good jokes. 6. "Which gloves do you want ?" "The gloves in the window."

270 **One** et **a/an**

One et *a/an* correspondent à “un/une” mais ne sont pas interchangeables.

1 En règle générale, *one* (comme *two, three, four*, etc.) répond à la question *how many?* (= “combien?”). Ne l’employez que lorsque vous voulez préciser le nombre d’objets ou de personnes dont il s’agit. Comparez :

*I’ve got **a** brother.* (C’est neutre.)
J’ai un frère.

*I’ve got **one** brother and two sisters.* (On les compte.)
J’ai un frère et deux sœurs.

2 Dans un récit :

“un jour” = *one day* (et non ~~*a day*~~)

On dira de même *one morning/afternoon/evening/night.*

***One day** I met a boy on the beach.*
Un jour, j’ai rencontré un garçon sur la plage.

*There was a terrible storm **one night**.*
Une nuit, il y a eu un terrible orage.

3 *One day* peut aussi se référer à l’avenir = “un de ces jours”.

*We must invite her **one day**.*
Il faut qu’on l’invite un de ces jours.

Exercice

Mettez one *ou* a/an :
1. I’ve got ... headache. 2. She’s got ... sister and three brothers. 3. I’ve only got ... close friend. 4. Could you pass me ... piece of bread? 5. ... afternoon, I was sitting in the park when I had a great idea. 6. Come and see us ... day.

▶ Pour *a/one hundred, thousand*, etc., voir 253.1.

271 **Open** et **opened**

1 Attention à la différence entre l’adjectif *open* et le participe passé *opened.* Comparez :

*The door was **open**.*
La porte était ouverte.

*The door was **opened** by a small girl.*
La porte a été ouverte par une petite fille.

2 Le verbe *to open* ne peut pas être suivi d'un complément d'objet indirect. "Je lui ai ouvert la porte" = *I opened the door* **for her**, et non ~~*I opened her the door*~~.

Exercice

Mettez open *ou* opened *:*
1. Why is the window ...? 2. Who ... the window? 3. My wallet (= portefeuille) was lying on the table. It was ... and the money was gone. 4. The office will be ... from 9.00 to 5.00. 5. The new school was ... by the Princess last Friday. 6. Are the banks ... on Saturdays?

272 Orthographe (1) : orthographe américaine

1 Aux terminaisons britanniques *-tre*, *-our* et *-ogue* correspondent, en règle générale, *-ter*, *-or* et *-og*.

GB : *thea**tre***	*cen**tre***	*lab**our***	*col**our***
US : *thea**ter***	*cen**ter***	*lab**or***	*col**or***
GB : *catal**ogue***	*dial**ogue***		
US : *catal**og***	*dial**og***		

2 Le *l* n'est pas redoublé en fin de mot dans une syllabe qui ne porte pas d'accent (voir 275).

GB : *'traveller*	*'dialling*
US : *'traveler*	*'dialing*

3 La terminaison *-ise* est rare en anglais américain, surtout dans les mots de trois syllabes ou plus.

GB : *organize/organise*
US : *organize*

4 Certains mots s'écrivent différemment, par exemple :

GB	US	GB	US
aluminium	*aluminum*	*pyjamas*	*pajamas*
analyse	*analyze*	*practise* (verbe)	*practice/practise*
cheque	*check*	*pretence*	*pretense*
defence	*defense*	*programme*	*program*
jewellery	*jewelry*	*speciality*	*specialty*
offence	*offense*	*tyre* (= pneu)	*tire*

▶ Pour les différences de grammaire et vocabulaire entre anglais britannique et américain, voir 31-32.

273 Orthographe (2) : majuscules

En anglais, on met toujours une majuscule aux noms de jours et de mois, et aux noms et adjectifs de nationalité.

***S**unday*	***M**arch*	*I speak **G**erman.*	***F**rench cooking*
dimanche	mars	Je parle allemand.	la cuisine française

Exercice

Traduisez en anglais :
1. Je l'ai vu mercredi dernier. 2. Elle ne parle pas italien. 3. C'est une voiture anglaise. 4. Je suis né (= I was born) en août.

274 Orthographe (3) : quelques mots difficiles

Attention à l'orthographe des mots suivants :

accommodation
aggressive
apartment
author
bicycle
character
circumstances
comfortable
comparison
completely
correspondence
dependent
developed
development
dining-room
enemy
engineer
example
exercise
extremely
future
government
holiday
leave (= laisser, partir)
literature
live (= vivre)
lose
measure
medicine
personality
practice (nom)
practise (verbe)
pronunciation
prove
quiet (= tranquille)
quite (= assez, tout à fait)
responsible
shock
steak
student
to (= à)
too (= trop)
weather (= temps)
whether (= si)

▶ Voir aussi 241 ("mots voisins").

275 Orthographe (4) : redoublement de la consonne finale

1 Lorsqu'on ajoute une terminaison (ex. : *-ed, -ing, -er*) à un mot d'une syllable terminé par une **seule** consonne précédée d'une **seule** voyelle (ex. : *sit, stop, fat, run*), on redouble la consonne finale.

sitting *stopped* *fatter* *running*

2 S'il y a deux voyelles ou deux consonnes (ex. : *wait, want*), il n'y a pas redoublement ; on ne redouble pas non plus une consonne qui ne vient pas en fin de mot (ex. : *hope, write*).

waited *wanting* *hoping* *writing*

3 Dans les mots de deux syllabes ou plus, on ne redouble que si l'accent du mot porte sur la dernière syllabe. Comparez :

be'gin – be'ginning *'visit – 'visiting*
re'fer – re'ferred *'wonder – 'wondered*

Exceptions : *'worshipped, 'kidnapped, 'handicapped*

4 En anglais britannique, la lettre *l* précédée d'une seule voyelle est toujours redoublée, même si l'accent du mot ne porte pas sur la dernière syllabe.

com'pel – com'pelling
'travel – 'traveller (américain *traveler*)

Exercices

1. *Ajoutez* -er *à ces adjectifs :*
big – sad – warm – hot – great

2. *Ajoutez* -ing *à ces verbes :*
eat – 'open – start – write – re'fer – for'get – put

3. *Ajoutez* -ed *à ces verbes :*
drop – fit – 'offer – oc'cur – wait – pre'fer

276 Orthographe (5) : *y* et *i*

1 Lorsqu'on ajoute une terminaison à un mot qui se termine par un ***y*** précédé d'une consonne, le ***y*** se change en ***i***.

*carr**y** – carr**i**ed* *happ**y** – happ**i**er* *bus**y** – bus**i**ness*
*marr**y** – marr**i**age* *pit**y** – pit**i**able*

Les noms et les verbes qui se terminent ainsi forment leur pluriel ou troisième personne du singulier en *-ies*.

*lad**y** – lad**ies*** *marr**y** – marr**ies***

2 Le *y* ne change pas après une voyelle ou devant *-ing* ou *-ish*.

*pl**ay** – pl**ay**er* *st**ay** – st**ay**ed*
*carr**y** – carr**ying*** *bab**y** – bab**yish***

Exceptions : *say – said* *lay – laid* *pay – paid*

3 *-ie* se change en *-y* devant *-ing.*

die – dying	*lie – lying*	*tie – tying*

Exercice

Ajoutez -er *aux adjectifs et* -ed *aux verbes :*
happy, silly, lazy – try, hurry, worry, stay

277 **Other** *et* **others**

1 Lorsque *other* est adjectif, il ne prend jamais d'*s* au pluriel (comme tous les adjectifs).

*the **other** boy*	*the **other** boys*	***other** boys*
l'autre garçon	les autres garçons	d'autres garçons

2 Par contre, lorsqu'il est employé comme pronom (= sans nom), il prend un *s* au pluriel. Comparez :

*Where's the **other**?*	*Where are the **others**?*	*I want some **others**.*
Où est l'autre ?	Où sont les autres ?	J'en veux d'autres.

Exercices

***1.** Mettez* other *ou* others *:*
1. I can't find the ... tickets. 2. Tell the ... to come as soon as they can. 3. I'll take the two big boxes and you bring the ... 4. We need the ... knives – these are too big.

***2.** Traduisez en anglais :*
1. Donne-moi les autres verres. 2. Peux-tu téléphoner aux autres ? 3. Il y a une Porsche et deux autres voitures. 4. Il y a trois boîtes ici, les autres sont dans la cuisine.

▶ Pour *another*, voir 33.

278 **Ought**

1 *Ought* est un auxiliaire modal (voir 238). Il ne prend donc pas d'*s* à la troisième personne, pas *do* aux formes interrogatives et négatives. Il n'a ni infinitif, ni prétérit. Mais il est suivi de l'infinitif **avec *to***. Il existe une forme contractée *oughtn't.*

*He **ought** to go.*	*She **oughtn't to smoke**.*
Il devrait partir.	Elle ne devrait pas fumer.

2 *Ought* s'emploie – comme *should*, qui est beaucoup plus fréquent – pour exprimer une idée de devoir, pour donner des conseils, ou pour exprimer une déduction.

I ought = "je devrais ...", "il faudrait que je ..."

*Everybody **ought to give** money for the Third World.*
Tout le monde devrait donner de l'argent pour le tiers monde.

*He **ought to see** a doctor.*
Il faudrait qu'il voie un médecin.

*She **ought to be** here soon.*
Elle devrait être là bientôt.

Exercice

Traduisez en anglais, en utilisant ought *:*
1. Tu devrais être plus gentil avec (= nicer to) ta sœur. 2. Nous devrions penser aux autres. 3. Il faudrait que j'écrive à ma mère. 4. Vous devriez faire la vaisselle (= the washing up). 5. Les gens ne devraient pas fumer dans les restaurants. 6. Elle ne devrait pas se coucher si tard.

279 *Ought* + *infinitif passé*

I ought to have + participe passé = "j'aurais dû" + infinitif.

*You **ought to have warned** me.*
Tu aurais dû me prévenir.

*We **ought to have started** earlier.*
Nous aurions dû commencer plus tôt.

Exercice

Traduisez en anglais :
1. J'aurais dû demander. 2. Vous auriez dû m'appeler. 3. Il n'aurait pas dû te le dire. 4. Qu'est-ce que j'aurais dû faire? 5. Elle aurait dû (le) savoir. 6. J'aurais dû payer en espèces (= in cash).

▶ Pour "j'aurais dû" = *I should have* + participe passé, voir 354.

P

280 Parler de

"Parler de" = *to **talk** about, to **tell** (someone) about* ou *to **be** about,* selon le contexte.

1 *Talk* (comme *say*) peut s'employer avec ou sans complément de personne. Lorsqu'il y en a un, il est précédé de *to*.

*What did you talk **about**?*
De quoi avez-vous parlé?

*Do you **talk to your parents about** your personal problems?*
Est-ce que tu parles à tes parents de tes problèmes personnels?

2 *Tell* ne peut s'employer qu'avec un complément de personne (voir 349).

*I don't want to **tell them** about it.* (et non ...~~*to tell about it*~~.)
Je ne veux pas leur en parler.

3 *Talk* (comme *speak*) ne peut s'employer que pour des personnes. "Le texte/l'article parle de ..." = *the text/article **is** about ...* (et non ~~*the text/article talks/speaks about*~~...).

Exercice

Traduisez en anglais :
1. Nous avons parlé de nos vacances. 2. Il m'a parlé de ses vacances. 3. Je t'en parlerai. 4. Je ne parle pas beaucoup à mon père. 5. Est-ce que je t'ai parlé de Lucienne hier? 6. L'article parle du chômage (= unemployment).

▶ Pour la différence entre *to talk* et *to speak*, voir 379.

281 Passif (1) : formation

1 Le passif des temps simples se forme comme en français.

to be + participe passé

Ex. : *to help*

infinitif	**to be** helped
présent	**I am** helped
prétérit	**I was** helped
present perfect	**I have been** helped
pluperfect	**I had been** helped
futur	**I will be** helped
conditionnel	**I would be** helped
futur antérieur	**I will have been** helped
conditionnel passé	**I would have been** helped
forme en -ing	**being** helped

2 Pour les temps progressifs, il suffit d'ajouter *being* au milieu :

to be + ***being*** + participe passé

Le passif progressif n'est fréquent qu'au présent et au prétérit.

Présent : ***I am being*** *helped.* Prétérit : ***I was being*** *helped.*

Exercice

Donnez la forme passive des verbes suivants :
will build – had lost – hid – would leave – writes – has decided – are paying – was selling – to choose – taking

▶ Pour le passif avec *get*, voir 158.2.
Pour le passif des verbes prépositionnels ou à particule, voir 306.3.

282 Passif (2) : emploi

Le passif s'emploie beaucoup plus en anglais qu'en français.

1 Il peut correspondre à un passif français.

He ***was killed*** *by a fanatic.*
Il a été tué par un fanatique.

The world ***will be destroyed****.*
Le monde sera détruit.

I didn't know our conversation ***was being recorded****.*
Je ne savais pas que notre conversation était enregistrée.

2 Mais il correspond aussi très souvent à une structure française avec "on" (voir 268.4) ou "se".

English is spoken *here.*
On parle anglais ici.

I'm being served*.*
On me sert.

I've been burgled.
On m'a cambriolé.

She's called *Alice.*
Elle s'appelle Alice.

My money has been stolen.
On m'a volé mon argent.

The passive is used *...*
Le passif s'emploie ...

Exercice

Mettez au passif (pour la formation des temps passifs, voir 281). N'employez pas by *:*
Ex. : They found **him** in the garden → **He** was found in the garden.
1. Somebody will tell her. 2. They are questioning him. 3. They interviewed me yesterday. 4. They often invite him to give a lecture (= une conférence). 5. Somebody has damaged my motorbike. 6. They never leave the child alone. 7. People speak English in a lot of countries. 8. They have put up the ticket prices.

283 Passif (3) : verbes à deux compléments

1 Certains verbes (comme *give*, *show*, voir 396) peuvent être suivis à l'actif de deux compléments : souvent une **personne** et un **objet.** Lorsqu'ils sont au passif, c'est généralement la **personne** qui est le sujet du verbe.

actif	*Somebody gave **John a watch**.*
passif	***John** was given a watch.*
	On a donné une montre à John. / John a reçu une montre.

Autres exemples :

They were shown *several flats.*
On leur a montré plusieurs appartements.

Julie will be told *the whole truth.*
On dira à Julie toute la vérité. / Julie saura toute la vérité.

Notez que l'équivalent français est alors une phrase active, souvent introduite par "on".

2 L'objet n'est le sujet du verbe passif que si le contexte l'exige.

*"What happened to the painting?" "**It** was given to a museum."*
"Qu'est devenu le tableau ?" "Il a été donné à un musée."

L'équivalent français est alors aussi une phrase passive.

Exercices

1. *Mettez ces phrases au passif comme dans l'exemple :*
They sent us a letter. → We were sent a letter.

1. They sent me the programme last week. 2. They taught him Latin and Greek. 3. Someone offered them money. 4. They told me to come again.

2. *Traduisez en anglais :*

1. On a donné une radio à Paul. (prétérit) 2. On vous montrera la lettre. 3. On leur a prêté (= to lend) £10,000 l'année dernière. 4. Voici (= Here is) le chèque qui sera envoyé à votre famille.

---

284 Passif (4) : verbes suivis d'une proposition infinitive

1 La plupart des verbes suivis d'une proposition infinitive comme *tell*, *ask*, *expect*, etc. (voir 197.2) peuvent s'employer au passif, contrairement à l'usage français.

actif	*They told me to sit down.* Ils m'ont dit de m'asseoir.	passif	***I was told*** *to sit down.* On m'a dit de m'asseoir.

(Notez que leur équivalent français est "on" + verbe actif.)

Autres exemples passifs :

She was asked *to sing.*
On lui a demandé de chanter.

They were *not* ***forbidden*** *to go out.*
On ne leur a pas interdit de sortir.

You are expected *to be brave.*
On attend de vous beaucoup de courage.

You will be taught *to survive.*
On vous apprendra à survivre.

2 A l'actif, *make* est suivi de l'infinitif sans *to* (au sens de "faire faire", voir 136.1). Mais au passif, il se construit comme les verbes ci-dessus, avec *to*-infinitif.

actif	*They made us* ***work.*** Ils nous ont fait travailler.	passif	*We were made* ***to work.*** On nous a fait travailler.

Il en est de même pour *see* et *hear*.

actif	*We saw her* ***leave.*** Nous l'avons vue partir.	passif	*She was seen* ***to leave.*** On l'a vue partir.

Exercice

Mettez ces phrases au passif :

1. She told me to go away. 2. They asked him to wait. 3. We expect you to work on Saturdays. 4. They did not allow him to speak. 5. They taught me to use a computer. 6. They made me open all my bags.

---

285 Passif (5) : believe, think, say, know, understand

Avec *believe, think, say, know* et *understand,* deux structures passives sont utilisées dans un style formel.

1 Structure personnelle :
sujet personnel + verbe au passif + *to*-infinitif.

He is believed to be *over 100 years old.*
On croit qu'il a plus de 100 ans.

She was thought to be *dead.*
On la croyait morte.

L'infinitif passé s'emploie souvent dans cette structure.

He is known to have lived *in London for a time.*
On sait qu'il a vécu à Londres pendant un certain temps.

2 Structure impersonnelle :
***it* + verbe au passif + *that* ...**

It is believed that *he is over 100 years old.*
On croit qu'il a plus de 100 ans.

It has often been said that *one picture is worth a thousand words.*
On a dit souvent qu'une image vaut mille mots.

It is understood that *six men escaped by helicopter.*
Selon nos informations, six hommes se seraient évadés en hélicoptère.

286 Pay (for), buy, give, offer

1 "Payer quelque chose" (qu'on achète) = ***to pay for something***.
Comparez :

*"Did you **pay for** the drinks?"* (et non ~~*Did you pay the drinks?*~~) "Tu as payé les boissons?"	*"Yes, I **paid** the barman."* "Oui, j'ai payé le barman."
*"How much did you **pay for** your ticket?"* "Combien as-tu payé ton billet?"	*"I **paid** £30."* "J'ai payé £30."

2 *Pay* ne s'emploie pas au sens d'"offrir".
"Payer quelque chose à quelqu'un" = *to **buy** somebody something.*

*I'll **buy you a drink**.*
Je te paie un verre.

*I've **bought myself a stereo**.*
Je me suis payé une chaîne hi-fi.

3 "Offrir" se traduit généralement par ***give***.

*My sister **gave** me a wallet for my birthday.*
Ma sœur m'a offert un portefeuille pour mon anniversaire.

"C'est pour offrir?" = *Is it for a present?*

4 ***Offer*** signifie généralement "proposer" (voir 338.2).

*He **offered** to drive me home.*
Il m'a proposé de me raccompagner en voiture.

Exercice

Traduisez en anglais :
1. Combien as-tu payé ton manteau? (prétérit) 2. René m'a offert des fleurs hier. 3. Qui va payer leurs études? 4. As-tu payé le chauffeur de taxi? (prétérit) 5. Viens, je te paie (= I'll ...) un sandwich. 6. Qui paiera?

---

287 Permettre

"Permettre" se traduit de plusieurs façons selon le sens.

1 **"Donner la permission" = *to allow.***

*They **allow** her to see her parents once a month.*
Ils lui permettent de voir ses parents une fois par mois.

Dans un style familier, l'idée de permission se rend plus souvent par *to let* (= "laisser") ou d'autres tournures (voir 216).

2 **"Rendre capable de", "donner la possibilité de" = *to enable, to make it possible.***
Enable est obligatoirement suivi d'un complément personnel.

*A car would **enable** them to travel more easily.*
Une voiture leur permettrait de voyager plus facilement..

Lorsqu'il n'y a pas de complément personnel, il faut employer *to make it possible.*

*A car **makes it possible** to travel easily.* (et non ~~*A car enables/permits to travel easily*~~.)
Une voiture permet de voyager facilement.

Cette expression peut aussi s'employer avec un complément personnel introduit par *for.*

*Your gifts will **make it possible for hundreds of children** to go on holiday.*
Vos dons permettront à des centaines d'enfants de partir en vacances.

3 **"Se permettre" ("avoir les moyens financiers") = *to be able to afford, can/can't afford.***

*I **can't afford** a holiday/to go on holiday this year.*
Je ne peux pas me permettre d'aller en vacances cette année.

***Could** you **afford** not to work for a year?*
Est-ce que tu pourrais te permettre de ne pas travailler pendant un an?

Exercice

Mettez allow, enable, make it possible *ou* can('t) afford *à la forme qui convient :*
1. Television ... us to see the world without travelling. 2. Her parents don't ... her to go to parties. 3. Modern technology has ... to put a whole library on a single disc. 4. A grant (= une bourse) would ... for her to study. 5. A computer would ... me to work more efficiently. 6. Unfortunately I ... to buy a computer.

288 Person et people

1 *A person* s'emploie beaucoup moins que "une personne". On ne l'emploie guère que dans les descriptions, avec un adjectif épithète.

*She's a nice **person**.*
C'est une personne charmante.

Dans les autres cas, on emploie normalement *someone* ou *somebody.* Au pluriel, on utilise *people* (*persons* est très rare).

"une personne" = *someone/somebody*
"des personnes" = *people*

***someone** who doesn't work*
une personne qui ne travaille pas

*a table for five **people***
une table pour cinq personnes

*Some **people** think that ...*
Certaines personnes pensent que ...

2 *People* est pluriel, comme "**gens**".

les gens (en général) = ***people*** (sans article) + pluriel

***People are** strange.* (et non ~~*People is*~~ ... ou ~~*The people are*~~ ...)
Les gens sont bizarres.

*Most **people like** holidays.*
La plupart des gens aiment les vacances.

3 **"Tous les gens" (en général) = *everybody/everyone* (+ singulier),** plutôt que *all the people.*

***Everybody was** pleased.*
Tous les gens étaient contents.

Exercice

Traduisez en anglais :
1. une personne remarquable (= remarkable) 2. une personne qui parle beaucoup 3. un taxi pour trois personnes 4. J'ai parlé avec plusieurs (= several) personnes. (prétérit) 5. La plupart des gens aiment les enfants. 6. Tous les gens sont là (= here).

Remarque : il existe un mot singulier *people* (pluriel *peoples*) qui s'emploie parfois, dans un style recherché, au sens de "nation", "peuple".

*the English-speaking **peoples***
les peuples anglophones

▶ Pour *most people*, voir 239.

289 *Place* et *room*

1 *Place* est un dénombrable. *A place* = "un endroit", "un lieu", parfois "une place". "De la place" se traduit par *room* (indénombrable). Comparez :

*I couldn't find a **place** to park my car.*
Je n'ai pas pu trouver une place pour me garer.
*There's **room** for five people in my car.*
Il y a de la place pour cinq personnes dans ma voiture.

2 En anglais familier, *place* s'emploie également au sens de *house* ou *flat*. *My place* = "chez moi".

*We went to his **place** for dinner.*
Nous sommes allés dîner chez lui.

Exercice

Traduisez en anglais :
1. Nous avons dormi dans un très bel endroit. (prétérit) 2. Désolé, il n'y a pas assez de place pour tout le monde. 3. Viens à notre table, il y a une place pour toi. 4. C'est un lieu merveilleux. 5. Il y a beaucoup de place dans le parking (= car park). 6. On (= we) ira tous chez moi après le film.

---

290 Place des adverbes (1) : à côté du verbe

Certains adverbes se placent généralement à côté du verbe. Leur position précise dépend de la structure du verbe.

1 Adverbes concernés.

adverbes de fréquence

often *always* *never* *sometimes*
mostly/mainly (= surtout) *usually* (= en général)
hardly ever (= pratiquement jamais) *rarely/seldom* (= rarement)

autres adverbes

also *just* *only* *even* (= même) *nearly* (= presque)
hardly (= à peine) *really* *probably* *certainly*
soon (= bientôt) *last* (= pour la dernière fois)
still (= encore, toujours – voir 369)

Notez que *all*, *both* et *each* suivent les mêmes règles.

2 Position.

• **Quand le verbe est formé d'un seul mot,** l'adverbe se place devant.

He ***often writes*** *letters.* (et non ~~*He writes often letters*~~.)
Il écrit souvent des lettres.

She ***probably wanted*** *some money.*
Elle voulait probablement de l'argent.

Always wash *fruit.* ***Never drink*** *from streams.*
Lavez toujours les fruits. Ne buvez jamais dans les ruisseaux.

Exception : l'adverbe se place après *am, are, is, was* et *were.*

*I'****m always*** *late.* (et non ~~*I always am late*~~.)
Je suis toujours en retard.

We ***were certainly*** *better than the others.*
Nous étions certainement mieux que les autres.

• **Quand le verbe est formé de deux mots ou plus,** l'adverbe se place normalement après le premier auxiliaire (comme en français).

I ***have often thought*** *...*
J'ai souvent pensé ...

They ***have certainly been warned.***
Ils ont certainement été prévenus.

The girls ***are probably going*** *home.*
Les filles rentrent probablement chez elles.

Exercice

Mettez l'adverbe à la place qui convient dans la phrase :
1. I eat fish. (never) 2. We watch the news on TV. (always) 3. Your ticket is in the post. (probably) 4. This is a good match. (certainly) 5. She would have been invited. (probably) 6. It's been a great evening. (really) 7. I have wondered why everything is so complicated. (often) 8. Janet is at home. (never)

• **A la forme interrogative,** l'adverbe se place après le sujet.

*Do you **often** go dancing?*
Tu vas souvent danser?

• **A la forme négative,** la place de l'adverbe varie selon le sens. *Probably* et *certainly* se placent toujours avant un **auxiliaire + *n't***. Comparez :

*He **doesn't often** forget.*	*She **probably doesn't** understand.*
Il n'oublie pas souvent.	Elle ne comprend probablement pas.

Notez l'ordre des mots dans l'expression *not even* (= "même pas").

*She has **not even** signed her letter!* (et non ~~*She has even not*~~ ...)
Elle n'a même pas signé sa lettre!

3 **Cas particuliers :** l'adverbe peut se mettre devant le premier auxiliaire pour renforcer l'idée exprimée par la phrase. Comparez :

*I'**m really working** hard.*	*I **really am** working hard.*
Je travaille vraiment beaucoup.	Qu'est-ce que je travaille!

291 Place des adverbes (2) : perhaps et maybe

Perhaps et *maybe* se placent normalement en début de phrase. *Maybe* s'emploie surtout dans un style familier.

***Perhaps** her train is late.* (et non ~~*Her train is perhaps late*~~.)
Son train est peut-être en retard.

***Maybe** I'm wrong.* (et non ~~*I'm maybe wrong*~~.)
J'ai peut-être tort.

292 Place des adverbes (3) : very much, well, a lot, at all

En anglais, on ne sépare pratiquement jamais le verbe de son complément d'objet direct.

Principe de base : verbe + COD.

L'adverbe doit donc se placer avant le verbe (voir 290) ou après le complément d'objet.

1 *(Very) well, a lot* et (généralement) *at all* se placent après le complément d'objet direct. C'est aussi le cas le plus fréquent pour *very much.*

Verbe + COD + (*very*) *well, a lot, at all, very much.*

She speaks English ***very well****.* (et non ~~*She speaks very well English*~~.)
Elle parle très bien anglais.

He criticises his boss ***a lot****.*
Il critique beaucoup son patron.

I don't know Italy ***at all****.*
Je ne connais pas du tout l'Italie.

I like skiing ***very much****.* (et non ~~*I like very much skiing*~~.)
J'aime beaucoup le ski.

2 *Very much* peut aussi se placer avant le verbe.

I ***very much*** *like skiing.*

C'est pratiquement obligatoire lorsque le complément est très long.

I ***very much*** *like sleeping out on a warm summer night.*
J'aime beaucoup dormir dehors par une chaude nuit d'été.

Exercice

Traduisez en anglais :
1. J'aime beaucoup la mer. 2. Il parle très bien allemand. 3. Je ne comprends pas du tout les maths (= maths). 4. Elle joue bien du (= the) piano. 5. Mon frère aime beaucoup danser. 6. J'aime beaucoup marcher pendant des heures sous (= in) la pluie.

293 Place des adverbes et compléments en fin de phrase

Les adverbes ou les compléments qui viennent en fin de phrase indiquent le plus souvent **comment, où, quand** une action s'est passée. L'ordre est assez flexible, mais on a tendance à préférer l'ordre "comment", "où", "quand" (= manière, lieu, moment).

She sang ***very well at the club last night****.*
Elle a très bien chanté hier soir au club.

I'll go ***to the supermarket tomorrow****.*
J'irai demain au supermarché.

I must be ***at the office at ten o'clock***.
Il faut que je sois à dix heures au bureau.

Exercice

Mettez les mots dans le bon ordre :
1. last I to week went Manchester 2. house ten to o'clock my at come 3. Alex concert London is a in on giving Tuesday 4. be I in Cambridge before want to lunchtime 5. hard yesterday worked I at Helen's 6. Mary this morning in class to sleep went

294 Plaire

"Plaire" se traduit rarement par *to please.*

1 Pour dire qu'une personne vous plaît, vous pouvez employer *like*, *find attractive* (plus physique) ou *fancy* (familier).
Attention à la construction de la phrase : "Il me plaît" = ***I like him***, et non ~~He likes me~~.

I ***like*** *Daniel a lot. / I* ***find*** *Daniel very* ***attractive***. */ I really* ***fancy*** *Daniel.*
Daniel me plaît beaucoup.

2 Pour dire qu'une chose vous plaît, vous pouvez employer *like.*

I really ***like*** *this painting.*
Ce tableau me plaît beaucoup.

3 Pour parler d'une expérience, on emploie *like* ou *enjoy.*

I ***liked*** *the book very much, but I didn't* ***enjoy*** *the film.*
Le livre m'a beaucoup plu, mais pas le film.

Exercice

Traduisez en anglais :
1. Fanny me plaît beaucoup. 2. Est-ce que je te plais ? 3. Le livre ne m'a pas plu du tout. 4. Ce genre (= kind) de film plaît à tout le monde.

295 Pluperfect (1) : simple

1 Le pluperfect (ou "past perfect") simple se forme toujours ainsi :

had + participe passé

I ***had lost***.	*She* ***had fallen***.
J'avais perdu.	Elle était tombée.

▶ Pour la structure des questions, voir 339.
Pour les négations, voir 380 et 249.
Pour l'interronégation, voir 341.

2 Le pluperfect simple correspond généralement au plus-que-parfait français. Lorsque, à partir d'un moment du passé, on se réfère à un moment antérieur, on emploie le pluperfect simple pour parler du moment le plus ancien.

*I went back to the place where I **had** first **met** her.*
Je suis retourné à l'endroit où je l'avais rencontrée pour la première fois.
*We did not understand what **had happened**.*
Nous ne comprenions pas ce qui s'était passé.
*He said that he**'d forgotten** his money.*
Il a dit qu'il avait oublié son argent.

3 **"Je venais de ..." = *I had just* + participe passé.**

*I **had just begun** to work.*
Je venais de commencer à travailler.

Exercice

Traduisez en anglais :
1. Je ne savais pas où elle était allée. 2. Je l'ai regardé. C'était (= It was) l'homme qui m'avait souri dans le train. 3. J'ai dit que je n'avais rien entendu. 4. Elle pensait qu'il ne l'avait jamais aimée. 5. Je venais juste de sortir. 6. Il s'est rendu compte qu'il n'avait pas pris la bonne route (= the right road).

---

4 On emploie parfois le plus-que-parfait français pour parler d'un moment antérieur au moment **présent**. Le pluperfect est alors impossible, il faut employer le prétérit.

*"Here's your steak, madam." "But I **ordered** a chop."* (et non ... ~~*I had ordered*~~...)
"Voici votre steak, madame." "Mais j'avais commandé une côtelette !"

▶ Pour le pluperfect après *if*, voir 186; après *I wish*, voir 411.

296 Pluperfect (2) : progressif

1 Le pluperfect progressif se forme toujours ainsi :

had been + -ing

Il s'emploie le plus souvent avec *for* et *since*, dans des cas où il y a un imparfait en français.

*They **had been waiting for** two hours.*
Ils attendaient depuis deux heures.

*It **had been raining since** the morning.*
Il pleuvait depuis le matin.

2 On emploie le pluperfect simple avec les verbes qui n'ont pas de forme progressive (voir 399).

*I **had known** him for two years.*
Je le connaissais depuis deux ans.

Exercice

Traduisez en anglais :
1. Nous marchions depuis des heures. 2. Il neigeait depuis le matin. 3. Je travaillais depuis midi. 4. Elle était malade depuis deux jours.

Rappel

*He **has been living** in Canada **for** two years.*
Il habite au Canada depuis deux ans.
*He **had been living** in Canada **for** two years.*
Il habitait au Canada depuis deux ans.

297 Possessifs (1) : "adjectifs possessifs"

1 Les déterminants appelés traditionellement "adjectifs possessifs" sont :

my your his her its our their one's

***my** uncle* mon oncle	***our** dog* notre chien	***their** cat* leur chat
***his/her/its** house* sa maison		*to live **one's** life* vivre sa vie

2 Le choix entre *his*, *her* et *its* ne dépend pas du nom qui suit comme en français, mais du possesseur.

***his** leg* *(= **John's** leg)* possesseur **masculin**	***her** leg* *(= **Janet's** leg)* possesseur **féminin**	***its** leg* *(= **the cat's** leg)* possesseur **neutre**

De même :

sa tante (celle de John) = ***his** aunt*
son oncle (celui de Janet) = ***her** uncle*
son poids (celui d'un sac) = ***its** weight*

Exercice

Complétez les phrases par des "adjectifs possessifs" :
1. I've finished ... work. 2. John bought ... wife a ring for their wedding anniversary. 3. Alice looks very much like ... brother. 4. Mr and Mrs Cousins are going to sell ... house. 5. I've found ... glasses – you left them in the kitchen. 6. I like Carol, but I don't like ... husband at all. 7. This church is very old. ... tower was built in the 12th century. 8. We've lost ... cat.

3 *One's* correspond au pronom indéfini *one* (voir 268.1). Il traduit "son/sa/ses" lorsqu'on parle des gens en général.

*One should pay **one's** debts.*
On devrait payer ses dettes.

*to lose **one's** voice*
perdre sa voix

4 On emploie souvent des possessifs devant des noms désignant les parties du corps et les vêtements, dans des cas où il y a un article en français.

*She's broken **her leg**.*
Elle s'est cassé la jambe.

*He fell on **his back**.*
Il est tombé sur le dos.

*I often walk with **my hands** in **my pockets**.*
Je marche souvent les mains dans les poches.

5 *Our*, *your* et *their* sont suivis d'un nom pluriel dans des cas où il y a parfois un singulier en français (au sens de "chacun un" ou "chacun le sien").

*They're not satisfied with **their lives**.*
Ils ne sont pas satisfaits de leur vie. (Ils ont chacun une vie.)

*Don't forget to bring **your dictionaries**.*
N'oubliez pas d'apporter votre dictionnaire.(= "chacun le vôtre")

Exercice

Traduisez en anglais :
1. Il est facile de perdre son chemin (= way) dans une ville inconnue (= strange). 2. Mary s'est fait mal (= has hurt) au bras. 3. Je leur ai dit d'apporter leur passeport. 4. Êtes-vous satisfaits de votre vie ?

▶ Pour *baby/child* repris par *its*, voir 322.2.
Pour *its* ou *their* après des noms de groupe (ex. : *government*), voir 255.1.
Pour *their* = *his or her*, voir 324.
Pour *whose ... ?*, voir 299.

298 Possessifs (2) : pronoms possessifs

Les pronoms possessifs sont :

mine	*yours*	*his*	*hers*	*ours*	*theirs*

mine	le mien, la mienne, les miens / miennes	à moi
yours	le tien, la tienne, les tiens / tiennes	à toi
	le vôtre, la vôtre, les vôtres	à vous
his	le sien, la sienne, les siens / siennes	à lui
hers	le sien, la sienne, les siens / siennes	à elle
ours	le nôtre, la nôtre, les nôtres	à nous
theirs	le leur, la leur, les leurs	à eux / elles

That watch is ***mine****.*
Cette montre est à moi.
Yours *is on the table.*
La tienne est sur la table.
"Whose is that motorbike ?" *"****His****."*
"A qui est cette moto ?" "A lui."

Exercice

Complétez les phrases par des pronoms possessifs :
1. "Here's your coat." "That's not ..." 2. Philip likes his job, but Lucy doesn't like ... much. 3. Put that down ! It's not ... ! 4. His salary is higher than ..., but my work is more interesting than ... 5. We lived in their house for a month and they lived in ... Our house is much smaller than ... 6. "Whose is this £5 note ?" "... !"

▶ Pour *whose ?*, voir 299.
Pour *Yours sincerely*, etc., voir 219.
Pour *a friend of mine*, etc., voir 300.

299 Possessifs (3) : whose ?

Whose ? correspond le plus souvent à "A qui ... ?" Il peut se placer devant un nom (comme *my*, *your*, etc., voir 297), ou s'employer comme pronom (comme *mine*, *yours*, etc., voir 298).

***Whose** coat* is that?
***Whose** is that coat?*
A qui est ce manteau?

***Whose** glasses* are they?
***Whose** are the glasses?*
A qui sont les lunettes?

Notez le parallélisme des trois structures : ***whose** coat*, ***John's** coat*, ***his** coat* (déterminant + nom).

Exercice

Traduisez en anglais :
1. C'est à qui, ce verre? (deux traductions) 2. C'est à qui, la voiture? (deux traductions) 3. A qui est cette maison? (deux traductions) 4. J'ai trouvé des clés. Elles sont à qui?

▶ Pour *whose* (pronom relatif), voir 329.

300 Possessifs (4) : a friend of mine, of John's ...

Une structure avec *of* peut être suivie d'un pronom possessif (*mine*, *yours*, etc., voir 298) ou d'un nom au cas possessif (voir 301).

*a friend **of yours***
l'un de vos amis

*a cousin **of mine***
un cousin à moi

*a brother **of John's***
un frère de John

*an idea **of my boss's***
une idée de mon patron

Exercice

Utilisez cette structure pour traduire :
1. un cousin de Marc 2. un ami à elle 3. l'une de mes idées 4. un de vos livres

---

301 Possessifs (5) : cas possessif (formation)

1 ***'s*** ou ***s'***.
On met ***'s*** après un nom singulier, ou un pluriel qui ne se termine pas par *-s*.

nom singulier + *'s*	pluriel irrégulier + *'s*

***Bob's** birthday*
l'anniversaire de Bob

*the **children's** room*
la chambre des enfants

On ajoute juste l'apostrophe (') aux pluriels réguliers.

pluriel en -*s* + '

*my **parents'** house*	*the **neighbours'** garden*
la maison de mes parents	le jardin des voisins

On peut ajouter **'s** ou **'** à une expression de plusieurs mots.

***the Minister of Transport's** speech*
le discours du ministre des Transports

Le *'s* du cas possessif se prononce exactement comme le *-s* du pluriel (voir 254.9).

2 L'ordre des mots.

L'ordre des mots est l'inverse du français, parce que le premier nom du cas possessif joue le même rôle qu'un "adjectif possessif" (voir 297). Comparez :

***his** room*	***her** room*
***John's** room*	***Mary's** room*
la chambre de John	la chambre de Mary

3 L'article.

S'il y a (en français) un article devant le nom du possesseur, on reprend l'article devant le cas possessif anglais, sauf s'il s'agit d'une généralisation. Comparez :

***the little girl's** doll*
la poupée de **la petite fille**

***the cat's** milk*
le lait **du chat** ("du" = "de **le**")

***the Smiths'** house*
la maison **des Smith** ("des" = "de **les**")

_***young people's** problems*
les problèmes des jeunes (en général)

Par contre, on ne traduit pas l'article qui se trouve devant le nom de ce qui est possédé.

_*John's car* (et non ~~*the John's car*~~)
la voiture de John

Exercice

Traduisez en anglais :
1. les amis de Tom 2. la maison de ton frère 3. la voiture de mes parents 4. la femme du Président 5. le petit déjeuner du bébé 6. le chien des voisins

4 **Double possesseur.**
Comparez :

John and Mary's *children*
les enfants de John et Mary (mêmes enfants)

John's and Mary's *children*
les enfants de John et les enfants de Mary (enfants différents)

5 **Le cas possessif incomplet.**

• Le premier terme d'un cas possessif peut s'employer comme pronom (= sans nom), de la même manière que *mine,* etc. (voir 298).

"Whose coat is this?" "It's ***Jill's.****"*
"A qui est ce manteau?" "A Jill."

• Lorsque le deuxième nom est *shop* ou *house*, on l'omet très souvent.

I'm off to ***the butcher's****.* (sous-entendu : ***shop***)
Je vais chez le boucher.

We went to ***John and Susan's*** *last night.* (sous-entendu : ***house***)
Nous sommes allés chez John et Susan hier soir.

► Pour la traduction de "chez", voir 79.

Exercice

Traduisez en anglais :
1. les amis de Paul et Christiane 2. les amis de Paul et les amis de Christiane 3. Ce manteau est à Bernard. 4. Nous allons chez Catherine et Luc ce soir.

302 Possessifs (6) : cas possessif (emploi)

1 **Etres vivants, groupes, institutions.**
On emploie surtout le cas possessif lorsqu'on parle d'êtres vivants, de groupes et de collectivités, c'est-à-dire avec des mots comme *brother, pilot, horse, everyone, each other, team, class, company, London.*

my brother's *room*
la chambre de mon frère

the horse's *tail*
la queue du cheval

the ***company's*** *policy*
la politique de l'entreprise

in ***everyone's*** *interest*
dans l'intérêt de tout le monde

a pilot's *job*
le métier de pilote

London's *history*
l'histoire de Londres

2 Date, durée.

On trouve également le cas possessif dans un certain nombre d'expressions se rapportant à une date ou une durée :
yesterday's (paper, news, meeting, etc.*), today's, tomorrow's, Sunday's (Monday's,* etc.*), next week's, this year's, last month's,* etc., *an hour's, a day's,* etc.

***tomorrow's** meeting*
la réunion de demain

***two weeks'** delay*
un retard de deux semaines

***next week's** films*
les films de la semaine prochaine

***ten minutes'** walk*
à dix minutes à pied

3 Non-emploi.

Il ne faut pas employer le cas possessif :

• lorsque le premier mot n'appartient pas à l'une des catégories ci-dessus ;

the door of the car (et non ~~*the car's door*~~)

• avec les adjectifs substantivés (voir 12) ;

young people's problems (et non ~~*the young's problems*~~)

• devant une proposition relative qui se rapporte au possesseur ;

He's the brother of ***a boy that I went to school with***. (et non ... ~~*a boy's brother that I*~~ ...)

• avec un nom propre précédé de l'article *a/an.*

a** concerto* ***by Bach (et non ~~*a Bach's concerto*~~)
un concerto de Bach (= écrit **par** Bach)

***a** Picasso exhibition* (et non ~~*a Picasso's exhibition*~~)
une exposition de Picasso (il n'en est pas l'auteur)

Exercice

Traduisez en anglais, en mettant le cas possessif ou une autre structure, selon le cas :

1. les projets (= plans) du gouvernement 2. le prix (= price) de la maison 3. à cinq minutes à pied 4. la fin du film 5. les problèmes économiques (= economic) de l'Italie 6. le journal d'hier 7. le toit (= roof) du garage 8. le parapluie de quelqu'un 9. un concert de James Brown 10. un film de Fellini

▶ Pour plus de détails sur les noms composés et le cas possessif, voir 259.

303 Préfixes et suffixes (mots dérivés)

Il existe un grand nombre de préfixes et de suffixes en anglais. Ils ont une fonction constante qu'il est utile de connaître. En voici quelques-uns parmi les plus fréquents.

PREFIXES

• *Un-* et *in-* / *im-* permettent de former des adjectifs de sens contraire à l'adjectif de base.

*pleasant, **un**pleasant*
agréable, désagréable

*complete, **in**complete*
complet, incomplet

*tidy, **un**tidy*
ordonné, désordonné

*possible, **im**possible*
possible, impossible

• *Dis-* /dɪs/ et *mis-* /mɪs/ servent aussi à former des mots de sens contraire.

*agree, **dis**agree*
être d'accord, ne pas être d'accord

*understand, **mis**understand*
comprendre, mal comprendre

*honest, **dis**honest*
honnête, malhonnête

• *A-* sert à former certains adjectifs qui ne s'emploient que comme attributs.

***a**live*
vivant, en vie

***a**lone* (voir 351)
seul

***a**sleep* (voir 51)
endormi

• *Over-* indique l'excès.

***over**dose*
overdose

***over**estimate*
surestimer

***over**eat*
trop manger

SUFFIXES

• *-y* permet de former des adjectifs à partir de noms.

*anger, angr**y***
colère, coléreux

*thirst, (to be) thirst**y***
soif, (avoir) soif

• *-ish* sert à former des adjectifs à partir d'adjectifs et de noms.

*green, green**ish***
vert, verdâtre

*child, child**ish***
enfant, enfantin

*Sweden, Swed**ish***
Suède, suédois

• *-ly* sert à former des adverbes à partir d'adjectifs.

*slow, slow**ly***
lent, lentement

*reasonable, reasonab**ly***
raisonnable, raisonnablement

▶ Pour *friendly* et *lovely*, voir 10.

• *-ful* et *-less* permettent de former des adjectifs à partir de noms : *-ful* a un sens positif (= "plein de", "avec"), *-less* a un sens privatif (= "sans").

*care, care**ful**, care**less***
soin, soigneux, sans soin

• *-ful* sert aussi à former des noms indiquant une quantité.

*a hand**ful***	*a mouth**ful***	*a spoon**ful***
une poignée	une bouchée	une cuillerée

• *-er* sert à former des noms d'agents (= la personne ou l'objet qui fait l'action), surtout à partir de verbes.

*to drive, a driv**er***	*to light, a light**er***
conduire, un conducteur	allumer, un briquet

• *-ness* permet de former des noms abstraits à partir d'adjectifs.

*ill, ill**ness***	*kind, kind**ness***
malade, maladie	gentil, gentillesse

• *-dom*, *-hood* et *-ship* permettent de former des noms abstraits à partir de noms concrets.

*king, king**dom***	*child, child**hood***	*friend, friend**ship***
roi, royaume	enfant, enfance	ami, amitié

• *-en* sert à former des verbes à partir d'adjectifs (et parfois de noms).

*short, to short**en***	*wide, to wid**en***	*strength, to strength**en***
court, raccourcir	large, élargir	force, renforcer

Un mot peut être formé d'une racine et de plusieurs suffixes, ou d'une racine, d'un préfixe et d'un ou deux suffixes, etc. Il suffit donc de le décomposer pour en comprendre le sens.

hopelessness = ***hope*** + ***less*** + ***ness*** = désespoir, état désespéré
unfortunately = ***un*** + ***fortunate*** + ***ly*** = malheureusement

304 Prépositions (1) : après un verbe, un adjectif ou un nom

En français comme en anglais, beaucoup de mots peuvent être suivis d'une préposition (ex. : "discuter **de** quelque chose", "être gentil **avec** quelqu'un", "échapper **à** quelque chose").
Mais les prépositions ne s'emploient pas toujours de la même manière dans les deux langues.
Voici quelques exemples.

1 Prépositions différentes en anglais et en français.

ABOUT *to think **about***
penser à

AT *good/bad **at** maths/English, etc.*
bon/mauvais en maths, anglais, etc.
*clever **at***
doué pour
*to laugh **at***
se moquer de
*surprised/amazed **at***
étonné/très étonné de

BY *a play **by** Shakespeare*
une pièce de Shakespeare
*a film **by** Spielberg*
un film de Spielberg

FOR *late **for** school*
en retard à l'école
*it's time **for***
il est l'heure de
*to apologise **for***
s'excuser de
*the reason **for** something*
la raison de quelque chose
*responsible **for***
responsable de

FROM *to borrow/take/steal **from** somebody*
emprunter/prendre/voler à quelqu'un
*different **from/to**[1]*
différent de
*to suffer **from***
souffrir de
*separate **from***
séparé de
*to hide something **from** somebody*
cacher quelque chose à quelqu'un
*to escape **from** somebody/something*
échapper à quelqu'un/quelque chose

IN *interested **in** something*
intéressé par quelque chose
*to be interested **in***
s'intéresser à
*to take part **in**/participate **in***
participer à
*dressed **in***
habillé de/en
*to succeed **in** doing something*
réussir à faire quelque chose

INTO *to divide **into***
diviser en
*to translate **into***
traduire en
*to turn **into***
transformer/changer en

OF *made **of** (wood, etc.)*
fait en (bois, etc.)

ON *to depend **on***
dépendre de
*to live **on***
vivre de
*to spend money **on***
dépenser de l'argent en/pour
*to congratulate/congratulations **on***
féliciter/félicitations pour
*to be keen **on***
être amateur de
*to get **on** a bus/train/plane*
monter dans un autobus/train/avion

TO *kind/nice/polite/rude **to** somebody*
gentil/poli/impoli avec quelqu'un
*married **to***
marié avec/à

WITH *delighted/pleased/happy/satisfied **with** something*
ravi/content/heureux/satisfait de quelque chose

1. Considéré comme incorrect par certains.

disappointed ***with***
déçu par

to cover ***with***
couvrir de

angry ***with***
en colère contre

to fill ***with***
remplir de

Exercice

Mettez la préposition qui convient :

1. It depends ... you. 2. He's responsible ... it. 3. It's made ... wood. 4. I'm interested ... Africa. 5. You're different ... your sister. 6. Are you pleased ... your life? 7. How can you escape ... your problems? 8. The mountains are covered ... snow. 9. He suffers ... feelings of inferiority. 10. She's always very nice ... me. 11. He's married ... an actress. 12. I spend a lot of money ... discs.

---

2 Pas de préposition en français.

to look ***at*** *something*
regarder quelque chose

to look ***for*** *something*
chercher quelque chose

to ask ***for*** *something*
demander quelque chose

to pay ***for*** *something*
payer quelque chose

to wait ***for*** *something/somebody*
attendre quelque chose/quelqu'un

to remind somebody ***of*** *something*
rappeler quelque chose à quelqu'un

to listen ***to*** *something*
écouter quelque chose

to account ***for*** *something*
expliquer quelque chose

3 Pas de préposition en anglais.

to answer_a question
répondre à une question

to ask_somebody
demander à quelqu'un

to discuss_a problem
discuter d'un problème

to doubt_something
douter de quelque chose

to forgive_somebody
pardonner à quelqu'un

to lack_something
manquer de quelque chose

to play_the guitar, the piano, etc.
jouer de la guitare, du piano, etc.

to play_football, rugby, etc.
jouer au football, rugby, etc.

to enter_a room
entrer dans une pièce

to remember_somebody/something
se souvenir de quelqu'un/quelque chose

Exercice

Traduisez en anglais :

1. Pourquoi ne réponds-tu à mes questions? 2. Ne me regarde pas comme ça. 3. Attendez-nous! 4. Est-ce que tu te souviens de ton premier amour? 5. Je joue du piano. 6. Mon frère fait du tennis. 7. Ecoute les oiseaux. 8. Ça me rappelle un film. 9. Combien as-tu payé ton manteau? 10. Demande à Daniel de t'aider.

---

305 Prépositions (2) : en début d'expression

1 Certaines expressions commencent par une préposition différente en anglais et en français. Voici quelques exemples.

***at** the same time*
en même temps

***by** bicycle / bus / coach / car / train / boat / plane*
en vélo / autobus / autocar / voiture / train / bateau / avion

***in** the 16th century*
au 16e siècle

***in** the rain / snow*
sous la pluie / neige

***in** the country*
à la campagne

***in** a loud / quiet voice*
à voix haute / basse

***in** the sun*
au soleil

***in** my opinion*
à mon avis

***on** foot*
à pied

***on** holiday*
en vacances

***on** duty*
de service

***on** a bus / train ...*
dans un autobus / train ...

***on** the radio / **on** TV*
à la radio / à la télé

***on** fire*
en feu

***on** strike*
en grève

***on** the first ... floor*
au premier ... étage

***on** the phone*
au téléphone

***on** the other side*
de l'autre côté

2 Dans certains cas, il n'y a aucune préposition en français.

***at** night*
la nuit

***in** the morning / afternoon / evening*
le matin / après-midi / soir

***in** the end*
finalement

Exercice

Mettez la préposition qui convient :
1. He lives ... the country. 2. My flat is ... the 5th floor. 3. London is depressing ... the rain. 4. We heard about it ... the radio. 5. ... the 20th century. 6. I always go to the office ... bus. 7. I sometimes come back home ... foot. 8. Is Janet ... holiday?

306 Prépositions (3) : en fin de groupe verbal

Lorsqu'un verbe et une préposition forment une sorte de verbe composé (ex. : *to look at*), on les sépare rarement en anglais, même si le verbe vient en fin de proposition. C'est pourquoi on trouve souvent des prépositions dans les cas suivants.

1 **En fin de questions** (surtout dans un style familier).

*Where do you **come from**?* (et non ~~*From where do you come?*~~)
D'où êtes-vous ?

*Who did you **go with**?*	*What's it **made of**?*
Avec qui es-tu allé?	C'est en quoi?

Exercice

Retrouvez les questions :

Ex. : I went with Henry. → Who did you go with?
I'm looking for my keys. → What are you looking for?

1. I bought it for my mother. 2. I'm thinking about my holidays. 3. She was smiling at you. 4. He comes from Liverpool. 5. I danced with everybody. 6. I opened it with a hammer. 7. It's made of glass. 8. I'm laughing at this picture.

Dans un style plus formel, on a tendance à placer la préposition devant le mot interrogatif.

***With whom** is the general travelling?*
Avec qui le général voyage-t-il?

2 **En fin de structures relatives** (surtout dans un style familier). Le pronom relatif est alors généralement sous-entendu.

*I was born in the house you're **staying in**.* (plutôt que ... *the house in which you're staying.*)
Je suis né dans la maison où tu habites.

*I don't like the boy she's **talking to**.*
Je n'aime pas le garçon avec qui elle parle.

Exercice

Reliez les phrases comme dans l'exemple :

I was staying in a house. It was very old.
→ The house I was staying in was very old.

1. I was living with a girl. She was Scottish. 2. I wrote to a boy. He never answered. 3. We looked at some pictures. They were boring. 4. We listened to some music. It was very good. 5. We talked to some people. They were nice to us. 6. We went on a train. It was terribly dirty.

Dans un style plus formel, on a tendance à placer la préposition devant le pronom relatif.

*He was a man **to whom** she could say everything she felt.*
C'était un homme à qui elle pouvait dire tout ce qu'elle ressentait.

3 **En fin de structures passives** (en anglais, un verbe suivi d'une préposition peut s'employer au passif, ce qui n'est pas le cas en français).

*He was **operated on** yesterday* (opérer = *to operate on*)
Il a été opéré hier.

*She likes to be **looked at**.*
Elle aime qu'on la regarde.

*You're being **spoken to**.*
On vous parle.

Exercice

Mettez les phrases au passif comme dans l'exemple :
I like people to look at me. → I like to be looked at.
1. I like people to smile at me. 2. I like people to write to me. 3. I like people to think about me. 4. I like people to take care of me.

---

4 **En fin de structures infinitives** (surtout après un adjectif).

*She's **interesting to talk to**.*
C'est intéressant de parler avec elle.

*I'm **easy to work with**.*
Il est facile de travailler avec moi.

Exercice

Complétez les phrases à l'aide d'une des expressions suivantes (selon le sens) : boring to listen to – something to write with – frightening to think about – nice to look at
1. Mountains are ... 2. Death is ... 3. Sermons are often ... 4. Can you lend me ... ?

---

307 Présent (1) : formation du présent simple

Ex. : ***to work***

affirmation	interrogation	négation
I work you work he/she/it work**s** we work they work	**do** I work? **do** you work? **does** he/she/it work? **do** we work? **do** they work?	I **do not** work you **do not** work he/she/it **does not** work we **do not** work they **do not** work

• Il y a toujours un *-s* à la troisième personne du singulier. A l'affirmation, il s'ajoute au verbe principal ; aux autres formes, il se trouve à l'auxiliaire *does*.

he works *does he work?* *he doesn't work*

• Après *-s*, *-sh*, *-ch* et *-x*, on ajoute *-es* à la troisième personne.

*she pas**ses*** *it bru**shes*** *he wat**ches*** *he mi**xes***

Notez aussi *goes*, *does*.

Les verbes qui se terminent en *-y* forment leur troisième personne en *-ies* (sauf quand le *-y* est précédé d'une voyelle).

try → *t**ries*** *fly* → *fl**ies*** *worry* → *worr**ies***
Mais : *enj**oy*** → *enj**oys*** *pl**ay*** → *pl**ays***

• Le *-s* de la troisième personne suit les mêmes règles de prononciation que celui du pluriel (voir 254.9).

Exercices

1. *Mettez les verbes suivants à la troisième personne du singulier :*
to like – to start – to hurry – to stay – to catch – to push – to read – to buy – to sell – to fix – to miss – to hope – to send

2. *Complétez les phrases avec des formes interrogatives :*
1. Where ...? (he/live) 2. How often ... swimming? (you/go) 3. What sort of music ...? (you/like) 4. ... on Saturday mornings? (Bob/work) 5. What ... in her free time? (she/do) 6. How ... to work? (you/travel)

▶ Pour la structure des questions, voir 339.
Pour les négations, voir 249. Pour les contractions, voir 94.
Pour l'interronégation, voir 341. Pour les formes des auxiliaires et des modaux, voir les sections sur *be*, *have*, *can*, *may*, etc.

308 Présent (2) : présent simple (emploi)

1 Habitudes, actions répétées, faits permanents.

Le présent simple s'emploie surtout pour parler d'habitudes, d'actions répétées et de faits plus ou moins permanents.

*I **play** tennis every Saturday.*
Je fais du tennis tous les samedis.

*My father often **goes** to America.*
Mon père va souvent en Amérique.

*"Where **do you live**?" "**I live** in Clapham."*
"Où habitez-vous ?" "J'habite à Clapham."

*Light **takes** eight minutes to come from the sun to the earth.*
La lumière met huit minutes pour venir du soleil à la terre.

Pour parler d'une action en cours actuellement, il faut employer le présent progressif (voir 310).

2 Futur.

Le présent simple n'est pas beaucoup utilisé dans un sens futur. On l'emploie surtout dans deux cas particuliers :

• dans les subordonnées introduites par *when*, *as soon as*, *before*, *who*, *what*, etc. (voir 156.1);

We'll buy it ***when we go*** *to London.* (et non ...~~*when we will go*~~ ...)
On l'achètera quand on ira à Londres.

• pour parler d'horaires et d'emplois du temps.

The train ***leaves*** *at 8 o'clock.*
Le train part à 8 heures.

Dans les autres cas, c'est le présent progressif qu'il faut employer pour parler du futur (voir 151.1).

*I'****m going to*** *London tomorrow.* (et non ~~*I go to London tomorrow*~~.)
Je vais à Londres demain.

3 **Titres de journaux.**
On emploie le présent simple dans les titres de journaux pour parler de ce qui est arrivé, comme en français.

President ***leaves*** *hospital.*
Le Président quitte l'hôpital.

Exercice

Traduisez en anglais :
1. Je vais souvent au cinéma. 2. Est-ce que Paul habite à Londres? 3. Je ne voyage pas souvent. 4. La lumière met quatre ans pour venir de l'étoile la plus proche (= nearest). 5. Est-ce que vous fumez? 6. Je ne parle pas allemand. 7. Je viendrai vous voir quand je serai à (= in) Paris. 8. Le train arrive à huit heures.

▶ Pour l'emploi du présent simple et du présent progressif dans les narrations, les blagues, les instructions, etc., voir 311.2.

309 Présent (3) : formation du présent progressif

Le présent progressif (ou "présent continu") se forme ainsi :

to be + -ing

*I'****m reading.***
Je lis (en ce moment).

*He'****s working.***
Il est en train de travailler.

Is *your brother* ***listening*** *to us?*
Est-ce que ton frère nous écoute?

*Look, they'****re not making any effort.***
Regarde, ils ne font pas d'effort.

Attention à l'ordre des mots dans les questions : seul l'auxiliaire précède le sujet (voir 339).

***Are** your parents coming?* (et non ~~*Are coming your parents?*~~)
Ils viennent, tes parents ? / Tes parents viennent ?

Exercice

Mettez les verbes au présent progressif :
1. I / write. 2. Why / they / laugh? 3. We / not / go. 4. Mary / sing. 5. What/John/wear? 6. You/not/eat. 7. Bob and Janet/come?

▶ Pour l'interronégation, voir 341.

310 Présent (4) : présent progressif (emploi)

1 Actions en cours.
On emploie surtout le présent progressif pour indiquer qu'une action ou un fait est en cours au moment où on parle.

*"What **are** you **doing**?" "I'**m waiting** for you."* (et non ~~*I wait*~~ ...)
"Qu'est-ce que tu fais ?" "Je t'attends."

*Look, it'**s raining**.* (et non ... ~~*it rains*~~.)
Regarde, il pleut.

2 Projets.
Le présent progressif s'emploie aussi pour parler de projets, comme le présent français (voir 151.1).

*I'**m seeing** Alex tomorrow.* (et non ~~*I see*~~ ...)
Je vois Alex demain.

*We'**re moving** in July.*
Nous déménageons en juillet.

3 Exceptions.
Certains verbes n'ont pas de forme progressive (voir 399). Ils se mettent donc toujours au présent simple, même lorsqu'ils se rapportent au moment présent.

*I **want** an ice-cream now.* (et non ~~*I'm wanting*~~ ...)
Je veux une glace maintenant.

Exercice

Traduisez en anglais :
1. Pourquoi pleures-tu, Susie ? 2. Chut ! (= Sssh !) Quelqu'un vient. 3. Je ne vais pas à l'école aujourd'hui. 4. Est-ce que ton père travaille ce matin ? 5. Qu'est-ce que tu fais demain ? 6. Qu'est-ce que tu écris ? 7. Regarde ! Elle fume une cigarette. 8. Je peux sortir. Il ne pleut pas.

▶ Pour l'emploi du présent progressif avec *always*, voir 28.

311 Présent (5) : comparaison des deux temps présents

1 Cas général.

Le présent simple s'emploie surtout pour parler d'habitudes, d'actions ou de faits qui se répètent, ainsi que de faits plus ou moins permanents (voir 308).
Le présent progressif s'emploie pour indiquer qu'une action ou un fait est en cours au moment où l'on parle.
Comparez :

PRESENT SIMPLE	PRESENT PROGRESSIF
*I **work** on Saturdays* Je travaille le samedi.	*What **are** you **working** on now?* Tu travailles sur quoi maintenant ?
*It often **snows** in January.* Il neige souvent en janvier.	*Look, it'**s snowing**!* Regarde, il neige !
*Water **boils** at 100 °C.* L'eau bout à 100 °C.	*The water'**s boiling**. I'll make coffee.* L'eau bout. Je vais faire du café.

Exercices

1. Choisissez entre le présent simple et le présent progressif :
1. Look out of the window. ... (It rains / It's raining.) 2. My father ... in a bank. (works / is working) 3. I ... pancakes (= "crêpes"). Would you like some? (make / am making) 4. "What ...?" "A letter to my mother." (do you write / are you writing) 5. Andrée is Swiss. She ... French and German. (speaks / is speaking) 6. I ... a place to live. (look for / am looking for)

2. Traduisez en anglais :
1. Il pleut toujours le dimanche. 2. Nous allons souvent à Londres. 3. Je ne comprends rien, ils parlent espagnol (= Spanish). 4. "Qu'est-ce que tu lis ?" "Une lettre de Betty (= from Betty)." 5. Le courrier (= the post) arrive généralement à 8 heures. 6. Est-ce que vous attendez quelqu'un ?

2 Les narrations, etc. au présent.

Dans les narrations au présent, les blagues, les instructions et les commentaires, on emploie le **présent simple** pour décrire une succession d'actions. Par contre, on emploie le **présent progressif** dans les descriptions, et pour parler des actions en cours. Analysez les exemples suivants.

*A man **comes** into a bar and **orders** a whisky. Then he **notices** that the barman **is holding** a teddy bear. So he **says** ...*
Un homme entre dans un bar et commande un whisky. Puis il remarque que le barman tient un nounours. Alors, il dit ...

*You **take** two eggs and some flour. While you**'re beating** the eggs, you **put** a pan on to heat ...*
Vous prenez deux œufs et de la farine. Pendant que vous êtes en train de battre les œufs, vous mettez une poêle à chauffer ...

*The scene **takes place** at a bus stop. It's a fine day : the sun **is shining** and a pleasant breeze **is blowing**. A bus **arrives** and a man **gets off**.*
La scène se passe à un arrêt d'autobus. Il fait beau : le soleil brille et une brise agréable souffle. Un autobus arrive, et un homme en descend.

Exercices

__1.__ Trouvez une bande dessinée et racontez l'histoire en anglais (utilisez le présent simple pour la série d'actions).
__2.__ Choisissez une image dans la bande dessinée, et décrivez ce qui se passe dedans (utilisez le présent progressif).

---

312 Present perfect (1) : formation du present perfect simple

Le present perfect simple se forme comme le passé composé français :

have/has + participe passé

*I **have (I've) started**.*
***Have** you **finished**?*
*She **hasn't arrived**.*

Notez bien que l'auxiliaire est toujours *have* même s'il y a le verbe "être" en français.
Il y a d'importantes différences d'emploi entre le present perfect et le passé composé : voir 317.

Exercice

Complétez les phrases à l'aide du present perfect :
1. ... a lot of money. (He/steal) 2. ... the child who disappeared. (They/find) 3. ... my keys. (I/lose) 4. ... her the plans yet. (We/not/show) 5. ... the shopping? (You/do) 6. ... about changing her job? (She/think) 7. The post ... (not/come) 8. ... breakfast? (You/have)

▶ Pour la structure des questions, voir 339.
Pour les négations, voir 380 et 249.
Pour l'interronégation, voir 341.

313 Present perfect (2) : present perfect simple et prétérit simple

Le present perfect n'est pas l'équivalent du passé composé français. Celui-ci se traduit soit par le prétérit simple, soit par le present perfect simple, selon le contexte.

1 Le moment de l'action n'est pas indiqué.

• On emploie le **present perfect simple** pour indiquer une relation entre un fait passé et la situation présente. Il s'emploie souvent, par exemple, dans les bulletins d'information (où l'on parle de faits qui ont toujours une importance actuelle).
Une phrase au present perfect peut souvent se remplacer par une phrase au présent.

*Fire **has broken out** on a ship in the Channel. (= There is a fire now.)*
Un incendie a éclaté sur un bateau dans la Manche.

*I'm delighted to tell you that you **have passed** your exam. (= You have a diploma now.)*
Je suis ravi de vous dire que vous avez réussi votre examen.

*I can't go on holiday because I'**ve broken** my leg. (= My leg is broken.)*
Je ne peux pas partir en vacances parce que je me suis cassé la jambe.

• Lorsqu'il n'y a pas de rapport entre une action terminée et le moment présent, il faut employer le **prétérit**.

*Shakespeare **lived** in Stratford.* (et non ~~*Shakespeare has lived*~~ ...)
Shakespeare a vécu à Stratford.

*My grandfather **worked** in a factory.* (et non ~~*My grandfather has worked*~~ ...)
Mon grand-père a travaillé dans une usine.

2 Le moment de l'action est indiqué par une expression de temps.

• On emploie le **present perfect** avec des adverbes comme *ever*, *never*, *already*, *yet*, *so far*, qui expriment l'idée de "jusqu'à présent". On l'emploie également quand l'idée de *ever* (= "déjà") est sous-entendue.

***Have** you **ever read** "Hamlet"?*
Est-ce que vous avez déjà lu "Hamlet"?

***Have** you **(ever) been** to Germany?*
Etes-vous déjà allé en Allemagne?

*I'**ve already seen** that film.*
J'ai déjà vu ce film.

Notez que tous ces exemples expriment une idée quasi présente : "Connaissez-vous 'Hamlet'?" – "Connaissez-vous l'Allemagne?" – "Je connais ce film."

• On emploie le **prétérit** avec des expressions comme *yesterday*, *last week*, *two years ago*, *when I was young*, etc., qui se rapportent à un période terminée.

*I **drank** too much **last night**.*
J'ai trop bu hier soir.
*He **played** a lot of tennis **when he was young**.*
Il a fait beaucoup de tennis quand il était jeune.

Comparez :

*"**Have you read** 'War and Peace'?" (= "Do you know it?") "Yes, I **read** it **last year**."*
"Avez-vous lu 'Guerre et Paix'?" "Oui, je l'ai lu l'année dernière."

Exercice

Present perfect simple ou prétérit simple?
1. Aunt Mary ... to stay with us last week. (come) 2. When I was a child I ... fish. (hate) 3. He can't stand up because he ... too much. (drink) 4. You can't see her now – she ... out. (go) 5. Who ... 'The Brothers Karamazov'? (write) 6. Susan ... me yesterday. (leave) 7. I ... your husband. (never, meet) 8. I'm sorry to tell you that your brother ... an accident. (have) 9. I ... to Scotland. (often, go) 10. I ... a lot in my life, but I don't know the USA at all. (travel)

▶ Pour le present perfect simple avec *just* (ex. : *He's just gone out*), voir 214.1. Pour *This is the first time I have ...*, etc., voir 315.1.

Rappel

present perfect	prétérit
*I**'ve lost** my keys.* J'ai perdu mes clés. (Je ne les ai pas en ce moment.)	*I **lost** my keys yesterday.* J'ai perdu mes clés hier.
*He**'s travelled** a lot.* Il a beaucoup voyagé. (jusqu'à présent)	*He **travelled** a lot when he was young.* Il a beaucoup voyagé quand il était jeune.
*B. Cole **has written** a lot of plays.* B. Cole a écrit beaucoup de pièces. (Il est vivant.)	*Shakespeare **wrote** a lot of plays.* Shakespeare a écrit beaucoup de pièces. (Il est mort.)

314 Present perfect (3) : present perfect progressif

1 Formation.
Le present perfect progressif se forme à l'aide du present perfect de *be + -ing* :

have/has been + -ing

*He **has been working**.* *__Have__ your parents **been travelling**?*

▶ Pour la structure des questions, voir 339. Pour les négations, voir 380. Pour l'interronégation, voir 341.

2 Emploi : cas général.

Ce temps s'emploie pour parler d'actions et de faits qui ont commencé dans le passé et qui continuent dans le présent, ou qui viennent de s'achever. On pense soit à la durée de l'action, soit au résultat.

*I'**ve been working** all day.*
J'ai travaillé toute la journée. (et je continue)

*It'**s been raining** all week.*
Il a plu toute la semaine. (et ça continue)

*Sorry I'm late. **Have** you **been waiting** long?*
Excuse-moi d'être en retard. Tu m'as attendu longtemps?

*"You look hot." "I'**ve been running**."*
"Tu es rouge." "J'ai couru."

3 Emploi avec *for* et *since*.

Le present perfect progressif s'emploie très souvent avec *for* et *since* (= "depuis"). *For* s'emploie pour indiquer une durée, *since* pour un point de départ (voir 100). En français, on a souvent **le présent + "depuis"**.

*He'**s been living** in London **for** three years.* (et non ~~*He lives*~~ ...)
Il habite Londres depuis trois ans.

*I'**ve been learning** English **since** 1986.* (et non ~~*I'm learning*~~ ...)
J'apprends l'anglais depuis 1986.

Cette structure peut correspondre, en français parlé, à "il y a ... que" ou "ça fait ... que" (voir 189). Notez que ces deux tournures peuvent toujours être remplacées par une phrase avec "depuis".

*I'**ve been waiting** for two hours.*
Il y a / Ça fait deux heures que j'attends. (= J'attends depuis deux heures.)

4 Verbes sans forme progressive.

Les verbes qui n'ont pas de forme progressive (*to be, to know, to want, to like*, etc., voir 399) se mettent au present perfect simple.

*I'**ve been here** for five minutes.* (et non ~~*I'm here*~~ ...)
Je suis là depuis cinq minutes.

*I'**ve known** Dave since September.* (et non ~~*I know*~~ ...)
Je connais Dave depuis septembre.

5 Present perfect progressif et present perfect simple.

Les deux formes sont parfois possibles.

*I'**ve been living**/I'**ve lived** here for ....*
J'habite ici depuis ...

On préfère le present perfect progressif pour parler d'actions et de situations temporaires, et le present perfect simple pour parler d'actions ou de situations permanentes ou de longue durée. Comparez :

*I've **been living** in Janet's flat for the last week.*
J'habite chez Janet depuis une semaine.

*She's **lived** there since 1970.*
Elle habite là depuis 1970.

*I **haven't been feeling** very well this week.*
Je ne me sens pas bien cette semaine.

*I **haven't felt** well for a long time.*
Je ne me sens pas bien depuis longtemps.

Exercices

1. *Complétez ces phrases à l'aide du present perfect progressif :*
1. ... with friends for the last few weeks. (I / stay) 2. ... furniture for years. (He / make) 3. How long ... that stupid programme? (they / watch) 4. ... since last night. (It / snow) 5. ... all afternoon? (you / read) 6. ... here since ten o'clock. (We / sit)

2. *Traduisez en anglais, à l'aide du present perfect progressif lorsqu'il est possible :*
1. Elle habite Paris depuis trois ans. 2. J'apprends la guitare depuis janvier. 3. Je connais Fred depuis longtemps (= a long time). 4. Il a plu toute la journée. 5. Tu travailles ici depuis combien de temps? (= How long ...?) 6. Nous avons marché tout l'après-midi, arrêtons-nous.

---

315 **Present perfect et pluperfect** après **this is the first time, etc.**

1 Après des expressions comme *This is the first/second*, etc. *time (that) ...*, on emploie le present perfect simple. (En français, il y a le présent.)

*This is the first time that **I've been** here.* (et non ... ~~*that I'm here*~~.)
C'est la première fois que je me trouve ici.

*It's the third time that **I've heard** her sing.*
C'est la troisième fois que je l'entends chanter.

2 Après *It was the first time*, etc., on emploie le pluperfect. (En français, il y a alors l'imparfait.)

*It was the first time I **had seen** her.*
C'était la première fois que je la voyais.

Exercice

Mettez le verbe à la forme qui convient :
1. This is the first time I ... curry. (eat) 2. That's the tenth beer you ... tonight. (drink) 3. It's the third time we ... this film. (see) 4. These are the first cherries I ... this year. (eat) 5. It was the second time she ... to kill somebody. (want) 6. It was the first time I ... alone. (travel)

316 Prétérit (1) : formation du prétérit simple

Ex. : *to wait* (régulier), *to think* (irrégulier)

affirmation	interrogation	négation
I wait**ed** I thought	**did** I wait ? **did** I think ?	I **did not** wait I **did not** think

La forme du verbe est la même à toutes les personnes. Notez qu'il n'y a une différence entre un verbe régulier et irrégulier qu'à l'affirmation, et que la finale *-ed* ne se met pas dans les questions et les négations. (On ne dit pas *~~did I waited~~?* ou *I ~~did not waited~~*). Pour la liste des verbes irréguliers, voir 397.

Remarques :

• Après *t* et *d*, *-ed* se prononce /ɪd/. Après les autres consonnes, le *e* de *-ed* ne se prononce pas. Comparez :

*wait**ed*** /ˈweɪtɪd/ *end**ed*** /ˈendɪd/
*fix**ed*** /fɪkst/ *wonder**ed*** /ˈwʌndəd/

Le *d* se prononce /t/ après les sons /p, f, θ, s, ʃ, tʃ, k/. Il se prononce /d/ dans les autres cas. (Pour la liste des signes phonétiques, voir 333.)

• Aux verbes qui se terminent en *-e*, il suffit d'ajouter un *-d*.

*to hop**e** → hop**ed*** *to liv**e** → liv**ed***

Lorsqu'un verbe se termine par un *y* précédé d'une consonne, le *y* se change en *e*.

*to tr**y** → tri**ed*** *to worr**y** → worri**ed***

Après une voyelle, le *y* ne change pas.

*to pla**y** → play**ed*** *to enjo**y** → enjoy**ed***

Exceptions : *said, paid, laid.*

Exercices

1. Retrouvez les questions :

1. I went to London. (Where ... ?) 2. I got up at six o'clock. (What time ... ?) 3. They lived in Yorkshire. (Where ... ?) 4. I arrived late because the bus was full. (Why ... ?) 5. Mary helped me. (Who ... ?) 6. I saw Albert. (Who ... ?)

2. Mettez ces verbes à la forme négative :

I stopped – we started – he asked – they said – we tried – you played – he came – we went

---

▶ Pour la structure des questions, voir 339. Pour les négations, voir 249. Pour les contractions, voir 94. Pour l'interronégation, voir 341. Pour les formes des auxiliaires et des modaux, voir les différentes sections sur *be*, *have*, *can* et *could*, etc.

317 Prétérit (2) : prétérit simple (emploi)

1 Le prétérit simple est le temps le plus employé pour parler du passé. Il correspond très souvent à un **passé composé** français. Il peut aussi correspondre à un imparfait ou un passé simple. Il s'emploie pour parler d'actions ou de faits complètement terminés et sans rapport avec le présent.

*Who **wrote** "Gone with the Wind"?*
Qui a écrit "Autant en emporte le vent"?

*She **learnt** English at school.*
Elle a appris l'anglais à l'école.

*My grandfather **worked** in a mine.*
Mon grand-père travaillait à la mine.

*The meeting **did not last** long.*
La réunion ne dura pas longtemps.

2 Le prétérit simple s'emploie souvent avec des indications de temps relatives au passé (des dates, des adverbes comme *yesterday*, *last ...*, *ago*, etc.).

*Queen Victoria **died** in 1901.* (et non ...~~has died~~ ...)
La reine Victoria est morte en 1901.

*I **met** him yesterday.* (et non ~~I have met him~~ ...)
Je l'ai rencontré hier.

*He **went** there last Thursday.* (et non ~~He has gone there~~ ...)
Il y est allé jeudi.

*She **left** a long time ago.* (et non ~~She has left~~ ...)
Elle est partie il y a longtemps.

*People **suffered** a lot during the war.* (et non ~~People have suffered~~ ...)
Les gens ont beaucoup souffert pendant la guerre.

3 On emploie le prétérit simple pour indiquer une succession d'actions dans un récit.

*Last Monday I **went** to see the Managing Director. A big dog **came** into his office. I **looked** at it ...*
Lundi dernier, je suis allé voir le P.-D.G. Un gros chien est entré dans son bureau. Je l'ai regardé ...

4 Le prétérit simple s'emploie aussi pour parler d'habitudes passées.

*I **swam** a lot when I was younger.* (et non ~~*I was swimming a lot*~~ ...)
Je nageais beaucoup quand j'étais plus jeune.

Exercice

Traduisez en anglais :
1. Il est mort en 1940. 2. J'ai fait des courses hier. 3. Marco Polo a passé plusieurs années en Chine (= China). 4. Je ne suis pas allé au cinéma. 5. Qu'est-ce que tu as donné à Tom pour Noël? 6. Je jouais beaucoup au tennis quand j'étais jeune. 7. Pat entra dans la pièce et regarda Sandy. 8. L'année dernière, nous avons rencontré une famille très intéressante. 9. Ça s'est passé (= to happen) pendant les vacances. 10. Où est-ce que tu as acheté tes chaussures? 11. Elle a quitté l'école il y a deux ans. 12. Pourquoi n'es-tu pas venu dimanche?

▶ Pour *It's time* + prétérit, voir 211.2; pour *I'd rather* + prétérit, voir 414.2; pour *I wish* + prétérit, voir 411.1.

318 Prétérit (3) : prétérit progressif (et prétérit simple)

1 **Formation.**
Le prétérit progressif (ou "prétérit continu") se forme ainsi :

was/were + -ing

*I **was reading**.*
Je lisais.

***Were** you **watching** TV?*
Tu regardais la télé?

*They **were not listening**.*
Ils n'écoutaient pas.

▶ Pour la structure des questions, voir 339.
Pour les négations, voir 380.
Pour l'interronégation, voir 341.

2 Emploi.

• Le prétérit progressif s'emploie pour indiquer qu'une action était en cours à un moment du passé. Il correspond généralement à un imparfait français.

*"What **were you doing** at eight o'clock yesterday evening?"*
*"I **was watching** TV."*
"Que faisiez-vous hier soir à huit heures?" "Je regardais la télé."

• Le prétérit progressif s'emploie fréquemment en contraste avec le prétérit simple. Le prétérit progressif désigne alors une action qui était en cours, et le prétérit simple un fait nouveau qui s'est produit.

*She **was walking** in a deserted street. Suddenly she **heard** a voice.*
Elle marchait dans une rue déserte. Soudain elle entendit une voix.

*When I **arrived**, he **was repairing** his car.*
Quand je suis arrivé, il était en train de réparer sa voiture.

Notez que l'action qui se met au prétérit progressif est celle qui a commencé en premier.

• Le prétérit progressif ne s'emploie pas normalement pour parler d'habitudes ou d'actions répétées dans le passé (contrairement à l'imparfait français).
On emploie alors le prétérit simple.

*We **often went** to Greece when I was a child.* (et non ~~We were often going~~ ...)
Nous allions souvent en Grèce quand j'étais petit.

• Certains verbes n'ont pas de formes progressives (voir 399). Avec ces verbes, on emploie toujours une forme simple, même si, d'après le sens, il faudrait normalement un temps progressif.

*I **knew** her very well, but when she walked in I didn't recognise her.* (et non ~~I was knowing her~~ ...)
Je la connaissais très bien, mais lorsqu'elle est entrée, je ne l'ai pas reconnue.

3 Remarques.

• L'imparfait français ne se traduit par le prétérit progressif que lorsqu'on peut le remplacer par **"j'étais en train de" + verbe**.
Comparez :

Je regardais la télé = **J'étais en train de regarder** la télé
→ ***I was watching** TV.*
Nous allions souvent en Grèce ≠ ~~Nous étions en train d'aller~~ ...
→ ***We often went** to Greece.*

• Ne confondez pas *I was going* et *I went.* "Je suis allé à Londres en août" = *I went to London in August* (et non ~~I was going~~ ...).

Exercice

Prétérit simple ou progressif?
1. When I ... round, I saw that he ... my bicycle away. (look, take) 2. He ... up the stairs when he ... a scream. (go, hear) 3. I ... along a deserted road. Suddenly I ... a big dog. (walk, see) 4. She ... while I ... a bath. (phone, have) 5. Yesterday Mr Jones ... home at 8.30. He ... black jeans. (leave, wear) 6. While I ... a newspaper Alice ... into the shop. (buy, come) 7. I ... to the cinema much more often last year than this year. (go) 8. I ... Betty in the park. She ... to a very strange man. (meet, talk)

319 Pretty

Pretty /'prɪti:/ s'emploie en anglais familier comme équivalent de *rather* (= "assez", "plutôt", voir 343) devant les adjectifs et les adverbes.

*It's **pretty** cold here in winter.*
Il fait assez froid ici en hiver.

*It's a **pretty good** film.*
C'est plutôt un bon film.

*We were driving **pretty** fast.*
On roulait assez vite.

▶ Voir aussi *quite* (342) et *fairly* (137).

320 Pronoms personnels (1) : sujets

Les pronoms personnels sujets sont : ***I, you, he, she, it, we, you, they.*** Leur emploi pose peu de problèmes. Attention toutefois aux points suivants.

1 On ne répète pas normalement le sujet en début de phrase en anglais, comme on le fait souvent en français familier.

***Your brother** doesn't know what he wants.* (et non ~~*Your brother, he*~~ ...)
Ton frère, il ne sait pas ce qu'il veut.

***Mary and Peter** are coming tomorrow.* (et non ~~*Mary and Peter, they're*~~ ...)
Mary et Peter, ils viennent demain.

***The place that I like best** is the Lake District.* (et non *The* ~~*place that I like best, it is*~~ ...)
L'endroit que je préfère, c'est la Région des Lacs.

2 De même, "Moi, je ..." se traduit par *I ...* et non par ~~*Me, I ...*~~

I think he's right.
Moi, je trouve qu'il a raison.

I often go there.
Moi, j'y vais souvent.

"C'est moi qui ..." peut aussi se traduire par *I ...* . On l'accentue alors en parlant.

I'll start.
C'est moi qui commence.

3 Dans un "double sujet", on emploie un pronom sujet.

***My mother and I** live in a small flat.* (et non ~~*My mother and me live*~~ ...)
Ma mère et moi vivons dans un petit appartement.

4 "Avec ma mère, nous sommes allés ..." = *My mother and I went ...* (et non ~~*With my mother, we went*~~ ...)
"Avec mes amis, on a décidé ..." = *My friends and I decided ...*

5 Dans un style très soigné, on emploie parfois un pronom sujet après *as, than.*

*She is nearly as tall **as I**.*
Elle est presque aussi grande que moi.
*I arrived earlier than **he**.*
Je suis arrivé plus tôt que lui.

Mais il est beaucoup plus fréquent d'employer soit un pronom complément, soit un pronom sujet + *be/have/do.*

*She is nearly as tall **as me**.* (style familier)
*She is nearly as tall **as I am**.*
*I arrived earlier **than him**.* (style familier)
*I arrived earlier **than he did**.*

Exercice

Traduisez en anglais :
1. Tu es aussi gourmande (= greedy) que moi. 2. Paul et moi, nous ne pouvons pas venir ce soir. 3. Sa mère et lui étaient tous les deux très maigres (= thin). 4. Mon compositeur (= composer) préféré, c'est Bach. 5. Moi, j'aime beaucoup les fleurs. 6. Alice, elle conduit plus vite que lui. 7. C'est moi qui paie. (futur) 8. Avec Martine, on est allés à Hyde Park.

▶ Pour *they* = *he or she*, voir 324. Pour *he, she, it*, voir 322 (genre) et 323 ("c'"). Pour *we, you, they* (= "on"), voir 268.

321 Pronoms personnels (2) : compléments

1 Les pronoms personnels compléments sont :

me	***you***	***him/her/it***	***us***	***you***	***them***
me, moi	te, toi	le/la, lui, elle	nous	vous	les, leur, eux

Where are my glasses? I can't find ***them****.*
Où sont mes lunettes? Je ne les trouve pas.

They've forgotten ***us****."*
Ils nous ont oubliés."

*Who said that?" "****Me****."*
Qui a dit ça?" "Moi."

I gave ***them*** *the rest.*
Je leur ai donné le reste.

I did it for ***them****.*
Je l'ai fait pour eux.

2 Notez bien que les pronoms compléments se mettent toujours après le verbe, et non avant comme en français.

He often ***gives her*** *presents.* (et non ... ~~*He often her gives*~~ ...)
Il lui fait souvent des cadeaux.

3 Lorsqu'un verbe est suivi d'une particule (ex. : *ring up, take out, put on*), les pronoms compléments se mettent toujours entre le verbe et la particule (*up, out,* etc.).

Don't forget to ***ring me up****.* (et non ...~~*to ring up me*~~.)
N'oublie pas de me téléphoner.

4 Les pronoms compléments indirects se traduisent généralement par *to me, to you,* etc.

He explained it ***to me****.*
Il me l'a expliqué.

I spoke ***to her*** *for ten minutes.*
Je lui ai parlé pendant dix minutes.

Mais certains verbes peuvent être suivis d'un complément indirect sans *to* (voir 396).

I ***gave her*** *a list.*
Je lui ai donné une liste.

We ***sent them*** *a note.*
Nous leur avons envoyé un petit mot.

Tell him *where to go.*
Dis-lui où aller.

5 Lorsqu'un pronom complément renvoie à la même personne que le sujet, il faut généralement mettre un pronom réfléchi en anglais (voir 325).

I *looked at* ***myself*** *in the mirror.* (et non ~~*I looked at me*~~ ...)
Je me suis regardé dans la glace.

6 Ne confondez pas *him* et *his, us* et *our, them* et *their.* (*His, our* et *their* sont des possessifs : voir 297.) Comparez :

Look at ***him****.* Regarde-le.	*Look at* ***his*** *glasses.* Regarde ses lunettes.
with ***us*** avec nous	*with* ***our*** *friends* avec nos amis
without ***them*** sans eux	*without* ***their*** *cars* sans leurs voitures

Exercice

Traduisez en anglais :
1. Ils m'ont oublié. (present perfect) 2. Peux-tu me passer (= pass) le beurre, s'il te plaît ? 3. Je ne la connais pas. 4. Est-ce que vous la voyez souvent ? 5. Je ne l'aime pas. Je ne veux pas le voir. 6. Dites-leur que c'est vrai. 7. "Voici vos lunettes." "Mettez-les sur la table." 8. "Où est le journal ?" "Je l'ai vu quelque part." (present perfect)

▶ Pour *they = he or she*, voir 324.
Pour *I* et *me* après *as* et *than*, voir 320.5.

322 Pronoms personnels (3) : he, she, it (genre)

En anglais, les noms n'ont pas de genre grammatical. On emploie *he* pour parler des hommes et des garçons, *she* pour parler des femmes et des filles, et *it* dans tous les autres cas, quel que soit le nom. Toutefois :

1 On peut utiliser *he* ou *she* (selon le sexe) pour parler d'un animal domestique.

The ***dog*** *wants to go out. Can you take* ***her*** *for a walk?*
La chienne veut sortir. Tu peux la promener?

2 *Baby* et parfois *child* sont repris par *it* (et *its*) lorsqu'on parle d'un enfant "en général", ou sans en connaître le sexe.

"Anne's just had her ***baby****." "Is* ***it*** *a boy or a girl?"*
"Anne vient d'accoucher." "Est-ce que c'est un garçon ou une fille?"
A ***baby*** */ A* ***child*** *needs* ***its*** *mother.*
Un bébé / Un enfant a besoin de sa mère.

3 Une personne qui aime beaucoup sa voiture, sa moto, son bateau, etc., dira peut-être *she* au lieu de *it.*

*"How's your motorbike?" "****She****'s going like a bomb."*
"Comment marche ta moto?" "Elle roule comme un bolide."

4 On emploie parfois *she* pour les pays, mais *it* est beaucoup plus fréquent.

Japan has decided that ***it/she*** *will increase* ***its/her*** *aid to the Third World.*
Le Japon a décidé d'augmenter son aide au tiers-monde.

▶ Pour le masculin et le féminin de certains noms, voir 257.
Pour *they = he or she* après *somebody, person,* etc., voir 324.

323 Pronoms personnels (4) : "c'est"

1 "Ce" (dans "c'est", "c'était", etc.) se traduit le plus souvent par *it.*

It's not fair!
Ce n'est pas juste.

Is it urgent?
Est-ce urgent?

It's true that ... (et non ~~*That's true that*~~ ...)
C'est vrai que ...

Par contre, "c'est pourquoi" = ***that's why / this is why*** (et non ~~*it's why*~~).

*He's almost blind – **that's why** he didn't recognise you.*
Il est presque aveugle, c'est pourquoi il ne t'a pas reconnu.

2 *It* ne s'emploie pas normalement pour désigner une personne. "Ce" se traduit par *he* s'il s'agit d'un homme et *she* s'il s'agit d'une femme.

*I looked at him curiously. **He** was a tall stooped man.* (et non ~~*It was a tall*~~ ...)
Je l'ai regardé avec curiosité. C'était un grand homme voûté ...

***She**'s a nice woman.* (et non ~~*It's*~~ ...)
C'est une femme agréable.

3 Toutefois, on emploie le pronom neutre *(il)*, lorsqu'on révèle ou découvre l'identité de quelqu'un. Comparez :

*"Who's John?" "**He**'s my cousin."* *"Who's that?" "**It**'s my cousin."*
"Qui est John?" "C'est mon cousin." "Qui est-ce?" "C'est mon cousin."

*A tall man stood up and shook my hand. **It** was Captain Lowrie.*
Un homme de grande taille se leva et me serra la main. C'était le Capitaine Lowrie.

Exercice

Traduisez en anglais :
1. "Qu'est-ce que c'est?" "C'est une calculatrice (= calculator)." 2. C'est un homme très intéressant. 3. Un homme entra (= came in). C'était un policier. 4. Le garçon me regarda. C'était mon voisin (=neighbour). 5. C'était une jolie petite fille. 6. Ce n'est pas un homme très intelligent.

324 Pronoms personnels (5) : they = he or she

They, them, their s'emploient souvent, surtout dans un style familier, pour remplacer *he or she, him or her, his or her.*

C'est le cas, par exemple, après les pronoms indéfinis *anyone, anybody, someone, somebody, everyone, everybody, no one* et *nobody,* et après *a person.*

*If **anyone** calls, tell **them** I'm out, but take **their** name and address.*
Si quelqu'un téléphone, dites-lui que je suis sorti, mais prenez ses coordonnées.

*Somebody left **their** umbrella behind yesterday. Would **they** please collect it from the office?*
Quelqu'un a oublié son parapluie hier. Il peut passer le prendre dans le bureau.

***Nobody** wants to work tomorrow, do **they**?*
Personne ne veut travailler demain, je suppose?

*An unemployed **person** doesn't go shopping much, because **they** haven't got any money.*
Un chômeur ne fait pas beaucoup de courses, parce qu'il n'a pas d'argent.

Dans un style plus formel, on emploie normalement *he or she*, etc., parfois *he*.

*... because **he or she** has no money.*

325 Pronoms réfléchis

1 Les pronoms réfléchis renvoient généralement à la même personne que le sujet. Voici les correspondances :

***myself** (I), **yourself** (you), **himself** (he), **herself** (she), **itself** (it), **ourselves** (we), **yourselves** (you), **themselves** (they),* et ***oneself** (one)*

▶ Pour l'emploi de *one,* voir 268.1.

2 Ils peuvent correspondre à "me", "te", "se", etc.

***I** looked at **myself** in the mirror.* (et non *~~I looked at me~~ ...*)
Je me suis regardé dans la glace.

*Did **you** hurt **yourself**?*
Est-ce que tu t'es fait mal?

*to defend **oneself***
se défendre

3 Ils correspondent aussi à "moi-même", "toi-même", etc.

*I went there **myself**.*
J'y suis allé moi-même.

*Do it **yourself**.*
Faites-le vous-même.

*One must go there **oneself**.*
Il faut y aller soi-même.

4 *By myself, by yourself,* etc. = "seul".

I went there ***by myself****.*
J'y suis allé seul.

5 Quelques expressions à noter :

Help ***yourself****.*
Servez-vous.

Behave ***yourself****.*
Sois sage.

Make ***yourself*** *at home.*
Faites comme chez vous.

Please ***yourself.***
Faites comme vous voulez.

Exercices

1. *Complétez les phrases par des pronoms réfléchis :*
1. Little Susie can already dress ... 2. He washes his clothes ... 3. We repaired the car ... 4. It's strange to listen to ... with a tape recorder. 5. It's a pity people can't see ... as others see them. 6. I must get ... some new shoes.

2. *Traduisez en anglais :*
1. Il s'est fait mal. (prétérit) 2. Tu te vois sur (= in) la photo ? 3. "Donne-moi le pain." "Va le chercher (= get it) toi-même." 4. Je parle souvent de moi. 5. Elle se regarde pendant des heures (= for hours). 6. Je vais m'acheter des fleurs.

▶ Ne pas confondre les réfléchis avec *each other* et *one another* (= "l'un l'autre") : voir 114.

326 Pronoms relatifs (1) : who(m) *et* which

1 *Who* se rapporte à une personne, *which* à une chose. Ils s'emploient surtout comme sujets (= "**qui**").

personne : ***who***	chose : ***which***

the boy who *bought my motorbike*
le garçon qui a acheté ma moto

an idea which *changed the world*
une idée qui a changé le monde

2 *Whom* et *which* peuvent s'employer comme compléments. Lorsqu'ils sont compléments d'objet direct (= "**que**"), ils sont généralement sous-entendus. (On emploie parfois *who* au lieu de *whom* en ce cas en anglais informel.)

the boy_I met yesterday (= the boy ***who(m)*** *I met ...)*
le garçon que j'ai rencontré hier

the meat_you bought (= the meat ***which*** *you bought)*
la viande que vous avez achetée

Exercice

Mettez who, which *ou* Ø:

1 I don't like people ... don't like me. 2. This is the record ... I promised to give you. 3. You must stop eating things ... make you fat. 4. He's the man ... wants to marry my sister. 5. A dictionary is a book ... uses difficult words to explain easy ones. 6. The people ... you met on the stairs are my new neighbours.

▶ Pour les cas où le pronom ne peut pas être sous-entendu, voir 331.
Pour la traduction de "qui" et "lequel" après les prépositions, voir 330.
Pour *that (= who(m)/which)*, voir section suivante.
Pour *of whom/which* (= "dont"), voir 109.
Pour les autres traductions de "qui", voir 332. Pour "que", voir 381.

327 Pronoms relatifs (2) : that

1 A la place des pronoms relatifs *who* et *which*, on emploie souvent *that*, surtout en anglais familier.

*the boy **that** bought my motorbike.*
le garçon qui a acheté ma moto

*an idea **that** changed the world*
une idée qui a changé le monde

That s'emploie presque toujours (plutôt que *which*) après *everything, nothing, anything, something, only, all* et les superlatifs.

***everything that** moves* (et non ~~*everything what moves*~~)
tout ce qui bouge

***something that** will surprise you*
quelque chose qui vous étonnera

*the **only** thing **that** matters*
la seule chose qui compte

*the **most fantastic** thing **that** has ever happened*
la chose la plus fantastique qui se soit jamais passée

Notez bien :

"Tout ce qui/ce que" = *all **that*** ou *everything **that*** et non ~~*all what*~~...

2 *That*, comme *who* ou *which*, est généralement sous-entendu lorsqu'il est complément (surtout en anglais familier).

the man I invited to dinner
l'homme que j'ai invité à dîner

a window someone had opened
une fenêtre que quelqu'un avait ouverte

Exercice

Récrivez ces phrases en mettant that *comme pronom sujet, ou en sous-entendant le pronom complément :*
1. I disagree with everything ... you say. 2. The phone number ... you gave me was the wrong one. 3. I prefer films ... have happy endings. 4. I like poetry ... I can understand. 5. I'm feeling ill. It must be something ... I ate. 6. Everybody ... comes here admires the garden. 7. There are a lot of things ... I like in the world. 8. There are not very many things ... are cheap enough for me to buy.

▶ Pour les cas où *that* ne s'emploie pas, voir 331.

328 Pronoms relatifs (3) : ce qui, ce que

1 "Ce qui / ce que" se traduit le plus souvent par *what.*

*I know **what** I want.*
Je sais ce que je veux.

***What** he did shocked everybody.*
Ce qu'il a fait a choqué tout le monde.

*You've got **what** counts in life – self-confidence.*
Tu as ce qui compte dans la vie, la confiance en soi.

2 Lorsque "ce qui / ce que" résume la proposition qui précède, il se traduit par *which.* (Il y alors généralement une virgule avant "ce".)

*I found the house empty, **which** surprised me.*
J'ai trouvé la maison vide, ce qui m'a étonné.
("Ce qui" reprend "j'ai trouvé la maison vide".)

*He drives like a maniac, **which** I hate.*
Il conduit comme un fou, ce que je déteste.
("Ce que" reprend "il conduit comme un fou".)

3 Après *anything, everything, all,* etc. (voir 327), on emploie *that* au lieu de *what* ou *which.*
Comparez :

***what** counts*	***all that** counts*
ce qui compte	tout ce qui compte

Autres exemples :

***everything that** interests me* (et non ~~*everything what*~~ ...)
tout ce qui m'intéresse

*You can take **anything (that)** you want.*
Tu peux prendre tout ce que tu veux.

4 "Ce dont" se traduit par *what ... of* ou *which ... of,* selon le cas.

Comparez :

***What** he's most proud **of** is his military career.*
Ce dont il est le plus fier, c'est de sa carrière dans l'armée.
*He spent ten years in the army, **which** he's very proud of.*
Il a passé dix ans dans l'armée, ce dont il est très fier.

Exercice

Mettez what, which *ou* that *:*
1. ... I like best is staying in bed. 2. I'll give you anything ... you need. 3. I've found ... I was looking for. 4. I've found all ... I was looking for. 5. She's always talking about herself, ... irritates me. 6. Everything ... is on the table is mine. 7. ... is on the floor is yours. 8. He always keeps quiet, ... I admire. 9. I don't mind ... people say. 10. You can't listen to all ... people say.

---

329 Pronoms relatifs (4) : whose *et* of which

Le pronom relatif *whose* correspond plus ou moins à "dont" (voir 109 pour les différences).

*A man **whose** children go to school with mine told me ...*
Un homme dont les enfants vont à l'école avec les miens m'a dit ...
*a question **whose** purpose I do not understand*
une question dont je ne comprends pas le but

Attention aux points suivants.

1 Comme tous les possessifs, *whose* s'emploie sans article.
Comparez :

***his** children* ***whose** children* (et non ~~*whose the children*~~)

2 *Whose* (comme *his*, *her*, etc.) ne peut pas être séparé du nom auquel il se rapporte.

***whose purpose** I do not understand* (et non ~~*whose ... the purpose*~~)
dont je ne comprends pas le but
***whose wife** I met yesterday*
dont j'ai rencontré la femme hier

3 *Whose* s'emploie pour les personnes ou pour les choses. Toutefois, pour parler des choses, on emploie souvent la tournure *of which.* Attention à l'ordre des mots : *of which* suit normalement le nom.

*a question **the purpose of which** I do not understand* (ou ... ***whose purpose*** ...)
une question dont je ne comprends pas le but

Exercice

Traduisez en anglais :
1. une femme dont le mari travaille avec moi 2. une femme dont je connais le mari 3. un artiste dont j'aime bien le travail 4. un ami dont le père est célèbre 5. une décision dont vous comprenez tous l'importance 6. une pièce dont les fenêtres donnent sur (= look onto) le jardin

---

4 *Whose* et *of which* s'emploient surtout dans un style formel. En anglais familier, on préfère tourner la phrase autrement.

It's a strange question – I don't understand its purpose.

5 "Dont" s'emploie aussi dans un sens non-possessif. *Whose* ne s'emploie pas dans ce cas-là (voir 109.2).

the man you spoke about
l'homme dont vous avez parlé

▶ Pour *whose?* (possessif interrogatif), voir 299.

330 Pronoms relatifs (5) : préposition + qui/lequel

1 En anglais familier, la structure **préposition + "qui/lequel"** se traduit par une tournure dans laquelle la préposition se met en fin de proposition (voir 306). Le pronom relatif est normalement sous-entendu.

*Who's the girl **(who/that)** you were talking **to**?*
Qui est la fille avec qui tu parlais?
*This is the house **(which/that)** she lives **in**.*
Voici la maison dans laquelle elle habite.

Exercice

Traduisez en anglais :
1. l'homme pour qui je travaille 2. le groupe (= group) avec lequel j'ai voyagé 3. la femme à qui je suis en train d'écrire 4. la chaise sur laquelle il a posé (= put) son manteau

---

2 Dans les propositions relatives qui ne sont pas indispensables à la phrase (voir 331), la préposition se met le plus souvent devant le pronom, qui ne peut pas être omis. Cette structure se trouve surtout dans un style formel.

*Bob Littlewood, **with whom** I travelled to Greece, ...*
Bob Littlewood, avec qui j'ai fait un voyage en Grèce, ...
*The house on the corner, **in which** Mrs Carstairs used to live, ...*
La maison au coin de la rue, dans laquelle habitait Mme Carstairs, ...

331 Pronoms relatifs (6) : non emploi *de* that

1 Certaines propositions relatives ne sont pas indispensables à la phrase, car elles apportent seulement un supplément d'information au nom qu'elles complètent. Dans ce cas, on ne peut pas employer *that*. Comparez :

The woman ***that/who has just come in*** *works for my uncle.*
La femme qui vient d'entrer travaille pour mon oncle.
Mrs Bowden, ***who has just come in****, works for my uncle.* (et non ~~*Mrs Bowden, that has just come in, works*~~ ...)
Mme Bowden, qui vient d'entrer, travaille pour mon oncle.

Dans le premier exemple, la proposition *who has just come in* est essentielle à la compréhension de la phrase. (Sans cette information, on ne saurait pas de quelle femme il s'agit.) Dans le deuxième exemple, la proposition relative apporte seulement un supplément d'information; c'est pourquoi elle est entre deux virgules.

Autres exemples :

the people ***that/who live next door***
les gens qui habitent à côté
the Johnson family, ***who live next door,****...* (et non ~~*the Johnson family, that*~~...)
la famille Johnson, qui habite à côté, ...

2 Dans les propositions qui ne sont pas indispensables (celles séparées par des virgules), on ne peut pas sous-entendre le pronom relatif complément. Comparez :

the train_ I usually catch (= the train ***which/that*** *I usually catch)*
le train que je prends d'habitude
the 10.15 train, ***which*** *I caught this morning, ...* (et non ~~*the 10.15 train, I caught*~~ ...)
le train de 10h15, que j'ai pris ce matin, ...

332 Pronoms relatifs (7) : non emploi de la proposition relative

Il y a plusieurs cas où une proposition relative française correspond à une autre structure en anglais.

1 "Il y a/avait des gens, etc. qui" se traduit souvent par une proposition simple (*Some people*, etc.). Voir 189.4.

Some people *are always complaining.*
Il y a des gens qui se plaignent tout le temps.
A girl *told me that there are still some tickets left.*
Il y a une fille qui m'a dit qu'il reste encore des billets.

2 Dans les descriptions, une proposition relative ("qui ...") peut parfois se traduire par une forme en *-ing.*

*a **falling** leaf* — une feuille qui tombe

*a **crying** child* — un enfant qui pleure

*She was kept awake all night by a **barking dog**.*
Elle n'a pas fermé l'œil de la nuit à cause d'un chien qui aboyait.

3 "C'est moi qui ..." se traduit le plus souvent par *I* ... (accentué, voir 337.1).

***I** made the cake!*
C'est moi qui ai fait le gâteau!

4 "Et ... qui ...!" se traduit simplement par "sujet + verbe".

*Seven o'clock already! **Jack's waiting** for me!*
Déjà sept heures! Et Jack qui m'attend!

Exercice

Traduisez en anglais :
1. Il y a des gens qui n'aiment pas la musique. 2. un bébé qui dort 3. Il y a un homme qui a téléphoné. 4. C'est moi qui l'ai dit! 5. Déjà midi (= twelve o'clock)! Et le train qui part à une heure!

333 Prononciation (1) : l'alphabet phonétique

1 **But.**
L'alphabet anglais contient 5 voyelles et 21 consonnes. Or, l'anglais parlé distingue 46 sons différents – 22 voyelles et 24 consonnes. Pour indiquer la prononciation avec précision, il faut donc utiliser un alphabet spécial, qui possède un signe pour chaque son. Voici celui qui est le plus utilisé dans l'enseignement de l'anglais.

2 **Alphabet phonétique.**

voyelles brèves

/ɪ/	**pig** /pɪg/, **fish** /fɪʃ/, **England** /'ɪŋglənd/, **women** /'wɪmɪn/
/e/	**hen** /hen/, **bed** /bed/, **friend** /frend/, **bury** /'beri:/
/æ/	**cat** /kæt/, **had** /hæd/
/ɒ/	**dog** /dɒg/, **stop** /stɒp/
/ʊ/	**book** /bʊk/, **put** /pʊt/
/ʌ/	**duck** /dʌk/, **bus** /bʌs/, **mother** /'mʌðə/, **London** /'lʌndən/
/ə/	**an** /ən/, **under** /'ʌndə/, **until** /ən'tɪl/, **condition** /kən'dɪʃən/

voyelles longues

/iː/ **see** /siː/, **field** /fiːld/, **eat** /iːt/
/ɑː/ **father** /ˈfɑːðə/, France /frɑːns/
/ɔː/ **born** /bɔːn/, **talk** /tɔːk/, **caught** /kɔːt/, **bought** /bɔːt/, **saw** /sɔː/
/uː/ **moon** /muːn/, **shoes** /ʃuːz/, **soup** /suːp/
/ɜː/ **girl** /gɜːl/, **work** /wɜːk/, **turn** /tɜːn/, **heard** /hɜːd/

diphtongues

/eɪ/ **take** /teɪk/, **rain** /reɪn/
/aɪ/ **fly** /flaɪ/, **fine** /faɪn/, **bright** /braɪt/
/ɔɪ/ **coin** /kɔɪn/, **boy** /bɔɪ/
/əʊ/ **coat** /kəʊt/, **rose** /rəʊz/, **don't** /dəʊnt/, **throw** /θrəʊ/
/aʊ/ **now** /naʊ/, **house** /haʊs/
/ɪə/ **beer** /bɪə/, **here** /hɪə/, **near** /nɪə/
/eə/ **chair** /tʃeə/, **where** /weə/, **care** /keə/
/ʊə/ **tourist** /ˈtʊərɪst/

triphtongues

/aʊə/ **flower** /flaʊə/, **hour** /aʊə/
/aɪə/ **fire** /faɪə/, **quiet** /kwaɪət/

consonnes

/θ/ **th**ink /θɪŋk/
/ð/ **th**en /ðen/
/s/ **see** /siː/
/z/ **z**oo /zuː/, plea**s**e /pliːz/
/ʃ/ **sh**ip /ʃɪp/
/ʒ/ vi**s**ion /ˈvɪʒən/, plea**s**ure /ˈpleʒə/
/tʃ/ **ch**ild /tʃaɪld/
/dʒ/ **j**ust /dʒʌst/
/ŋ/ si**ng** /sɪŋ/
/j/ **y**oung /jʌŋ/
/w/ **w**ait /weɪt/, **wh**y /waɪ/

Les consonnes /f, v, p, b, t, d, k, g, m, n, l, r, h/ ont leur valeur normale. Exemple : *parliament* /ˈpɑːlɪmənt/.

On indique l'accent tonique à l'aide d'un petit trait vertical (ˈ) devant la syllabe accentuée : *offer* /ˈɒfə/, *prefer* /prɪˈfɜː/.

Remarque : *sh* se prononce toujours /ʃ/, *ch* se prononce presque toujours /tʃ/.

Exceptions :
/ʃ/ *Chicago* /ʃɪˈkɑːgəʊ/,
/k/ *ache* /eɪk/, *chemist*, *stomach* /ˈstʌmək/, *character.*

334 Prononciation (2) : accent tonique et accent de phrase

1 L'accent tonique.

Dans chaque mot anglais de deux syllabes ou plus, il y a une syllabe qui est prononcée avec plus de force que les autres.

*'**un**der* *un'**til*** *'**con**fident* *con'**fu**sion* *under'**stand***

Pour bien prononcer l'anglais, il est important de placer cet "accent tonique" correctement. Il n'y a pas de règles pour savoir quelle syllabe d'un mot sera accentuée ; il faut apprendre chaque mot avec son accent tonique au fur et à mesure.

Les mots d'une syllabe ne portent pas tous un accent tonique. En règle générale, les noms, verbes, adjectifs et adverbes d'une syllabe sont accentués dans une phrase (voir ci-dessous), tandis que les articles, pronoms, prépositions, conjonctions et auxiliaires se prononcent le plus souvent sans accent.

2 L'accent de phrase.

Il y a une différence fondamentale entre le rythme du français parlé et celui de l'anglais.

En français, les syllabes se succèdent avec régularité : chacune a la même valeur dans le temps. S'il faut 2 secondes pour prononcer une phrase de 10 syllabes[1] (ex. : "Ça fait vingt-quatre ans que j'habite là-bas."), une phrase de 5 syllabes (ex. : "Passe-moi la moutarde.") prendra 1 seconde.

En anglais, par contre, ce sont les syllabes **accentuées** qui se succèdent avec régularité. Dans la phrase ***Pe**ter en**joyed** **work**ing for his **new boss***, les syllabes *Pe-, -joyed, work-, new* et *boss* sont séparées par les mêmes intervalles de temps ; les syllabes sans accent (*-er, en-, -ing, for, his*) se prononcent assez vite pour ne pas interrompre le rythme.

Considérez ces deux phrases :

*'**Jane** '**likes** '**tall** '**men**.*
*There was a '**strange** '**smell** in the '**kit**chen to'**day**.*

La première phrase comporte 4 syllabes, l'autre 11, mais elles contiennent chacune 4 syllabes accentuées – et il faut presque le même temps pour les prononcer.

L'une des fautes les plus caractéristiques des étudiants français est de donner une valeur égale à chaque syllabe d'une phrase anglaise.

1. Il ne s'agit, bien sûr, que de syllabes prononcées.

335 Prononciation (3) : la voyelle /ə/

La voyelle /ə/ ne se trouve jamais dans une syllabe accentuée. Par contre, elle est très fréquente dans les syllabes non accentuées. (C'est, de loin, la voyelle la plus fréquente de la langue anglaise.)

across /ə'krɒs/
atomic /ə'tɒmɪk/
photographer /fə'tɒgrəfə/
Canada /'kænədə/
asleep /ə'sli:p/
particular /pə'tɪkjələ/
conservative /kən'sɜ:vətɪv/
Elizabeth /ɪ'lɪzəbəθ/

336 Prononciation (4) : formes fortes et formes faibles

Comparez la prononciation de *at* dans ces deux phrases :

I got up at /ət/ six o'clock.
What are you looking at /æt/ ?

Dans la première phrase, comme d'habitude, *at* ne porte pas d'accent (les prépositions, conjonctions, articles, pronoms et auxiliaires sont rarement accentués). Dans le deuxième exemple, par contre, *at* se trouve dans une position plus importante (en fin de phrase), et se prononce exceptionnellement /æt/.
Il y a une cinquantaine de mots qui, comme *at*, possèdent deux prononciations : une "forme forte", où la voyelle a sa valeur pleine et une "forme faible" où la voyelle se prononce /ə/). La forme faible est la prononciation normale (puisque ces mots sont rarement accentués). Attention ! Sous l'influence de l'orthographe, on a tendance à trop employer les formes fortes.
Voici la liste des mots les plus fréquents qui possèdent une forme faible :

am /əm, æm/
and /ən(d), ænd/
are /ə(r), ɑ:(r)/
as /əz, æz/
at /ət, æt/
but /bət, bʌt/
can /kən, kæn/
could /kəd, kʊd/
do /də, du:/
does /dəz, dʌz/
for /fə(r), fɔ:(r)/
from /frəm, frɒm/
had /(h)əd, hæd/
has /(h)əz, hæz/
have /(h)əv, hæv/
her /(h)ə(r), hɜ:(r)/
must /məs(t), mʌst/
of /əv, ɒv/
shall /ʃəl, ʃæl/
should /ʃəd, ʃʊd/
some /səm, sʌm/
than /ðən, ðæn/
that /ðət, ðæt/
them /ðəm, ðem/
there /ðə(r), ðeə(r)/
to /tə, tu:/
us /əs, ʌs/
was /wəz, wɒz
were /wə(r), wɜ:(r)/
would /wəd, wʊd/

▶ Pour *some* et *there*, voir 365, 367 et 383.

Remarque : les formes composées avec *n't* ont toujours une prononciation forte.

mustn't /'mʌsnt/
can't /kɑ:nt/

337 Prononciation (5) : accentuation emphatique

1 En anglais parlé, on utilise souvent la prononciation pour faire ressortir un élément de la phrase. On le prononce avec plus de force que d'habitude, et sur un ton plus élevé.
Comparez :

"You saw her on Monday morning?"
"No, on Monday ***evening.****"*
"Non, lundi soir."
"No, on ***Tuesday*** *morning."*
"Non, mardi matin."
"No, I ***telephoned*** *her."*
"Non, je lui ai téléphoné."

Pour traduire la tournure française "C'est ... qui ...", il suffit souvent d'accentuer le sujet de la phrase.

John *did it.*
C'est John qui l'a fait.
I *paid.*
C'est moi qui ai payé.

2 En insistant sur un auxiliaire, on peut exprimer un désaccord ou une contradiction avec ce qui précède.

"You're not 18." "I ***am*** *18."*
"Vous n'avez pas 18 ans." "Mais si, j'ai 18 ans."
It ***didn't*** *rain, after all.*
Finalement, il n'a pas plu.

Do s'ajoute parfois à un verbe affirmatif pour exprimer la même nuance (voir 106.2).

"You didn't pay." "I ***did*** *pay."*
"Tu n'as pas payé." "Mais si, j'ai payé."

Exercices

1. *Lisez les phrases suivantes :*
1. I went with *John*, not Paul. 2. I *do* love you. 3. I live at *thirty*-seven Black Street, not *twenty*-seven. 4. She's got *six* children, not *five*. 5. I ordered *red* wine, not *white*. 6. No, *she* lives in London, and *he* lives in Manchester.

2. *Traduisez en anglais, en soulignant le mot accentué.*
1. C'est moi qui l'ai invité. 2. C'est Maman qui a fait le gâteau. 3. Ce n'est pas moi qui ai pris l'argent. 4. "Je suppose que tu n'as pas faim." "Mais si, j'ai faim." 5. "Il n'a pas 16 ans." "Mais si, il a 16 ans." 6. "Tu n'as pas acheté le pain." "Mais si, je l'ai acheté." (prétérit)

338 Proposer

1 **"Faire une suggestion".**
Dans un style formel, "proposer" se traduit le plus souvent par ***suggest***. Dans un style familier, on a tendance à utiliser des expressions comme ***ask if, let's, why not...?*** ou ***why don't we ...?***

*I **suggest we go** to the exhibition first and then to the cinema.*
***Let's go** to the exhibition first ... / **Why don't we go** ...?*
Je propose qu'on aille d'abord à l'exposition, et après au cinéma.

*My father **suggested that I should go** on holiday with him.*
*My father **asked if I'd like to go** on holiday with him.*
Mon père m'a proposé de partir en vacances avec lui.

▶ Pour les structures qui s'emploient après *suggest*, voir 373.

2 **"Faire une offre".**
Lorsqu'il s'agit de faire une offre, "proposer" = ***to offer***.

*She **offered** to drive me home.*
Elle m'a proposé de me raccompagner en voiture.

On ne met pas de complément d'objet indirect devant l'infinitif.

*He **offered to look after** the children.* (et non ~~*He offered me to look*~~ ...)
Il m'a proposé de garder les enfants.

3 ***To propose.***
To propose (anglais formel) = "avoir l'intention de / compter faire quelque chose". Il ne s'emploie pas pour parler de suggestions, et correspond rarement à "proposer".

*I **propose** to take three months off next year to travel round the world.*
J'ai l'intention de prendre trois mois de congé l'année prochaine pour faire le tour du monde.

*What do you **propose** to do about the children?*
Que comptez-vous faire à propos des enfants?

Exercice

Traduisez en anglais :
1. Je propose qu'on aille voir Cyril. 2. Il m'a proposé de l'aider dans son travail. (prétérit) 3. Il m'a proposé de m'aider dans mon travail. (prétérit) 4. Elle m'a proposé de laver la voiture. (prétérit)

q

339 Questions (1) : règles de base

1 La plupart des questions se forment ainsi :

auxiliaire + sujet + verbe

Have you seen *John ?*
Avez-vous vu John ?

When ***will the car be*** *ready ?* (et non ~~*When the car will be ready ?*~~)
Quand est-ce que la voiture sera prête ?

Are Peter and Kate and the others coming *tomorrow ?*
Est-ce que Peter, Kate et les autres viennent demain ?

2 S'il n'y a pas d'autre auxiliaire, on emploie *do/does* au présent et *did* au prétérit.
Ils sont suivis de l'infinitif sans *to.*

How much ***does the ticket cost*** *?* (et non ... ~~*does the ticket costs ?*~~)
Combien coûte le billet ?

Did you see *Boris ?* (et non ~~*Did you saw Boris ?*~~)
As-tu vu Boris ?

3 Les modaux étant des auxiliaires, ils s'emploient sans *do/does, did* (voir 238)

Can you *swim ?* (et non ~~*Do you can swim ?*~~)
Savez-vous nager ?

When ***must I*** *tell you ?*
Quand est-ce que je dois vous le dire ?

4 *Do* ne s'emploie pas dans les questions dont le sujet est *who, what* ou *which.*

Who said *that ?* (et non ~~*Who did say that ?*~~)
Qui a dit ça ?

What happened ? (et non ~~*What did happen ?*~~)
Qu'est-ce qui s'est passé ?

Which costs *more ?*
Lequel coûte le plus cher ?

Mais : ***What did you*** *say ?* (*What* est complément d'objet.)
Qu'est-ce que tu as dit ?

5 Le redoublement du sujet est très rare en anglais.

*What time does **the postman** come?* (et non ~~*What time does he come, the postman?*~~)
Il vient à quelle heure, le facteur?

Exercices

***1.** Mettez les phrases à la forme interrogative :*
1. His parents know her. 2. Alex Benson works here. 3. Carol and Deborah are coming tomorrow. 4. His mother arrived safely. 5. Nothing happened. 6. Robert likes music. 7. Nick can dance well. 8. She will be pleased.

***2.** Mettez les mots dans le bon ordre :*
1. time this you did morning up get what? 2. live parents do where your? 3. Mrs telephoned Smith has? 4. live sister boyfriend's your does where?

***3.** Traduisez en anglais :*
1. Qui est venu hier? 2. Qui as-tu vu hier? 3. Qu'est-ce qui compte (= to matter) le plus? 4. Qu'est-ce que tu as acheté? (prétérit)

▶ Pour la formation des divers temps actifs, voir 380.
Pour les questions sans inversion, voir section suivante.
Pour les interrogations indirectes, voir 104.
Pour les question-tags, voir 375.

340 Questions (2) : sans inversion

1 En français parlé, les questions s'expriment très souvent par la simple intonation, sans inversion du verbe et du sujet (ex. : "Tu viens avec moi?"). Ce type de structure est beaucoup plus rare en anglais. Pourtant, dans la langue parlée, on pose parfois des questions sans inversion et sans *do*. Cette structure s'emploie :

- pour confirmer une supposition,

***Take-off is** at eight?*
C'est bien à huit heures, le décollage?

***You're** from Canada?*
Vous êtes bien Canadien?

- pour exprimer l'étonnement.

***That's** the boss?*
C'est lui, le patron?

***We're** supposed to eat that?*
On est censés manger ça?

2 Après un mot interrogatif, l'inversion est obligatoire.

***Where can I** buy sunglasses?* (et non ~~*Where I can buy sunglasses?*~~)
Où est-ce que je peux acheter des lunettes de soleil?

341 Questions (3) : interronégation

1 Dans un style familier, l'interronégation se forme normalement ainsi :

auxiliaire + *n't* + sujet + verbe ... ?

Why ***don't they listen?***
Pourquoi ils n'écoutent pas?

Isn't your mother coming?
Votre mère ne vient pas?

Dans un style plus formel, on emploie plutôt la forme non contractée *not*, qui se place après le sujet.

Why ***do they not listen?*** (et non ~~*Why do not they listen?*~~)
Is your mother not coming?

2 En français parlé, on emploie souvent une forme négative pour faire une demande (ex. : "Il n'y a pas de courrier pour moi?", "T'as pas un stylo?"). La forme interronégative ne s'emploie pas de la même manière en anglais; on l'utilise plutôt pour exprimer l'étonnement. Comparez :

Is there *any mail for me?*
Il y a du courrier/Il n'y a pas de courrier pour moi? (= Est-ce qu'il y a du courrier pour moi?)

Isn't there *any mail for me?*
Il n'y a pas de courrier pour moi? (= C'est bizarre : j'attendais une lettre.)

Exercice

Traduisez en anglais (utilisez les formes contractées) :
1. Pourquoi n'as-tu pas répondu? (prétérit) 2. Votre père n'est-il pas médecin? 3. Vous n'êtes pas fatigué? 4. N'êtes-vous pas allé à Manchester la semaine dernière? 5. Vous ne savez pas nager? 6. Tu ne veux pas de pain? 7. Vous n'avez pas un timbre (= stamp), s'il vous plaît? 8. Pourquoi n'es-tu pas venu hier?

342 Quite

1 En anglais britannique, *quite* a deux sens : "assez" (= "moyennement") et "tout à fait", "complètement", selon l'adjectif avec lequel on l'emploie.
Comparez :

quite *cold* assez froid	***quite*** *good* assez bon	***quite*** *old* assez vieux	***quite*** *tired* assez fatigué
quite *finished* tout à fait terminé	***quite*** *perfect* tout à fait parfait	***quite*** *exhausted* tout à fait épuisé	

En général, il n'y a pas de confusion possible (parce que "assez" et "tout à fait" expriment des idées qui ne s'appliquent pas, normalement, aux mêmes adjectifs).
Notez que *quite different* = "tout à fait différent" et non ~~"assez différent"~~.

2 Lorsqu'il signifie "assez", *quite* précède généralement l'article *a/an.*

***quite a** nice day*
un jour assez beau

***quite an** interesting idea*
une idée assez intéressante

3 *Quite* peut aussi précéder un verbe ou un nom.

*I **quite like** skiing.*
J'aime assez le ski.

*I **quite agree**.*
Je suis tout à fait d'accord.

*It's **quite a problem**.*
C'est tout un problème.

4 *Quite a lot (of)* = "pas mal (de)".

*There were **quite a lot of** people.*
Il y avait pas mal de monde.

Exercice

Traduisez en anglais :
1. une règle (= rule) assez difficile 2. complètement impossible 3. tout à fait correct 4. assez cher 5. une maison assez grande 6. une décision assez importante 7. J'aime assez la lecture (= reading). 8. Il a pas mal de disques.

Remarque : en anglais américain, *quite* s'emploie rarement au sens de "assez".

▶ Pour "assez", "suffisamment" (= *enough*), voir 126.

r

343 Rather

1 *Rather* = "assez", "plutôt". *Rather* est un peu plus fort que *quite* (voir 342). Si on fait la critique d'un film, par exemple, *rather good* est plus fort que *quite good*.

*He's **rather** nice.*
Il est assez sympathique.

*I **rather** like swimming.*
J'aime assez la natation.

*It's **rather** hot.*
Il fait plutôt chaud.

2 Devant "adjectif + nom", *rather* peut précéder ou suivre l'article *a/an* sans différence de sens.

*It's **rather a** strange family./It's **a rather** strange family.*
C'est une famille assez bizarre.

Exercice

Traduisez en anglais (en utilisant rather*) :*
1. Il fait plutôt froid. 2. Je suis plutôt inquiet (= worried). 3. J'aime assez le ski (= skiing). 4. C'est un film assez intéressant.

▶ Pour *would rather*, voir 414.

344 Remember et forget + to-infinitif ou -ing

1 ***Remember*** + ***to*-infinitif** = "se rappeler ce qu'on a à faire", "ne pas oublier de faire quelque chose".
Forget + ***to*-infinitif** = "oublier de faire quelque chose".

***Remember to telephone** me tomorrow.*
N'oublie pas de m'appeler demain.

*When I **remembered to go** to the post office it was too late.*
Quand je me suis rappelé que je devais aller à la poste, il était trop tard.

*I **forgot to go** shopping so there's nothing to eat.*
J'ai oublié de faire les courses, alors il n'y a rien à manger.

2 ***Remember*** + ***-ing*** = "se souvenir de ce qu'on a fait".
Forget + ***-ing*** = "oublier ce qu'on a fait".

*I **remember meeting** you in 1988 – or was it 1989?*
Je me souviens de vous avoir rencontré en 1988 ... ou bien était-ce 1989?

*I shall never **forget seeing** her dance.*
Je n'oublierai jamais comme elle dansait.

Exercice

Mettez l'infinitif ou la forme en -ing :
1. Do you remember ... me something last week? (promise) 2. Did you remember ... the letters? (post) 3. I don't remember ... you to this party. (invite) 4. No, you didn't remember ... me but I came anyway. (invite) 5. You forgot ... me this morning. (wake) 6. ... Venice in the moonlight is an experience I shall never forget. (see) 7. Don't forget ... Harry for his keys. (ask) 8.Did you forget ... the door? (lock)

345 ***Remember*** *et* ***remind***

1 ***Remember*** = "se souvenir de", "se rappeler".
Il s'emploie sans préposition.

*I **remember your face**, but I don't **remember your name**.*
Je me souviens de votre tête, mais je ne me souviens pas de votre nom.

*There are three things I can never **remember** – names, faces, and I've forgotten the other.*
Il y a trois choses dont je ne me souviens jamais : les noms, les têtes et ... j'ai oublié la troisième.

2 ***Remind*** = "rappeler (quelque chose à quelqu'un)".
Attention à la construction de la phrase :
on dit soit *to remind somebody **to do** something*, soit *to remind somebody **of** something.*

*I **reminded him to telephone** his father.*
Je lui ai rappelé qu'il devait téléphoner à son père.

*I **reminded her of** her promise.*
Je lui ai rappelé sa promesse.

Exercice

Traduisez en anglais :
1. Vous souvenez-vous de notre conversation? 2. Je ne me rappelle pas le prix exact. 3. Rappelez-moi votre nom. 4. Rappelle-moi que je dois acheter des tomates. 5. Je ne me souviens pas. 6. Ce vin me rappelle mes vacances en Italie.

346 Rendez-vous

1 "Un rendez-vous d'affaires ou chez le dentiste, le médecin", etc. = ***an appointment (with).***

*I have **an appointment with** the dentist tomorrow at four.*
J'ai un rendez-vous chez le dentiste demain à quatre heures.
*He gave me **an appointment** for the next day.*
Il m'a donné un rendez-vous pour le lendemain.

2 Pour un rendez-vous moins formel (ex. : au théâtre, au restaurant), on emploie souvent ***a date***; c'est l'expression courante pour "un rendez-vous amoureux".

*Let's **make a date** for lunch next week.*
Prenons rendez-vous pour déjeuner ensemble la semaine prochaine.
*Susie's all excited, she's got **a date** tonight.*
Susie est toute excitée, elle a un rendez-vous ce soir.

3 Pour dire simplement "avoir rendez-vous avec quelqu'un", on emploie la tournure ***I'm meeting/seeing***.

***I'm meeting** my brother at six.*
J'ai rendez-vous avec mon frère à six heures.
*What time **are you seeing** John and Betty?*
A quelle heure as-tu rendez-vous avec John et Betty?

Pour dire "donner rendez-vous à quelqu'un", on emploie :
- ***say I'll meet (see),***
- ***agree/arrange to meet (see).***

***I said I'd see** her at six.*
Je lui ai donné rendez-vous à six heures.
*We **agreed/arranged to meet** at the station.*
On s'est donné rendez-vous à la gare.

Exercice

Traduisez en anglais :
1. A quel âge as-tu eu ton premier rendez-vous (amoureux)? 2. J'ai rendez-vous chez le docteur mardi matin. 3. J'ai rendez-vous avec mes parents à cinq heures et demie. 4. Lucy, à quelle heure as-tu rendez-vous avec Barbara? 5. J'ai donné rendez-vous à Frank au cinéma. (I told ...) 6. On s'est donné rendez-vous à huit heures.

Remarque : il existe un mot *rendezvous* en anglais, mais il s'emploie rarement, sauf dans un style formel.

347 Réussir

1 ***To succeed (in ...-ing)*** = "réussir (à)".

He ***succeeds in*** *everything he does.* (et non ~~*He succeeds everything*~~ ...)
Il réussit tout ce qu'il entreprend.

I ***succeeded in convincing*** *her.* (et non ~~*I succeeded to convince her.*~~)
J'ai réussi à la convaincre.

2 ***To be successful in*** = "réussir dans le travail, la vie, etc.".

*He'****s successful in*** *business.*
Il réussit bien dans les affaires.

*She'****s been very successful in life****.*
Elle a très bien réussi dans la vie.

3 ***To manage to do something*** = "arriver à/réussir à ...". C'est une expression très courante.

I can't ***manage to*** *open this tin.*
Je n'arrive pas à ouvrir cette boîte.

I didn't ***manage*** *to see him.*
Je n'ai pas réussi à le voir.

4 ***To pass (an exam)*** = "réussir un examen", "être reçu".

He took the entrance exam but he didn't ***pass*** *it.*
Il a passé l'examen d'entrée, mais il n'a pas été reçu.

Notez que *to pass* est un faux ami : "passer un examen" = *to* ***take*** *an exam.*

5 ***To fail*** = "ne pas réussir", ou "rater (un examen)".

I ***failed*** *to convince her.*
Je n'ai pas réussi à la convaincre.

He ***failed*** *his exam.*
Il a raté son examen.

Exercice

Traduisez en anglais :
1. Il réussit beaucoup de choses, mais pas tout. 2. J'ai réussi à trouver un appartement. (deux verbes possibles) 3. J'espère que je vais réussir dans la vie. 4. Gillian a été reçue en maths (= in maths), mais elle a raté les autres matières (= subjects).

S

348 Same

1 *The same ... **as*** = "le même ... que".

*Her dress is **the same** colour **as** her eyes.*
Sa robe est de la même couleur que ses yeux.

*I like **the same** writers **as** you.*
J'aime les mêmes auteurs que toi.

The same as (sans nom) = "la même chose que".

*I think **the same as** you.*
Je pense la même chose que toi.

2 "En même temps" = *at the same time.*
"Quand même" ou "tout de même" = *all the same.*

*We arrived **at the same time**.*
Nous sommes arrivés en même temps.

*Thanks **all the same**.*
Merci quand même.

Exercice

Traduisez en anglais :
1. Elle va à la même école que ma sœur. 2. "Que voulez-vous boire ?" "La même chose qu'hier." 3. J'ai (= I am) le même âge que vous. 4. Elle peut danser et chanter en même temps. 5. Je te verrai demain à la même heure. 6. "Au même endroit (= place) ?" "Oui."

349 Say et tell

1 *Say* et *tell* peuvent tous deux correspondre à "dire". Mais *tell* doit normalement être suivi d'un complément personnel. Comparez :

*He **said** his name.*
Il a dit son nom.

*He **told me** his name.*
Il m'a dit son nom.

"Il m'a dit ..." = *He told me* ... (et non ~~*He said me*~~ ...)

2 Si on emploie un complément personnel après *say*, il faut utiliser la préposition *to.*

*Say hello **to the man**.*
Dis bonjour au monsieur.

*Say something **to me**.*
Dis-moi quelque chose.

3 Au discours direct, on emploie surtout *say*. Au discours indirect, on peut employer les deux ; *tell* est obligatoire lorsque le complément personnel est suivi de *to*-infinitif.

"Go away," he ***said*** *(to me).*
"Va-t-en !" (me) dit-il.
He ***told*** *me* ***to go*** *away.* (et non ~~He said to me to go~~ ...)
Il m'a dit de m'en aller.

Devant *that*, on emploie généralement *say* (sans complément) ou *tell*.

He ***said / told us*** *that he was tired.* (plutôt que *He said to us that* ...)

4 *Tell* peut aussi avoir le sens de "raconter". En ce cas, le complément personnel n'est pas obligatoire.

I like ***telling (children) stories****.*
J'aime raconter des histoires (aux enfants).

On dit aussi *to tell jokes* (= "raconter des blagues") ; *to tell the truth* (= "dire la vérité") ; *to tell a lie* (= "dire/raconter un mensonge").

Exercice

Mettez say *ou* tell *:*
1. What did you ... to the policeman ? 2. I ... him that I was a foreigner. 3. And what did he ... then ? 4. He ... he didn't believe me. 5. He ... me to drive more carefully in future. 6. I ... that I would.

▶ Pour les structures passives avec *say* et *tell*, voir 285 et 284.
Pour *tell about*, voir 280.

350 See et hear + infinitif sans to ou -ing

See et *hear* peuvent être suivis d'un complément d'objet + infinitif sans *to*, ou d'un complément d'objet + *-ing*.

I ***saw him get*** *off the train.*
Je l'ai vu descendre du train.

I ***heard her coming*** *up the stairs.*
Je l'ai entendue monter l'escalier.

Il y a une légère différence. La structure avec l'infinitif s'emploie quand on voit ou entend une action dans sa totalité : la forme en *-ing* s'emploie quand il s'agit d'une action en cours. Comparez :

I ***heard him play*** *the Beethoven concerto the other night. (He* ***played****.)*
Je l'ai entendu jouer le concerto de Beethoven l'autre soir. (Il **a joué**.)
I heard him practising *the violin when I walked past his house. (He* ***was practising****.)*
En passant devant chez lui, je l'ai entendu jouer du violon. (Il **jouait**.)

I ***saw her cross*** *the road and go into a shop. (She* ***crossed****.)*
Je l'ai vue traverser la rue et entrer dans un magasin. (Elle **a traversé**.)
I glanced out of the window and ***saw her crossing*** *the road. (She* ***was crossing****.)*
J'ai jeté un coup d'œil par la fenêtre et je l'ai vue qui traversait la rue. (Elle **traversait**.)

Notez que *play* et *cross* correspondent à un prétérit simple (et un passé composé français). *Practising* et *crossing* correspondent à un prétérit progressif (et un imparfait français).

Exercice

Reliez les phrases comme dans les exemples :
You kissed him. I saw you. → I saw you kiss him.
You were laughing. I heard you. → I heard you laughing.
1. He got on the train. I saw him. 2. She was walking in her room. I heard her. 3. I took the letter. He didn't see me. 4. Someone opened the door. She heard it. 5. You screamed in your sleep. I heard you. 6.They were running away. I saw them.

351 Seul

1 Devant un nom, "seul" (= "unique") se traduit le plus souvent par ***only.***

The ***only problem*** *is that ...*
Le seul problème, c'est que ...

"Un seul" = ***only one***, ou (après une négation) ***a single***.

He has ***only one*** *fault.*
Il a un seul défaut.

*She did****n't*** *say* ***a single*** *word.*
Elle n'a pas dit un seul mot.

2 Dans les autres cas, "seul" se traduit le plus souvent par ***alone***, ***by oneself*** ou ***lonely***.

I can do it ***alone****.*
Je peux le faire seul.
She was sitting ***by herself****.*
Elle était assise toute seule.
All my friends have gone on holiday, and I feel very ***lonely****.*
Tous mes amis sont partis en vacances, et je me sens très seul.

• *Alone* et *by oneself* décrivent une réalité objective (= "sans personne d'autre"). Ils ne peuvent pas s'employer comme épithètes (on ne peut pas dire ~~*an alone child*~~).

• *Lonely* se réfère à un sentiment intérieur de solitude. (On peut être *lonely* au milieu d'une foule, mais pas *alone.)* C'est pourquoi on dit souvent *to feel lonely*.
Lonely peut s'employer comme épithète (ex. : *a lonely child*), ou comme attribut (ex. : *I was/felt lonely*).

Exercice

Traduisez en anglais :
1. C'est ma seule chemise propre (= clean shirt). 2. leur seul enfant 3. Elle se sentait terriblement seule. 4. Je ne peux pas y aller seul. 5. J'ai une seule objection (= objection). 6. Elle n'a pas écrit une seule lettre pendant les vacances.

---

352 *Shall* et *will*

1 *Shall* peut s'employer à la première personne du futur, mais *will* est beaucoup plus courant (voir 149). Les formes négatives contractées sont *shan't* et *won't*. Aux formes affirmatives et négatives, il n'y a pas de différence de sens entre *will* et *shall.*

*I **shall/will** be in Scotland before you.*
Je serai en Ecosse avant toi.

*I **shan't/won't** be long.*
Je ne serai pas long.

2 Dans les questions, il y a une différence entre *shall* et *will. Will* s'emploie pour demander un renseignement, *shall* pour faire une suggestion, pour proposer son aide, ou pour demander un conseil. Comparez :

*If I take the 7.15 train, what time **will** I arrive in Edinburgh?*
Si je prends le train de 7 h 15, à quelle heure est-ce que j'arriverai à Edimbourg ?

***Shall** we go?*	***Shall** I set the table?*	*What **shall** I do?*
On y va?	Je mets la table?	Qu'est-ce que je dois faire?

Notez que *Shall I/we ...?* correspond souvent à un présent français.

Exercice

Mettez shall *ou* will *:*
1. She ... be here at eight. 2. I ... never forget you. 3. ... I carry your bag? 4. Where ... I put the flowers? 5. What time ... I have to start work tomorrow? 6. ... we go to Liverpool this weekend? 7. When ... you be back? 8. The train's gone! What ... we do?

---

353 Should (je devrais, je dois)

1 *Should* est un modal (voir 238). Il est suivi de l'infinitif sans *to*.

*He **should** go.* — Il devrait partir.
*You **shouldn't** smoke.* — Tu ne devrais pas fumer.

2 *Should* peut s'employer pour exprimer une idée de devoir ou pour donner des conseils. C'est comme une forme atténuée de *must* (voir 357 pour la différence).

You should = "tu devrais / vous devriez", "tu dois / vous devez".

*You **should eat** more slowly.*
Tu devrais manger plus lentement.

*I really **should take** some exercise.*
Je devrais vraiment faire de l'exercice physique.

*You **shouldn't judge** other people.*
On ne doit pas juger les autres.

*People **should understand** that the world is changing.*
Les gens doivent comprendre que le monde évolue.

3 *Should* peut aussi exprimer une déduction – l'idée que quelque chose est probable, vu les circonstances. Dans ce sens aussi, *should* est moins fort que *must*.

*"Seven o'clock. She **should be** home now."*
"Sept heures. Elle devrait être chez elle maintenant."

*"She's working in a kindergarten." "Is she? That **should be** interesting."*
"Elle travaille dans un jardin d'enfants." "Ah oui ? Ça doit être intéressant."

Exercice

Traduisez en anglais :
1. Vous devriez aider les autres. 2. Tu devrais conduire moins vite (= more slowly). 3. Nous devrions aller voir Mamie (= Granny). 4. Les gens ne doivent pas gaspiller (= waste) l'eau. 5. Tu devrais aller te coucher. 6. Christian devrait arrêter de fumer. 7. Le rôti (= joint) doit être prêt maintenant : tu peux regarder ? 8. Il est riche : il devrait pouvoir (= be able to) nous aider.

▶ Pour "je devrais" = *I would have to*, voir 102.3.

354 Should + infinitif passé

I should have + participe passé = "j'aurais dû" + infinitif.

*You **should have known**.*
Tu aurais dû le savoir.

*We **shouldn't have gone**.*
Nous n'aurions pas dû partir.

*Anne **should have phoned**.*
Anne aurait dû téléphoner.

Exercice

Traduisez en anglais :
1. J'aurais dû écrire à Steve la semaine dernière. 2. Elle n'aurait pas dû dire ça. 3. Elle n'aurait jamais dû l'épouser. 4. Ils auraient dû y penser. 5. Tu n'aurais pas dû prendre mes clés (= keys). 6. Je n'aurais pas dû essayer de réparer (= repair) la voiture.

355 ***Should*** *après* ***how*** *et* ***why***

Should s'emploie après *how* et *why* pour exprimer l'irritation.

*"What's the time?" "**How should** I know?"*
"Quelle heure est-il?" "Comment veux-tu que je le sache?"
*"Give me a drink." "**Why should** I?"*
"Donne-moi à boire." "En quel honneur?"

356 ***Should*** *après* ***that***

Should* + infinitif sans *to s'emploie comme équivalent du subjonctif français (surtout en anglais britannique) dans certaines propositions introduites par *that.* On le trouve notamment dans les cas suivants.

1 Après des adjectifs exprimant l'importance d'une action.

*It's **important**/essential, etc. **that** he **should be** warned of the danger.*
Il est important/essentiel, etc. qu'il soit prévenu du danger.

▶ Pour *important/essential*, etc. *for ... to ...* (plus fréquent dans le langage familier), voir 143.

2 Après des verbes exprimant l'ordre ou la demande.

*The general **ordered**/requested **that** the prisoner **should be** brought in.*
Le général ordonna/demanda que le prisonnier lui fût amené.

3 Après des adjectifs exprimant une réaction émotionnelle à une situation.

*I was **delighted**/pleased/surprised/shocked/furious **that** she **should** speak to me in such a tone.*
J'étais ravi/heureux/étonné/choqué qu'elle me parle sur un ton pareil.

Exercice

Traduisez en anglais :
1. Il est important que les jeunes reçoivent une bonne formation (= education). 2. J'étais ravi qu'elle me demande de rester. 3. Le général ordonna que les prisonniers fussent exécutés (= executed). 4. Je suis furieuse qu'il réagisse aussi stupidement.

---

357 ***Should*** *et* ***must***

1 *Should* est moins fort que *must.*
Il exprime une déduction ou une opinion plus hésitante, ou une obligation moins bien définie.
Comparez :

*Seven o'clock. She **should be** home now.* (déduction hésitante)
Sept heures. Elle devrait être chez elle maintenant.
*Nine o'clock. She really **must be** home now.* (déduction confiante)
Neuf heures. Elle doit certainement être chez elle maintenant.

*You **should stop** smoking.* (conseil)
Tu devrais arrêter de fumer.
*You really **must stop** smoking, or you'll get ill.* (conseil pressant)
Il faut vraiment que tu arrêtes de fumer, sinon tu vas tomber malade.

*People **should understand** that the world is changing.* (opinion)
Les gens doivent comprendre que le monde évolue.
*People **must understand** that the world is changing.* (opinion très forte, presque comme un ordre)
Il faut absolument que les gens comprennent que le monde évolue.

Notez que *I should* correspond à "je devrais" ou "je dois", selon la force, tandis que *I must* correspond à "je dois (absolument)", "il faut (absolument) que je ...".

2 On n'emploie pas *have to* pour exprimer une opinion morale.
*Judges **should/must** think of the victim first.* (et non ~~*Judges have to think of the victim first.*~~)
Les juges doivent d'abord penser à la victime.
*You **shouldn't/mustn't judge** other people.* (et non ~~*You don't have to judge other people.*~~)
On ne doit pas juger les autres.

▶ Pour *should*, voir 353.
Pour *must*, voir 244.
Pour *have to*, voir 172.
Pour les différentes traductions de "devoir", voir 102.

358 Since (1) : temps

1 Avec *since* (= "depuis"), le verbe principal est normalement au present perfect (pour exprimer **la continuité jusqu'au présent**, voir 314) ou au pluperfect (**continuité jusqu'à un moment du passé**, voir 296).

*I'**ve known** her **since** 1992.* (et non ~~I know her since 1992~~.)
Je la connais depuis 1992.

*We had to leave the house where I **had lived since** my childhood.*
Nous avons dû quitter la maison où j'habitais depuis mon enfance.

2 Dans une proposition subordonnée introduite par *since* (= "depuis que"), le verbe peut être au **prétérit** ou au **present perfect** selon le sens. (Voir 313 pour la différence entre les deux temps.) Comparez :

*I haven't seen her **since she left London**.*
Je ne l'ai pas vue depuis qu'elle a quitté Londres.

*I haven't seen her **since she's been in hospital**.*
Je ne l'ai pas vue depuis qu'elle est à l'hôpital.

Exercice

Traduisez les mots en italique :
1. *(Nous habitons)* here since 1980. 2. He was a good friend. *(Je le connaissais)* since my schooldays. 3. *(Je travaille)* since 6 o'clock this morning. 4. *(J'ai)* this car since July. 5. I've known her since *(elle est venue)* to live in our village. 6. I've known her since *(elle habite)* in our village. 7. He's been very disturbed since his parents *(sont morts)*. 8. She's been very sad since *(il l'a quittée)*.

---

3 Le verbe principal est parfois au présent lorsqu'on parle des changements.

*You'**re looking** much better since your operation.*
Vous avez l'air d'aller beaucoup mieux depuis votre opération.

*She **doesn't come** to see us since her marriage.*
Elle ne vient plus nous voir depuis qu'elle est mariée.

▶ Pour la différence entre *for*, *since* et *from*, voir 100.
Pour *since* = "puisque", voir 46.

359 Since (2) : it is/was ... since

1 *It is ... since* + prétérit.

Cette structure correspond au français "il y a / ça fait … que" + passé composé.

It's *ages* ***since I saw*** *her.*
Il y a une éternité que je ne l'ai pas vue.
It's *five months* ***since he wrote*** *to me.*
Ça fait cinq mois qu'il ne m'a pas écrit.
It is *seventeen years* ***since he left*** *me.*
Il y a dix-sept ans qu'il m'a quittée.

Notez que les deux premiers exemples équivalent à un present perfect + *for* (ex. : *I haven't seen her for ages*), et le troisième à un prétérit + *ago* (*He left me seventeen years ago*).
Notez aussi que le verbe qui suit *since* est toujours **affirmatif**, alors qu'il est souvent négatif en français.

Exercice

Traduisez en anglais :
1. Il y a longtemps que je n'ai pas pris de vacances (= have a holiday). 2. Ça fait cinq ans qu'on ne s'est pas vus. 3. Il y a trois ans qu'il a changé de métier (= jobs). 4. Il y a deux mois qu'elle est partie.

---

2 Au passé, on emploie "*it was … since*" + pluperfect.

It was *a long time* ***since I had seen*** *her.*
Il y avait longtemps que je ne l'avais pas vue.

360 *Small* et *little*

1 *Small* s'emploie pour désigner, d'une manière objective, la taille de quelqu'un ou de quelque chose.

He prefers ***small*** *women.*
Il préfère les femmes petites.

We've got a ***small*** *flat.*
Nous avons un petit appartement.

2 *Little* ajoute une nuance subjective, par exemple d'affection, de pitié ou de mépris.

He's very kind to his ***little*** *sister.*
Il est très gentil avec sa petite sœur.
Poor ***little*** *dog!*
Pauvre petit chien!
I hate this horrible ***little*** *flat!*
Je déteste cet horrible petit appartement!

3 *Little* (comme les autres adjectifs) ne peut pas s'employer sans nom. "Pauvre petit!" = ***Poor little boy!*** (et non ~~*Poor little!*~~).

Exercice

Mettez small *ou* little :
1. You stupid ... man! 2. Could I have a ... portion, please? I'm not very hungry. 3. I've got long legs so I don't like ... cars. 4.What a beautiful ... cat! 5. This coat is too ... for me. 6. a romantic ... village

361 ***So*** *et* ***not* : *reprise***

1 Les réponses courtes "je crois", "je suppose", "j'espère" se traduisent par ***I think so, I suppose so, I hope so***.

"Is Bob ready?" ***"I think so."*** (et non ~~*I think*~~.)
"Est-ce que Bob est prêt?" "Je crois."

"Are they coming by car?" ***"I suppose so."***
"Est-ce qu'ils viennent en voiture?" "Je suppose."

"Do you think you'll be happy one day?" ***"I hope so."***
"Tu crois que tu seras heureux un jour?" "J'espère."

So s'emploie de la même manière avec l'expression *I'm afraid* (= *I'm sorry to tell you* ..., voir 14.3).

"Is she hurt?" ***"I'm afraid so."***
"Est-ce qu'elle est blessée?" "Je le crains."

2 A la forme négative, on dit toujours ***I hope not, I'm afraid not*** et ***I don't think so***. On peut dire ***I suppose not*** ou ***I don't suppose so***.

"Do you think it's going to rain?" ***"I hope not."*** (et non ~~*I don't hope so*~~.)
"Tu crois qu'il va pleuvoir?" "J'espère que non."

"Can you lend me some money?" ***"I'm afraid not."***
"Peux-tu me prêter de l'argent?" "Je suis désolé, mais c'est impossible."

"Will you be back late?" ***"I don't think so."***
"Tu rentreras tard?" "Je ne crois pas."

Exercice

Répondez aux questions en utilisant les verbes entre parenthèses :
1. Are you a nice person? (think) 2. Will the weather be fine tomorrow? (hope) 3. Will you be rich one day? (hope) 4. Is your English perfect? (afraid) 5. Do you sometimes make mistakes? (afraid) 6. Will you end your life in prison? (hope)

362 ***So*** *et* ***such***

***So* et *such* = "si", "tellement", "aussi", etc.**

1 On emploie *so*, comme *how*, devant un adjectif seul ou un adverbe. On emploie *such*, comme *what*, devant un nom précédé ou non d'un adjectif.

so + adjectif/adverbe	**such** (+ *a/an*) (+ adjectif) + nom
He's ***so nice****.* Il est si gentil.	*He's* ***such a*** *nice boy.* (et non ~~a such~~) C'est un garçon si gentil.
She's ***so patient****.* Elle est tellement patiente.	*She's got* ***such patience****.* Elle a une telle patience.
Don't drive ***so fast****!* Ne conduis pas aussi vite !	*I'd never met* ***such fast drivers****.* Je n'avais jamais rencontré des gens qui conduisaient aussi vite.

2 *So* et *such* peuvent tous deux être suivis d'une proposition introduite par *that.*

I was ***so*** *tired* ***that*** *I couldn't walk any more.*
J'étais tellement fatigué que je ne pouvais plus marcher.

It was ***such*** *a lovely day* ***that*** *we decided to go on a picnic.*
Il faisait si beau que nous avons décidé de faire un pique-nique.

Exercice

Mettez so *ou* such *:*
1. You're ... stupid! 2. I've had ... a good idea. 3. Have you ever seen ... big trees? 4. It was ... cold that his breath turned to ice. 5. I've got ... an interesting job that I don't like going home at the end of the day. 6. He plays ... badly!

363 So much et so many

***So much/many* = "tant/tellement de".**

1 ***So much*** + nom singulier (exprimé ou sous-entendu).

They've got ***so much money****.*
Ils ont tellement d'argent.

It costs ***so much****. (= so much* ***money****)*
Ça coûte tellement d'argent.

So much s'emploie aussi comme adverbe.

Don't talk ***so much****.*
Ne parle pas tant.

2 ***So many*** + nom pluriel (exprimé ou sous-entendu).

There are ***so many things*** *I like.*
Il y a tellement de choses que j'aime.

"How many friends have you got?" "I don't know – I've got ***so many.****"*
"Combien avez-vous d'amis?" "Je ne sais pas, j'en ai tellement."

Exercice

Mettez so much *ou* so many *:*
1. She had ... children that she didn't know what to do. 2. You shouldn't eat ... 3. There are ... nice people in the world. 4. I've got ... to do. 5. I've got ... things to do. 6. There's ... that I want to say to you.

▶ Ne confondez pas *so much/many* avec *too much/many* (= "trop", voir 390).

364 So that, in order that + should, could, would ...

Dans les phrases qui se rapportent au passé, *so that* et *in order that* peuvent être suivis de *should, could, would* ou (rarement) *might*, selon le sens.

I walked very quietly ***so that*** *he* ***shouldn't*** *wake up.*
J'ai marché très doucement afin de ne pas le réveiller.

I spoke very clearly ***in order that*** *everybody* ***could*** *understand.*
J'ai parlé très clairement pour que tout le monde comprenne.

I talked to her ***so that*** *she* ***wouldn't*** *feel left out.*
Je lui ai parlé afin qu'elle ne se sente pas exclue.

Nearly four million buffalo were destroyed in the American west ***so that*** *civilisation* ***might*** *advance.*
Près de quatre millions de bisons furent détruits dans l'Ouest américain afin que la civilisation puisse progresser.

365 Some *et* any

1 *Some* s'emploie généralement dans une phrase affirmative, *any* dans une question ou avec *not.*

I'd like ***some*** *coffee.*
Je voudrais du café.

I haven't got ***any*** *money.*
Je n'ai pas d'argent.

Have you got ***any*** *stamps?*
Avez-vous des timbres?

2 On emploie *some* dans une question lorsqu'on sollicite une réponse affirmative, par exemple dans des offres ou des demandes.

Would you like ***some*** *more meat? (= Have* ***some*** *more meat.)*
Tu reveux de la viande?

*Could I have **some** sugar, please?*
Est-ce que je peux avoir du sucre, s'il vous plaît?

On emploie *any* après des mots qui ont un sens négatif comme *never, without, hardly* (= "presque pas"). On l'emploie souvent aussi après *if.*

*She **never** makes **any** suggestions.*
Elle ne fait jamais de suggestions.

*We got there **without any** trouble.*
Nous sommes arrivés là-bas sans aucun problème.

*There's **hardly any** tea left.*
Il ne reste presque plus de thé.

*If you need **some/any** help, let me know.*
Si tu as besoin d'aide, préviens-moi.

3 *Some* et *any* peuvent s'employer comme pronoms (= "en").

*Have you got **some/any**?*
Vous en avez?

*There isn't **any**.*
Il n'y en a pas.

*I can't see **any** of them.*
Je n'en vois aucun.

4 *Some* n'est pas la traduction systématique de "du, de la, des, de". Souvent ces mots ne se traduisent pas en anglais; *some* et *any* s'appliquent surtout à une quantité un peu vague. Comparez :

*She's got **some** good friends.*
Elle a de bons amis.

She's got _ beautiful feet.
Elle a de beaux pieds.

5 Notez également que *some* ne peut pas s'appliquer à une grande quantité.

If I had money, I'd travel round the world. (et non ~~*If I had some money*~~ ...)
Si j'avais de l'argent (= beaucoup d'argent), je ferais le tour du monde.

6 Devant un nom, *some* se prononce /səm/.

Exercice

Mettez some *ou* any :
1. Have you got ... matches? 2. I've found ... money. Is it yours? 3. She hasn't got ... brothers or sisters. 4. I went to bed without ... supper. 5. We've got hardly ... milk in the fridge. 6. Would you like ... beer? 7. Are there ... English people living near here? 8. No, I don't think there are ...

▶ Pour *any* = "n'importe quel", voir 34. Pour *not any, not a, no* et *none*, voir 260. Pour *any* et *no* (adverbes), voir 35.

366 Some, any, every, no : composés

Les composés de *some, any, every* et *no* (*someone, anybody, everywhere, nothing,* etc.) suivent les mêmes règles d'emploi que *some, any, every* et *no* (voir 365, 34, 20 et 260).
Il n'y a pas de différence entre *everybody* et *everyone*, *somebody* et *someone*, etc. Notez que *everybody/everyone* et *everything* sont des singuliers (= "tout le monde" et "tout").

***Everybody loves** her.* (et non ~~*Everybody love her.*~~)
Tout le monde l'aime.

***Everything's** ready.*
Tout est prêt.

Exercice

Traduisez en anglais :
1. Je vous ai vu quelque part. (present perfect) 2. Est-ce qu'il y a quelqu'un ? 3. Il n'y a personne. 4. Je ne comprends rien. 5. "Où habitez-vous ?" "Nulle part." 6. Quelqu'un a téléphoné. (prétérit)

---

367 Some *(certains)*

Some, prononcé alors /sʌm/, peut s'employer au sens de "certains" ou "il y a ... qui" appliqué à une petite quantité. Il est alors parfois en contraste avec *others.*

***Some** of us didn't agree.*
Certains d'entre nous n'étaient pas d'accord.

***Some** children were crying.*
Il y avait des enfants (= quelques-uns) qui pleuraient.

***Some** people like jazz, **others** like classical music.*
Certaines personnes aiment le jazz, d'autres préfèrent la musique classique.

368 Steal *et* rob

1 ***To steal*** = "voler un objet / de l'argent", etc. (= quelque chose qu'on emporte avec soi).
To rob = "voler quelqu'un" ou "cambrioler une banque", etc.

*My moped has been **stolen**.*
On m'a volé ma mobylette.

*I've been **robbed**.*
On m'a volé.

2 Attention aux prépositions : on dit *to steal something* ***from*** *somebody/ somewhere*, et *to rob somebody* ***of*** *something.*

Some kids ***steal from*** *shops.*
Certains gosses volent dans les magasins.
She was ***robbed of*** *her favourite necklace.*
On lui a volé son collier favori.

Exercice

Mettez steal (from) *ou* rob (of) *à la forme qui convient :*
1. Someone has just ... my purse (= porte-monnaie). 2. My neighbour has been ... several times. 3. I think she ... some things ... my room last night. 4. "What did they ... ?" "Money and some jewellery." 5. ... -ing a bank is not easy these days. 6. They were ... ... everything.

369 ***Still*** *et* ***yet***

Still est tourné vers le passé (←), *yet* vers l'avenir (→).

1 ***Still*** **= "encore", "toujours".**

She's ***still*** *asleep.*
Elle dort encore.

Do you ***still*** *live in London ?*
Vous habitez toujours à Londres ?

2 Dans une question, ***yet*** se traduit généralement par **"déjà"**.

Have they arrived ***yet****?*
Est-ce qu'ils sont déjà arrivés ?

Have you had lunch ***yet****?*
Est-ce que vous avez déjà déjeuné ?

3 ***Still ... not*** **= "toujours pas" (←).**
Not ... yet **= "pas encore" (→).**

She ***still*** *doesn****'t*** *know.*
Elle ne le sait toujours pas.

*It is****n't*** *time to go home* ***yet****.*
Il n'est pas encore l'heure de rentrer.

Notez la place de *yet* : en fin de proposition.

Exercice

Traduisez en anglais :
1. Est-ce que Christine est déjà levée (= up) ? 2. Vous êtes toujours aussi belle. 3. Je ne suis pas encore prêt à me marier (= get married). 4. Il est encore à Londres. 5. Vous êtes toujours à l'université ? 6. Elle n'a toujours pas compris.

► Pour la différence entre *still* et *always*, voir 387.
Pour les autres traductions de "déjà", voir 99.

370 *Stop* + *to*-infinitif ou *-ing*

1 *Stop* + *to*-infinitif = "s'arrêter pour (faire quelque chose)".

*I met Leslie in the street, so **I stopped to talk** to her.*
J'ai rencontré Leslie dans la rue, alors je me suis arrêté pour lui parler.

2 *Stop* + *-ing* = "arrêter de" ou "s'arrêter de".

*I must **stop smoking**.* (et non ~~*I must stop to smoke.*~~)
Il faut que j'arrête de fumer.

Notez que *to stop someone (from) doing something* = "empêcher quelqu'un de faire quelque chose".

*She **stops me (from) spending** all my money.*
Elle m'empêche de dépenser tout mon argent.

Exercice

Mettez le verbe à la forme qui convient :
1. Please stop ... – I'm trying to concentrate. (talk) 2. If you stop ... I'll give you £100. (smoke) 3. I'm getting tired – I think I'll stop ... a rest. (have) 4. I'll stop ... when I'm 60. (work)

---

371 *Strange, stranger, foreign* et *foreigner*

1 *Strange* = "bizarre", "étrange"; *a stranger* = "un inconnu".

*You're wearing a very **strange** shirt today.*
Tu portes une chemise très bizarre aujourd'hui.
*One afternoon, a **stranger** arrived in the town.*
Un après-midi, un inconnu est arrivé dans la ville.

2 *Foreign* = "étranger" (adjectif) ; *a foreigner* = "un étranger".

*Not many Americans speak **foreign** languages.*
Il n'y a pas beaucoup d'Américains qui parlent une langue étrangère.
*She's going to marry a **foreigner** – a Mexican, I think.*
Elle va se marier avec un étranger – un Mexicain, je crois.

Exercice

Mettez strange, stranger(s), foreign *ou* foreigner(s) :
1. He's a ... – listen to his accent. 2. Do you like eating ... food, like curry or paella ? 3. She had a very ... expression on her face. 4. "Who's that ?" "I don't know. He's a complete ..." 5. There are all sorts of ... in Paris – for example Germans, Americans, Greeks, Japanese. 6. It's not easy for ... to get work in London. 7. I feel ... today. 8. He's English, but he's got a ... wife.

---

372 Subjonctif

1 Le subjonctif s'emploie peu en anglais britannique. (Il est beaucoup plus courant en anglais américain.) La seule forme fréquente est *were*, qu'on trouve, au lieu de *was*, après *if* (voir 187) et *I wish* (voir 411).

***If** it **weren't/wasn't** so cold I'd go out.*
S'il ne faisait pas si froid, je sortirais.

***I wish** I **were/was** older!*
Si seulement j'étais plus âgé !

2 A la troisième personne du singulier du présent, il existe une forme de subjonctif qui ressemble à l'infinitif (ex. : *he write, she go).* Le verbe *be*, exceptionnellement, possède une forme de subjonctif – *be* – à toutes les personnes du présent.
On emploie parfois ces formes après des expressions comme *it is important/necessary/essential that ...*

***It is important that** everybody **write** to the President.*
Il est important que tout le monde écrive au Président.

On les trouve aussi après des verbes comme *order, demand, command et request (that).*

*He **requested that** the interview **be** tape recorded.*
Il demanda que l'interview soit enregistrée.

Mais on emploie beaucoup plus souvent une structure avec *should* dans ce cas-là (voir 356).

373 Suggest

1 ~~*Suggest me*~~ est impossible. Lorsqu'il est nécessaire de préciser à qui une suggestion s'adresse, on emploie *to* devant le complément indirect.

*Can you **suggest** a solution (**to me**)?* (et non ~~*Can you suggest me a solution?*~~)
Peux-tu me suggérer une solution ?

*I **suggested to Helen** that it was time to go.*
J'ai suggéré à Helen qu'il était l'heure de partir.

2 *Suggest* peut être suivi de *that ...*, mais pas d'une proposition infinitive.

*I **suggest (that)** you see a doctor.* (et non ~~*I suggest you to see a doctor.*~~)
Je vous suggère de voir un médecin.

Au passé, *that* peut être suivi de *should* ou du subjonctif, plus fréquent en américain (voir 372).

*My uncle **suggested (that) she should get** a job in Germany.*
*My uncle **suggested (that) she get** a job in Germany.*
Mon oncle lui a suggéré de trouver du travail en Allemagne.

3 *Suggest* peut aussi être suivi de *-ing* lorsque le sujet est inclus dans l'action.

*He **suggested going** for a walk.*
Il a proposé (de faire/qu'on fasse) une promenade.

▶ Pour les autres traductions de "proposer", voir 338.

Exercice

Traduisez en anglais :
1. Pouvez-vous me proposer un bon restaurant? 2. J'ai suggéré à Nick qu'il avait pris la mauvaise route (= the wrong road). 3. Je leur ai suggéré de parler au patron. 4. Je propose qu'on arrête pendant quelques minutes.

374 Sure, surely, certainly

1 ***Sure*** peut être adjectif (= "sûr", "certain") ou adverbe (= "certainement", "absolument", surtout en anglais américain).

*Are you **sure** he's coming?*
Tu es sûr qu'il vient?
*"Do you really believe it?" "**Sure.**"*
"Tu le crois vraiment?" "Absolument."

2 ***Certainly*** = "certainement", "sûrement".

*Dan will **certainly** be pleased to see you.*
Dan sera sûrement content de te voir.

3 On emploie surtout ***surely*** pour exprimer l'incrédulité. (Les phrases avec *surely* peuvent se terminer par un point d'interrogation). L'équivalent français est souvent "Mais ...", "Ce n'est pas possible ..." ou "C'est pas vrai ...".

***Surely** that's Lucy over there? I thought she was in Australia.*
Mais ... c'est Lucy là-bas. Je la croyais en Australie.
***Surely** you don't believe in Father Christmas?*
C'est pas vrai, tu ne crois pas au père Noël?

t

375 Tags (1) : les "question-tags"

On appelle "question-tags" les petites questions **(auxiliaire + pronom sujet)** qui viennent souvent en fin de phrase en anglais. Elles correspondent généralement à "n'est-ce pas ?", "hein ?" ou "non ?", mais varient selon le verbe de la phrase principale. Le plus souvent, une phrase affirmative est suivie d'une question-tag négative, et vice versa.

1 Phrase affirmative, tag négatif.

***You're** lucky, **aren't you**?*
Vous avez de la chance, n'est-ce pas ?

***He'll** come, **won't he**?*
Il viendra, n'est-ce pas ?

2 Phrase négative, tag affirmatif.

***She can't** do it, **can she**?*
Elle ne sait pas le faire, hein ?

***He didn't** understand, **did he**?*
Il n'a pas compris, hein ?

3 *Do.*
Après une phrase qui ne contient pas d'auxiliaire, le tag se compose avec *do/does* ou *did.*

***You like** fish, **don't you**?*
Vous aimez le poisson, n'est-ce pas ?

***They won, didn't they**?*
Ils ont gagné, non ?

4 Cas particuliers.
I'm est repris par *aren't I ?*, *let's* par *shall we ?* et l'impératif par *will you ?*

***I'm** very late, **aren't I**?*
Je suis très en retard, hein ?

***Let's** go out, **shall we**?*
On sort ?

***Stop** that noise, **will you**?*
Tu arrêtes ce bruit ?

***Don't forget, will you**?*
N'oublie pas, d'accord ?

▶ Pour *everybody*, *nobody*, etc., repris par *they*, voir 324.
Pour *have* (verbe ordinaire) repris par *do*, voir 168.3.

5 Prononciation.
Lorsqu'on emploie une question-tag pour demander un renseignement, on la prononce avec une intonation montante.

*"He'll come, **won't he**?" "No, he won't."* (↗)
"Il viendra, n'est-ce pas ?" "Non, il ne viendra pas."

Mais très souvent, la question-tag n'est qu'une formule (comme "n'est-ce pas?") par laquelle on ne demande aucun renseignement. En ce cas, on la prononce avec une intonation descendante.

"Nice day, ***isn't it****?" "Yes, it is."*
"Il fait beau, hein?" "Oh, oui."

Exercice

Complétez les phrases avec des question-tags :
1. You're English, ...? 2. You can't swim, ...? 3. Alice works in a bank, ...? 4. You haven't got a light, ...? 5. You'll be here tomorrow, ...? 6. It rains a lot in Scotland, ...? 7. I'm lucky, ...? 8. You were late this morning, ...? 9. Let's start, ...? 10. Don't tell him, ...?

---

376 Tags (2) : reprises interrogatives (ah oui? ah bon?...)

1 Un tag interrogatif peut s'employer comme réponse (= "Ah oui?" ou "Ah bon?").

"It was a bad film." ***"Was it****?"*
C'était un mauvais film." "Ah oui?"
"Peter needs help." ***"Does he****?"*
"Peter a besoin d'aide." "Ah bon?"
"I can't understand anything." ***"Can't you****? I am sorry."*
"Je ne comprends rien." "Ah bon? Je suis vraiment désolé."

On emploie un tag positif pour répondre à une phrase affirmative (voir les deux premiers exemples ci-dessus), et un tag négatif pour répondre à une phrase négative (voir dernier exemple).

Exercice

Répondez aux phrases suivantes :
1. "I'm tired." "...?" 2. "Sally's coming here tomorrow." "...?" 3. "My brother's got five girlfriends." "...?" 4. "My sister looks like a model (= mannequin)." "...?" 5. "I don't like this music." "...?" 6. She hasn't written to me for months." ...?"

---

2 On utilise parfois une question plus complète **(phrase + tag)** comme réponse ou réaction.

So ***you're*** *getting married,* ***are you****?*
Alors comme ça, tu te maries?
You think *you're funny,* ***do you****?*
Tu te crois drôle, peut-être?

377 Tags (3) : réponses courtes

1 En anglais parlé, on répond souvent à une remarque ou une question par un tag au lieu de dire simplement *"Yes"* ou *"No"*. Le tag reprend l'auxiliaire de la phrase qui précède.

*"You're late." "Yes, **I am**."*
"Vous êtes en retard." "Oui."

*"Can you help me ?" "No, **I can't**."*
"Pouvez-vous m'aider ?" "Non."

S'il n'y a pas d'auxiliaire, on emploie *do/does* ou *did.*

*"I'm sure you **want** an ice-cream." "Oh yes, **I do**."*
Je suis sûr que tu veux une glace." "Oh oui."

*"I **think** he went there in July." "Yes, **he did**."*
"Je crois qu'il y est allé en juillet." "C'est exact."

Exercice

Complétez les phrases suivantes :
1. "Are you tired ?" "No, ..." 2. "Can you swim ?" "Yes, ..." 3. "You've got my money." "No, ..." 4. "Does she ever go skiing ?" "No, ..." 5. It's a lovely house." "Yes, ..." 6. "Did they enjoy the film ?" "No, ..." 7. "Was your mother pleased ?" "Oh, yes, ..." 8. "Do you understand now ?" "Yes, ..."

---

2 Un tag peut apporter une contradiction (en français parlé, on dit alors "pas moi", "moi si", etc.). Le tag est affirmatif ou négatif selon le verbe qui précède.

*"**I'm** hungry." "**I'm not**."*
"J'ai faim." "Pas moi."

*"I **don't** like him." "**I do**."*
"Je ne l'aime pas." "Moi si."

Exercice

Apportez la contradiction :
1. "I love getting up early." "I ..." 2. "I don't like fish." "I ..." 3. "I agree with her." "I ..." 4. "I'm very lazy." "I ..." 5. "I can't sing." "I ..." 6. "I haven't got a pen." "I ..." 7. "I don't believe in God." "I ..." 8. "I was terrified." "I ..."

---

378 Tags (4) : réponses courtes *avec* so *et* neither/nor

1 "Moi aussi", "lui aussi", etc., peut se traduire par ***so* + auxiliaire + sujet**. L'auxiliaire varie selon la phrase qui précède.

*"**I'm** hot." "**So am I**."*
"J'ai chaud." "Moi aussi."

"I've forgotten her name." "So have I."
"J'ai oublié son nom." "Moi aussi."
*"My girlfriend **works** at Barclay's." "**So does my sister.**"*
"Mon amie travaille chez Barclay." "Ma sœur aussi."

2 "Moi non plus", "lui non plus", etc., peut se traduire par ***neither/nor* + auxiliaire + sujet**.

*I've never been abroad." "**Neither have I.**"* (ou *"**Nor have I.**"*)
"Je ne suis jamais allé à l'étranger." "Moi non plus."
*"I can't dance." "**Neither/nor can I.**"*
"Je ne sais pas danser." "Moi non plus."

Exercice

Répondez aux phrases suivantes en utilisant So ... *ou* Neither ... :
1. "I can't fly." 2. "I'm learning English." 3. "I often forget things." 4. "I've got a nice personality." 5. "I don't understand everything I read." 6. "I've never seen a ghost (= un fantôme)."

▶ Pour les autres traductions de "moi aussi" et "moi non plus", voir 57.

379 *Talk* et *speak*

1 On emploie *talk* (plutôt que *speak*) lorsqu'il s'agit d'une conversation. Par contre, on emploie plutôt *speak* lorsqu'il s'agit d'une situation où une seule personne parle. Comparez :

*We all sat in Jane's room **talking** until midnight.*
On est resté bavarder dans la chambre de Jane jusqu'à minuit.
***I was talking** to Andrew when Sheila came in.*
J'étais en train de parler avec Andrew quand Sheila est entrée.

*I was so shocked that I couldn't **speak**.*
J'étais si bouleversé que je ne pouvais plus parler.
*That child is getting very disobedient – I must **speak** to him.*
Cet enfant devient très désobéissant : il faut que je lui parle.

2 Quand on demande quelqu'un au téléphone, on dit normalement *Can I speak to ...?* (anglais américain aussi *Can I speak with ...?*)

3 On emploie *speak* pour parler de la connaissance ou de l'utilisation des langues.

*Can you **speak German**?*
Parlez-vous allemand ?
*I'd like to be able to **speak Japanese**.*
J'aimerais savoir parler le japonais.

Exercice

Mettez talk *ou* speak *à la forme qui convient :*
1. My sister and I spend hours ...-ing. 2. (on the phone) Can I ... to Dan, please? 3. She can't ..., she's lost her voice. 4. We just ... and listened to music all evening.

380 Temps : tableau des conjugaisons actives

FORMES SIMPLES

présent (307) : *j'aide, tu aides, il aide, ...*	prétérit (316) : *j'aidais, j'ai aidé, j'aidai* *tu aidais, tu as aidé, tu aidas*
I help he/she/it help**s** **do** I help? **does** he help? I **do not** help he **does not** help	I help**ed** **did** I help? I **did not** help
futur (149) : *j'aiderai, tu aideras, ...*	conditionnel présent (92) : *j'aiderais, tu aiderais, ...*
I **will** help (shall *possible après* I *et* we) **will** I help? I **will not** help	I **would** help (should *possible après* I *et* we) **would** I help? I **would not** help
present perfect (312) : *j'ai aidé, tu as aidé, il a aidé, ...* *(avec* for *et* since *: j'aide, ...)*	pluperfect (295) : *j'avais aidé, tu avais aidé* *(avec* for *et* since *: j'aidais, ...)*
I **have** help**ed** he **has** help**ed** **have** I help**ed**? **has** he help**ed**? I **have not** help**ed** he **has not** help**ed**	I **had** help**ed** **had** I help**ed**? I **had not** help**ed**
futur antérieur (153) : *j'aurai aidé, tu auras aidé, ...*	conditionnel passé (93) : *j'aurais aidé, tu aurais aidé, ...*
I **will have** help**ed** (shall *possible après* I *et* we) **will** I **have** help**ed**? I **will not have** help**ed**	I **would have** help**ed** (should *possible après* I *et* we) **would** I **have** help**ed**? I **would not have** help**ed**

FORMES PROGRESSIVES

présent (309) : *j'aide (je suis en train d'aider), tu aides, il aide, ...*	prétérit (318) : *j'aidais (j'étais en train d'aider), tu aidais, il aidait, ...*
I **am** helping, you **are** helping, he / she / it **is** helping, ... **am** I helping? **are** you helping? ... I **am not** helping, you **are not** helping, ...	I **was** helping, you **were** helping, he/she/it **was** helping, ... **was** I helping? **were** you helping? ... I **was not** helping, you **were not** helping, ...
futur (154) : *j'aiderai (je serai en train d'aider), ...*	conditionnel présent : *j'aiderais (je serais en train d'aider), ...*
I **will be** helping (shall *possible après* I *et* we) **will** I **be** helping? I **will not be** helping	I **would be** helping (should *possible après* I *et* we) **would** I **be** helping? I **would not be** helping
present perfect (314) : *j'ai aidé, tu as aidé, il a aidé, ... (avec* for *et* since : *j'aide, ...)*	pluperfect (296) : *j'avais aidé, tu avais aidé ... (avec* for *et* since : *j'aidais, ...)*
I **have been** helping he **has been** helping **have** I **been** helping? **has** he **been** helping? I **have not been** helping he **has not been** helping	I **had been** helping **had** I **been** helping? I **had not been** helping
futur antérieur (153) : *j'aurai aidé (j'aurai été en train d'aider), ...*	conditionnel passé : *j'aurais aidé (j'aurais été en train d'aider), ...*
I **will have been** helping (shall *possible après* I *et* we) **will** I **have been** helping? I **will not have been** helping	I **would have been** helping (should *possible après* I *et* we) **would** I **have been** helping? I **would not have been** helping

▶ Pour les contractions, voir 94. Pour les formes passives, voir 281.

381 Than, as, that *(que)*

1 **Que = *than*** après un adjectif ou un adverbe au comparatif (voir 80-81).

She's taller ***than*** *me.*
Elle est plus grande que moi.

*You can't go faster **than** light.*
On ne peut pas aller plus vite que la lumière.

Notez aussi *other than* et *rather than.*

*I had no **other** choice **than** to accept.*
Je n'avais pas d'autre choix que d'accepter.

***Rather than** make a decision now, I'd prefer to think for a few days.*
Plutôt que de prendre une décision maintenant, je préfère réfléchir pendant quelques jours.

2 **Que =** ***as*** dans les comparaisons d'égalité (voir 44, 49, 348).

*She's **as** tall **as** me.*
Elle est aussi grande que moi.

*I've got **as many** problems **as** you have.*
J'ai autant de problèmes que toi.

*at **the same** place **as** before*
au même endroit qu'avant

3 **Que =** ***that*** dans presque tous les autres cas. Mais *that* est très souvent sous-entendu (voir 382).

He said (that) he disagreed.
Il a dit qu'il n'était pas d'accord.

the man (that) she married
l'homme qu'elle a épousé

Exercice

Mettez than, as *ou* that *:*
1. You're as a beautiful ... your sister. 2. Here are the papers ... you asked for. 3. It's better ... nothing. 4. Come as quickly ... you can. 5. I don't think ... she will come. 6. Pittsburgh is farther from here ... New York.

Remarque : notez que "ne ... que" = *only* ("seulement").

*It's **only** three o'clock.*
Il n'est que trois heures.

▶ Pour "que" = *who(m), which*, voir 326.
Pour "ce que", voir 328.
Pour "il y a ... que", voir 189.3.

382 *That :* omission

Dans un style familier, on omet souvent la conjonction *that.*

*I think you're right. (= I think **that** you're right.)*
Je pense que tu as raison.

I was so tired I couldn't think.
J'étais tellement fatigué que je ne pouvais pas penser.

On peut aussi omettre le pronom relatif *that*, s'il est complément d'objet (voir 327).

*This is the skirt I bought. (= ... the skirt **that** I bought.)*
Voici la jupe que j'ai achetée.

383 There is/are, there will be ...

1 ***There is*** = "il y a" + singulier; ***there are*** = "il y a" + pluriel.
Notez que dans cette tournure, *there* se prononce /ðə/.
On peut contracter *there is* (→ *there's*), mais non *there are*.

***There's a woman** at the door.*
Il y a une femme à la porte.

***There are two cats** in the garden.* (et non ~~There're~~ ...)
Il y a deux chats dans le jardin.

2 Pour traduire "il y a", "il y avait", etc., il suffit de mettre *there* plus le temps de *to be* qui convient.

- ***There will be*** = "il y aura"; ***there would be*** = "il y aurait".

***There will be** rain.*
Il y aura de la pluie.

*He said **there would be** some problems.*
Il a dit qu'il y aurait des problèmes.

- ***There was/were*** = "il y avait", "il y a eu".

***There was** an explosion.*
Il y a eu une explosion.

***There were** hundreds of guests.*
Il y avait des centaines d'invités.

- ***There has been*** = "il y a eu"; ***there had been*** = "il y avait eu".

***There has been** an accident!*
Il y a eu un accident!

*I knew **there had been** a mistake.*
Je savais qu'il y avait eu une erreur.

▶ Pour le choix entre prétérit et present perfect, voir 313.

3 *There* peut être suivi d'un auxiliaire modal.

***There must be** a solution.*
Il doit y avoir une solution.

***There should be** a letter for me.*
Il devrait y avoir une lettre pour moi.

4 ***There used to be*** = "avant/autrefois, il y avait" (voir 393).

***There used to be** a wood here.*
Avant, il y avait un bois ici.

5 Les questions se forment ainsi : *Is there … ? – Are there … ? – Will there be … ?*, etc., et les négations : *There is not (isn't), There are not (aren't)*, etc.

Exercice

Traduisez en anglais :
1. Il y aura une réunion (= a meeting) demain. 2. Il n'y a pas eu beaucoup de courrier (= post). 3. Il y avait beaucoup d'oiseaux dans le jardin. 4. Combien y a-t-il de maisons dans le village ? 5. Il devrait y avoir un message de (= from) John. 6. Il y a trois médecins dans ma famille. 7. Avant, il y avait une piscine ici. 8. Il doit y avoir une clé (= key) quelque part.

▶ Pour les autres traductions de "il y a", voir 189.

384 Think

1 *Think* (= "penser", "croire") peut être suivi de *of* ou *about*, jamais de *to*.

*You never **think of/about** me.* (et non … ~~*to me*~~.)
Tu ne penses jamais à moi.

On emploie plutôt *think of* pour exprimer l'idée d'"imaginer", "trouver", et pour parler d'opinions ("penser de").

***Think of** a number.*
Pense à (= imagine) un nombre.
*What did you **think of** the film ?*
Qu'est-que vous avez pensé du film ?

2 *Think* est rarement suivi d'un infinitif (sauf au passif : voir 285). Pour parler d'opinions, on utilise *think that* ….

*I **thought (that)** I understood her.*
Je pensais/croyais la comprendre.
*I **thought (that)** I was right.*
Je pensais/croyais avoir raison.

On dit *not think* plutôt que *think … not.*

*David **doesn't think he can** come.* (plutôt que … *thinks he can't …*)
David pense qu'il ne pourra pas venir.

3 Pour parler d'un projet, on utilise *I'm thinking of/about …-ing.*

*We'**re thinking of going** to Scotland next week.*
Nous pensons aller en Ecosse la semaine prochaine.

Exercice

Traduisez en anglais :
1. Il pense à elle tous les jours. 2. J'ai pensé à une très bonne solution. (present perfect) 3. Qu'est-ce que vous pensez du gouvernement ? 4. Elle croyait être à York, mais en fait (= in fact) elle était à Leeds. 5. Nous pensons passer Noël en Italie. 6. Il croit bien parler allemand.

▶ Pour *I (don't) think so*, voir 361.
Pour *I think* = "d'après moi", "à mon avis", voir 5 et 240.

385 This, that, these, those

En anglais, on fait une distinction assez nette entre *this* (pluriel *these*) et *that* (pluriel *those*).

1 *This* s'emploie pour parler d'un objet qui se trouve près de la personne qui parle, *that* s'emploie dans les autres cas. Comparez :

I like ***this*** *poster.*
J'aime ce poster. (Il est près de moi.)
I don't like ***that*** *one.*
Je n'aime pas celui-là. (Il est plus loin.)

Look at ***these*** *ear-rings !*
Regarde ces boucles d'oreilles ! (Elles sont sur la personne qui parle.)
Look at ***those*** *ear-rings !*
Regarde ces boucles d'oreilles ! (Elles sont sur quelqu'un d'autre.)

2 *This* s'emploie également pour parler du présent ou du futur proche et *that* pour parler du passé. Comparez :

I'll always remember ***this*** *day.*
Je n'oublierai jamais cette journée. (= aujourd'hui)
I'll always remember ***that*** *day.*
Je n'oublierai jamais cette journée (là).

Listen to ***this*** *record, you'll like it.*
Ecoute ce disque, tu vas l'aimer.

That *was nice !*
C'était beau !

Notez également les expressions *these days* (= "ces temps-ci"), *in those days* (= "en ce temps-là").

Exercice

Mettez this, that, these *ou* those *:*
1. Come and look at ... pictures. 2. Who are ... people across the street ? I'm sure I know them. 3. I don't like ... music very much. 4. Sit down and listen to ... – it's important. 5. Do you remember ... holiday in 1988 ?

6. ... is a wonderful holiday – I'm having a great time. 7. I'm having trouble with ... maths exercise – can you help me? 8. What did you think of ... film yesterday?

---

3 *This* et *that* peuvent aussi porter une valeur affective : *this* est positif (acceptation, intérêt, etc.), *that* est négatif (rejet). Comparez :

*So I met **this** really nice boy ...*
Alors, j'ai rencontré ce garçon vraiment sympa ...

*I've got to have lunch with **that** fool Jackson.*
Je suis obligé de déjeuner avec cet imbécile de Jackson.

*I'll tell you about **these** monsters that I keep dreaming about.*
Je vais te parler de ces monstres dont je rêve tout le temps.

*I don't want to hear any more about **those** monsters.*
Je ne veux plus entendre parler de ces monstres.

Remarque : "cet été" (l'été passé) = *this summer.* Il s'agit en effet de l'été "de cette année".

▶ Pour la traduction de "cette nuit", voir section suivante.

386 *Tonight* et *last night*

1 *Tonight* = "ce soir" ou "cette nuit" (la nuit qui vient).

*See you **tonight***
A ce soir.

*I'm going to sleep well **tonight***
Je vais bien dormir cette nuit.

2 *Last night* = "hier soir" ou "cette nuit" (la nuit dernière).

*I stayed at home **last night**.*
Je suis resté chez moi hier soir.

*I had a strange dream **last night**.*
J'ai fait un rêve bizarre cette nuit.

387 Toujours

1 **"Toujours" ("à chaque moment", "à chaque fois") = *always.***

*She **always** looks calm.*
Elle a toujours l'air calme.

*I **always** go and see my sister when I'm in Edinburgh.*
Je vais toujours voir ma sœur quand je me trouve à Edimbourg.

2 **"Toujours" ("encore") = *still*** (voir 369).

*Is she **still** asleep?*
Est-ce qu'elle dort toujours?

*I'm **still** waiting for your answer.*
J'attends toujours votre réponse.

Exercice

Mettez always *ou* still *:*
1. I ... have tea for breakfast. 2. She ... has all her ex-husband's letters. 3. Have you ... got that book that I lent you? 4. It ... rains here in August.

388 Tout

"Tout" peut se traduire de plusieurs façons selon le contexte. Voici les principaux équivalents.

1 "Tout" + nom (= "la totalité de") : *all* (voir 20).

***all** my life*	***all** day*
toute ma vie	toute la journée

2 "Tout" + nom (= "n'importe quel") : *any* (voir 34).

*You can come at **any** time of the day or night.*
Tu peux venir à toute heure du jour ou de la nuit.

3 "Tout" + nom (= "chaque") : *every* (voir 20).

***Every family** in difficulty is entitled to state aid.*
Toute famille en difficulté a droit à une aide de l'Etat.

4 "Tout" sans nom : *everything* (voir 21).

*She's lost **everything**.* (et non ~~*She's lost all*~~.)
Elle a tout perdu.

5 "Tout" + nom (= "entier") : *whole, the whole of* (voir 22).

*She spent a **whole** year preparing for the journey.*
Elle a passé toute une année à préparer le voyage.
*I've read **the whole of / all of** Shakespeare.*
J'ai lu tout Shakespeare.

6 "Tous" = *all* ou *every* (voir 20).

*He's eaten **all** the chocolates.*	*I worked **every** day.*
Il a mangé tous les chocolats.	J'ai travaillé tous les jours.

Exercice

Traduisez en anglais :
1. toute cette semaine 2. Il peut (= may) arriver à tout moment. 3. Toute voiture garée (= parked) dans cette rue sera enlevée (= removed). 4. J'ai tout oublié. 5. Il a passé toute une nuit à faire des projets (= making plans). 6. Tous mes amis sont en vacances.

389 Travel, journey, trip, voyage

1 ***Travel*** = "les voyages en général", "le fait de voyager". C'est un indénombrable (voir 256), qui s'emploie sans article et (normalement) au singulier.

__Air travel__ is becoming cheaper.
Les voyages en avion deviennent moins chers.

Le verbe "voyager" = *to travel.*

I like __travelling__.
J'aime voyager / les voyages.

2 "Un voyage" = ***a journey***, et non ~~*a travel.*~~

It was a very pleasant __journey__. (et non ... ~~*a very pleasant travel*~~.)
C'était un voyage très agréable.
I had two very tiring train __journeys__ yesterday. (et non ... ~~*train travels*~~.)
J'ai fait deux voyages en train bien fatigants hier.

3 ***A trip*** s'emploie pour parler d'un voyage d'assez courte durée, et signifie généralement "voyage + séjour".

I've just been on a __business trip__ to Copenhagen.
Je viens de faire un voyage d'affaires à Copenhague.
When we were in Morocco we made a __trip__ to Tinehrir.
Quand nous étions au Maroc, nous avons fait un petit voyage à Tinehrir.

4 "Faire un voyage" peut se traduire par ***to go on a journey/trip*** ou ***to make a journey/trip***.
"Faire un bon/mauvais voyage" = ***to have a good/bad journey/trip***.

I'd like to __make a trip__ to Scotland next weekend.
J'aimerais bien faire un voyage en Ecosse le week-end prochain.
Did you __have a good journey__?
Est-ce que vous avez fait un bon voyage?

5 ***A voyage*** signifie uniquement "un voyage en bateau", et s'emploie peu.

Exercice

Mettez travel, journey, trip *ou le verbe qui convient :*
1. The ... was long and very tiring. 2. Cheap ... has opened up the world to young people. 3. I ... a business ... to New York every month. 4. I'd like to ... a long ... through the USA. 5. Yes, we ... a very good journey, thank you.

390 Trop

"Trop" peut se traduire par *too, too much* ou *too many.*

1 *Too* + adjectif/adverbe.

It's ***too cold****.*
Il fait trop froid.

She drives ***too fast****.*
Elle conduit trop vite.

2 *Too much* + nom singulier (exprimé ou sous-entendu).

He's got ***too much money****.*
Il a trop d'argent.

I've eaten ***too much****. (= too much food)*
J'ai trop mangé.

Too much peut aussi s'employer comme adverbe.

She talks ***too much****.*
Elle parle trop.

3 *Too many* + nom pluriel (exprimé ou sous-entendu).

There are ***too many people*** *here.*
Il y a trop de gens ici.

"How many girlfriends have you got?" ***"Too many*** *(girlfriends)."*
"Tu as combien d'amies?" "Trop."

4 Devant un déterminant ou un pronom, on emploie *too much/many of.*

Don't eat ***too many of those*** *biscuits.*
Ne mange pas trop de ces petits gâteaux.

There were ***too many of them****.*
Il y en avait trop.

Exercice

Traduisez en anglais :
1. trop chaud 2. trop de neige 3. trop de chats 4. Il fume trop. 5. trop lentement 6. trop de travail 7. C'est trop cher. 8. Ces chocolats sont à moi, n'en prends pas trop.

▶ Pour l'ordre des mots dans *too long a novel*, voir 40.7.

391 Try + to-infinitif ou -ing

1 ***Try + to*-infinitif** = "essayer", au sens de "faire un effort".

I ***tried to understand*** *what she was saying.*
J'ai essayé de comprendre ce qu'elle disait.

2 ***Try + -ing*** = "essayer", au sens de "tenter une expérience".

I ***tried putting*** *sugar in the soup to see what it was like.*
J'ai essayé de mettre du sucre dans la soupe pour voir ce que ça donnait.

Exercice

Mettez l'infinitif avec to *ou la forme en* -ing :
1. Try ... smoking – it's very important. (stop) 2. If you can't light the fire, try ... paraffin. (use) 3. I tried ... twenty kilometres, but it was too far. (run) 4. "I don't know what to do." "Try ... to music." (listen) 5. "I don't want to listen to music." "Then try ... an interesting book." (find) 6. I'm going to try ... a very difficult exam this year. (pass)

▶ Pour *try and* ..., voir 29.

U

392 Unless

Unless = "à moins que", mais aussi parfois "si ... ne ... pas" ou "sauf si".

*I'll take the job **unless** the pay **is** too low.*
J'accepterai le travail à moins que le salaire ne soit trop bas.

***Unless** you work regularly, you won't make progress.*
Si vous ne travaillez pas régulièrement, vous ne progresserez pas.

*Mum doesn't let me out in the evening, **unless** someone can drive me back.*
Maman ne me laisse pas sortir le soir, sauf si quelqu'un peut me raccompagner.

Notez que "à moins que ... ne" = *unless* + verbe **affirmatif**.

Exercice

Traduisez en anglais :
1. Je serai là (= here) à huit heures, à moins que le train ne soit en retard. 2. Si vous ne lui expliquez pas (= explain ... to) la situation, elle ne comprendra pas. 3. Je ne vais pas au cinéma, sauf s'il y a un bon western. 4. Allons au restaurant, à moins que tu ne préfères manger à la maison.

---

393 Used to

1 *Used to* s'emploie pour parler de faits ou d'habitudes passées qui ne se produisent plus maintenant.

used to = "avant/autrefois" + imparfait

*They **used to** live in Manchester. Now they live in London.*
Avant, ils habitaient à Manchester. Maintenant, ils habitent à Londres.

*People **used to** work much more than they do now.*
Autrefois, les gens travaillaient beaucoup plus que maintenant.

2 Les questions et les négations peuvent se construire avec *did* (style familier) ou sans *did* (style formel).

***Did you use to** play football at school?* (ou ***Used you to** play ...?*)
Est-ce que tu jouais au football à l'école?

*I **didn't use to** like classical music, but now I do.* (ou *I **used not to** ...*)
Avant, je n'aimais pas la musique classique, mais maintenant j'aime bien.

3 Attention à la prononciation. Dans cette tournure, le *s* se prononce /s/, et non /z/ comme dans le verbe *to use* ("utiliser", "se servir de"). *Used to* = généralement /ˈjuːstə/.

Exercices

1. *Transformez les phrases suivantes en employant* used to *:*
Ex. : He's rich. (poor) → He used to be poor.
1. I like dancing. (hate) 2. We live in Edinburgh. (Glasgow) 3. I smoke two cigarettes a day. (twenty) 4. I'm quite good at English. (bad)

2. *Traduisez en anglais :*
1. Avant, j'étais grosse (– fat). 2. Avant, mon frère faisait du piano. 3. Autrefois, les gens voyageaient très peu (= very little). 4. Avant, je n'aimais pas la nature (= nature).

---

4 *Used to* est impossible lorsque la durée de l'action est mentionnée dans la phrase. Il faut alors employer le prétérit.

*I **lived** in Chester for three years.* (et non ~~*I used to live ... for three years.*~~)
J'ai habité trois ans à Chester.

5 ***Used to*** **n'existe pas au présent.** Pour parler d'habitudes actuelles, on emploie normalement le présent simple, éventuellement avec *usually* ou *normally*.

*He **comes** to see me every weekend.* (et non ~~*He uses to come*~~...)
Il vient me voir tous les week-ends.

*I **usually** get up at seven.*
Je me lève habituellement à sept heures.

6 Ne confondez pas ***used to*** **+ infinitif** et ***be used to ...-ing***. Le sens est très différent (voir 395).

394 *Used to* et *would*

Used to et *would* s'emploient tous deux pour parler d'actions ponctuelles répétées dans le passé.

*When I was a child I **used to / would** go to church every Sunday.*
Quand j'étais enfant, j'allais à l'église tous les dimanches.

Mais seul *used to* peut s'appliquer à un état permanent à une certaine époque qui n'existe plus aujourd'hui. (On a alors souvent en français "**avant/autrefois**" + **imparfait**.)

I **used to live** *in the country.* (et non ~~*I would live in the country.*~~)
Avant, j'habitais à la campagne.

I **used to have** *a car.* (et non ~~*I would have a car.*~~)
Avant, j'avais une voiture.

Exercice

Récrivez les deux phrases dans lesquelles used to *peut être remplacé par* would :
1. When we were children we used to fight all the time. 2. My mother used to work in a bank. 3. My father often used to take us to the seaside. 4. My sister used to suffer from asthma.

395 (Be) used to + nom ou + -ing

1 ***Be used to*** **= "être habitué à".**
Get used to **= "s'habituer à", "s'y faire".**

I'm **used to** *the Paris traffic.*
Je suis habitué à la circulation dans Paris.

You'll **get used to** *it.*
Tu t'y feras.

It takes a long time to **get used to** *a new school.*
It faut longtemps pour s'habituer à une nouvelle école.

Attention à la prononciation : /'ju:stə/

2 ***Be/get used to + -ing.***
Lorsque ces expressions sont suivies d'un verbe, il est en *-ing* et non à l'infinitif (parce que *to* est ici une préposition, voir 203).

I'm **used to driving** *in Paris.* (et non ~~*I'm used to drive*~~)...
Je suis habitué à conduire dans Paris.

I'll never **get used to living** *in England.*
Je ne m'habituerai jamais à vivre en Angleterre.

3 Notez que "je suis habitué ..."/"j'ai l'habitude ..." (sans complément) se traduit en anglais par *I'm used to it.* (On ne peut pas dire seulement ~~*I'm used.*~~)

Exercice

Traduisez en anglais :
1. Il est difficile de s'habituer à une nouvelle voiture. 2. Je ne suis pas habitué à son accent. 3. Je suis habitué à la solitude (= loneliness). 4. Elle s'est habituée à sa nouvelle vie petit à petit (= little by little). 5. Je suis habitué à voyager. 6. J'espère que je m'habituerai à vivre aux Etats-Unis.

V

396 Verbes à deux compléments

1 Certains verbes peuvent être suivis de deux compléments d'objet : un complément direct et un complément indirect. Exemples :

bring *buy* *give* *lend* *offer* *owe* *pass* *promise* *send* *show* *take* (au sens de "emmener", "apporter", etc.) *teach* *tell* *write*

En général, le complément indirect se rapporte à une personne et se place avant le complément direct.

*She sent **her mother** a present.*
Elle a envoyé un cadeau à sa mère.

*I bought **Susie** a toy.*
J'ai acheté un jouet à Susie.

*He gave **me** a letter.*
Il m'a donné une lettre.

*Take **your father** a glass of beer.*
Apporte une bière à ton père.

2 Lorsque le complément indirect est un nom, il peut aussi suivre le complément direct et être introduit par *to* ou *for*.

*She sent a present **to her mother**.*
*I bought a toy **for Susie**.*

Ceci est la structure normale lorsque les deux objets sont des pronoms.

*She gave **it to me**.*
Elle me l'a donné.

*I showed **it to him**.*
Je le lui ai montré.

3 Attention aux verbes suivants : ***explain*** (voir 134), ***suggest*** (voir 373), ***describe, hide, open, take*** (au sens de "prendre"). Contrairement à leurs équivalents français, ils ne sont jamais immédiatement suivis d'un complément indirect.

*I **explained** the problem **to her**.* (et non ~~*I explained her the problem.*~~)
Je lui ai expliqué le problème.

*Can you **suggest** a solution **to me**?* (et non ~~*Can you suggest me*~~...)
Pouvez-vous me suggérer une solution ?

***Describe** the man **to me**.* (et non ~~*Describe me the man.*~~)
Décrivez-moi l'homme.

*I **hid** the money **from them**.*
Je leur ai caché l'argent.

*Lucy **opened** the door **to us**.*
Lucy nous a ouvert la porte.

She ***took*** *all the papers* ***from me***. (et non ~~*She took me all the papers.*~~)
Elle m'a pris tous les papiers.

Exercices

1. *Récrivez ces phrases en utilisant la structure sans préposition (= complément indirect + complément direct) :*
1. I gave all the money to my mother. 2. Don't buy cigarettes for Lewis, please. 3. He owes a lot of money to his sister. 4. I sent a telegram to my boss.

2. *Traduisez en anglais :*
1. Montre-moi tes photos. 2. Je vais écrire une longue lettre à Philip. 3. Peux-tu me décrire ta maison idéale (= ideal) ? 4. Expliquez-moi votre projet (= plan).

▶ Pour le passif des verbes à deux compléments, voir 283.

397 Verbes irréguliers

Voici une liste des verbes irréguliers les plus courants.
Les traductions ne sont données qu'à titre indicatif. Selon le contexte, un verbe peut se traduire de façons différentes.

infinitif	*prétérit*	*participe passé*	*traduction*
be	was, were	been	*être*
beat /bi:t/	beat	beaten	*battre*
become	became	become	*devenir*
begin	began	begun	*commencer*
bend	bent	bent	*plier, ployer, courber*
bet	bet	bet	*parier*
bite /baɪt/	bit	bitten	*mordre*
bleed /bli:d/	bled	bled	*saigner*
blow	blew	blown	*souffler*
break	broke	broken	*casser*
bring	brought	brought	*amener, apporter*
build /bɪld/	built	built	*construire*
burn	burnt/burned	burnt/burned	*brûler*
burst	burst	burst	*éclater*
buy	bought	bought	*acheter*
catch	caught	caught	*attraper*
choose	chose /tʃəʊz/	chosen /'tʃəʊzn/	*choisir*
come	came	come	*venir*
cost	cost	cost	*coûter*
cut	cut	cut	*couper*
deal /di:l/(with)	dealt /delt/	dealt /delt/	*s'occuper (de)*

infinitif	prétérit	participe passé	traduction
dig	dug	dug	*creuser*
do	did	done	*faire*
draw	drew	drawn	*dessiner*
dream /dri:m/	dreamt /dremt/	dreamt /dremt/	*rêver*
drink	drank	drunk	*boire*
drive /draɪv/	drove	driven /'drɪvn/	*conduire (voitures)*
eat	ate /et/	eaten	*manger*
fall	fell	fallen	*tomber*
feed /fi:d/	fed	fed	*(se) nourrir*
feel	felt	felt	*(se) sentir, éprouver*
fight	fought	fought	*se battre*
find /faɪnd/	found	found	*trouver*
fly	flew	flown	*voler (ailes)*
forget	forgot	forgotten	*oublier*
forgive	forgave	forgiven	*pardonner*
freeze	froze	frozen	*geler*
get	got	got	*obtenir, devenir*
give	gave	given	*donner*
go	went	gone / been	*aller*
grow	grew	grown	*grandir*
hang	hung	hung	*accrocher, suspendre*
have	had	had	*avoir*
hear	heard /hɜ:d/	heard /hɜ:d/	*entendre*
hide /haɪd/	hid /hɪd/	hidden /'hɪdn/	*(se) cacher*
hit	hit	hit	*frapper*
hold	held	held	*tenir*
hurt	hurt	hurt	*faire mal (à)*
keep	kept	kept	*garder*
kneel /ni:l/	knelt /nelt/	knelt /nelt/	*s'agenouiller, être à genoux*
know	knew	known	*savoir, connaître*
lay (the table)	laid /leɪd/	laid /leɪd/	*mettre (la table)*
lead /li:d/	led	led	*conduire, mener*
learn	learnt	learnt	*apprendre*
leave/li:v/	left	left	*laisser, quitter*
lend	lent	lent	*prêter*
let	let	let	*laisser, permettre*
lie /laɪ/	lay /leɪ/	lain /leɪn/	*être couché, étendu*
light	lit / lighted	lit / lighted	*allumer*
lose /lu:z/	lost	lost	*perdre*
make	made	made	*faire, fabriquer*
mean /mi:n/	meant /ment/	meant /ment/	*vouloir dire, signifier*
meet	met	met	*rencontrer*
pay /peɪ/	paid /peɪd/	paid /peɪd/	*payer*
put	put	put	*mettre, poser*

infinitif	*prétérit*	*participe passé*	*traduction*
read /riːd/	read /red/	read /red/	*lire*
ride /raɪd/	rode	ridden /ˈrɪdn/	*faire du vélo, du cheval*
ring	rang	rung	*sonner*
rise /raɪz/	rose	risen /ˈrɪzn/	*s'élever, se lever (soleil)*
run	ran	run	*courir*
say /seɪ/	said /sed/	said/sed/	*dire*
see	saw	seen	*voir*
sell	sold	sold	*vendre*
send	sent	sent	*envoyer*
set	set	set	*poser, fixer*
shake	shook	shaken	*secouer*
shine	shone /ʃɒn/	shone /ʃɒn/	*briller*
shoot	shot	shot	*tirer (fusil)*
show	showed	shown	*montrer*
shut	shut	shut	*fermer*
sing	sang	sung	*chanter*
sink	sank	sunk	*couler, sombrer*
sit	sat	sat	*être assis*
sleep	slept	slept	*dormir*
smell	smelt	smelt	*sentir (odeurs)*
speak	spoke	spoken	*parler*
spell	spelt / spelled	spelt / spelled	*épeler*
spend	spent	spent	*passer (temps), dépenser (argent)*
spill	spilt	spilt	*renverser (un liquide)*
spread /spred/	spread	spread	*étaler*
stand	stood	stood	*être debout*
steal	stole	stolen	*voler (dérober)*
stick	stuck	stuck	*coller*
sting	stung	stung	*piquer (insectes)*
strike /straɪk/	struck	struck	*frapper*
swear /sweə(r)/	swore	sworn	*jurer*
sweep	swept	swept	*balayer*
swim	swam	swum	*nager*
take	took	taken	*prendre*
teach	taught	taught	*enseigner*
tear /teə(r)/	tore	torn	*déchirer*
tell	told	told	*dire, raconter*
think	thought	thought	*penser*
throw	threw	thrown	*jeter*
understand	understood	understood	*comprendre*
wake (up)	woke (up)	woken (up)	*(se) réveiller*
wear /weə(r)/	wore	worn	*porter (vêtements)*
win	won /wʌn/	won /wʌn/	*gagner*
write /raɪt/	wrote /rəʊt/	written /ˈrɪtn/	*écrire*

▶ Pour *feel, fall, fly, leave, lie, lay,* voir aussi 241. Pour *forbid*, voir 206.

398 Verbe + particule

1 Préposition et particule.

Il existe deux sortes de verbes composés en anglais : verbe + préposition (ex. : *look at, listen to*) et verbe + particule adverbiale (ex. : *get up, take off*). Voici comment les distinguer.

La préposition n'existe que devant un complément. Sans complément, le verbe s'emploie seul. Comparez :

Look at *the sky.*	***Look****!*
Regarde le ciel.	Regarde !

La particule fait partie intégrante du verbe et ne dépend pas de l'existence d'un complément.

Get up.
Lève-toi.

2 Place de la particule.

Avec un complément (nom ou pronom), l'ordre des mots est le suivant.

verbe + particule + nom verbe + nom + particule	verbe + pronom + particule
He put ***on his coat.*** *He put* ***his coat on.*** Il a mis son manteau.	*He put* ***it on.*** (et non ~~He put on it.~~) Il l'a mis.
I picked ***up my glasses.*** *I picked* ***my glasses up.*** J'ai ramassé mes lunettes.	*I picked* ***them up.*** (et non ~~I picked up them.~~) Je les ai ramassées.

Exercice

Transformez le complément d'objet en pronom et mettez la particule au bon endroit.

Ex. : I filled in the form → I filled it in.

1. I threw away the letters. 2. She took off her shoes. 3. I'm going to put on my anorak. 4. The supermarket has put up its prices. 5. We'll have to put the party off. 6. Let's ring up (= telephone) Betty.

399 Verbes sans formes progressives

1

Certains verbes n'ont **jamais ou presque jamais de formes progressives**. Ils s'emploient donc normalement aux formes simples, quel que soit le contexte. Les plus importants sont :

believe	*dislike*	*doubt*	*hate*	*know*
like love	*mean*	*need*	*prefer*	*recognise*
remember	*suppose*	*understand*	*want*	*wish*

I ***believe*** *you.*
Je vous crois.

You ***know*** *I'm right.*
Tu sais que j'ai raison.

I ***want*** *an ice-cream now.*
Je veux une glace maintenant.

Notez que ce sont surtout des verbes qui se rapportent aux activités mentales.

2 Certains verbes s'emploient **avec ou sans forme progressive selon le sens**.

• ***Be*** s'emploie à la forme progressive pour parler du comportement actuel de quelqu'un, et lorsqu'il est auxiliaire du passif (voir 281).

*He****'s being*** *ridiculous!*
Il se comporte d'une façon ridicule!

*You****'re being*** *watched.*
On vous regarde.

Dans les autres cas, *be* n'a pas de forme progressive.

*It****'s*** *cold.*
Il fait froid.

• ***Feel*** peut s'employer à la forme progressive au sens de "(se) sentir", mais pas au sens de "croire". Comparez :

I ***feel fine****/I****'m feeling*** *fine.*
Je me sens bien.

I ***feel*** *he's right.* (et non ~~*I'm feeling he's right.*~~)
Je crois qu'il a raison.

• ***Have*** s'emploie à la forme progressive pour parler des activités (voir 171), mais pas pour parler de la possession, des relations, etc. (voir 170). Comparez :

We're having *a wonderful holiday.*
Nous passons des vacances formidables.

She ***has*** *no friends.*
Elle n'a pas d'amis.

• ***See*** s'emploie à la forme progressive au sens de "rencontrer", "parler avec", mais pas dans les autres sens. Comparez :

*I****'m seeing*** *her tomorrow.*
Je la vois demain.

I ***see*** *what you mean.*
Je vois ce que vous voulez dire.

• ***Think*** ne s'emploie pas à la forme progressive lorsqu'on parle d'opinions. Comparez :

*"What are you doing?" "I****'m thinking****."*
"Qu'est-ce que tu fais?" "Je réfléchis."

I ***think*** *you're wrong.*
Je pense que vous avez tort.

400 Vouloir bien

N'utilisez pas *want* pour traduire "vouloir bien".

1 "Vouloir bien (que)" peut exprimer une permission. Il correspond alors généralement à ***don't mind***.

You ***don't mind*** *if I go with them?*
Tu veux bien que j'aille avec eux?
I can bring my boyfriend home, my parents ***don't mind****.*
Je peux amener mon copain chez moi, mes parents veulent bien.

2 "Je veux bien" peut être une forme atténuée de "oui". Il faut alors le traduire par ***Yes, please*** ou ***All right/OK***.

"Would you like some coffee?" ***"Yes, please."***
"Tu veux du café?" "Je veux bien." (= "Oui.")
"Do you want to see my photos?" ***"All right."***
"Tu veux voir mes photos?" "Je veux bien." (= "D'accord.")

Exercice

Traduisez en anglais :
1. Tu veux bien que j'invite Yves et Dany? 2. "Encore du fromage?" "Je veux bien." 3. Je vais souvent seul en vacances, mon mari veut bien. 4. "Tu veux entendre mes projets (= plans)?" "Je veux bien."

► Pour "si vous voulez bien ..." = *if you will/would ...*, voir 187.1.

W

401 **Wait** et **expect**

1 "Attendre" ne se traduit par *wait* que lorsqu'on pense au passage du temps. Au sens de "s'attendre à" (= "savoir/penser que quelque chose va arriver"), il faut utiliser *expect*. Comparez :

He's late again. I'm tired of ***waiting****.*
Il est encore en retard. J'en ai assez d'attendre.

I'm expecting *a phone call from John today.*
J'attends un coup de fil de John ce matin. (Je m'attends à ce qu'il m'appelle.)

Mais *expect* se traduit souvent par d'autres verbes en français ("supposer", "penser", "prévoir", etc.).

I ***expect*** *Alice will understand.*
Je suppose qu'Alice comprendra.

I didn't ***expect to find*** *you here.*
Je ne pensais pas te trouver là.

2 *Wait* est toujours suivi de *for* devant un nom ou un pronom.

I'm still ***waiting for*** *an answer.*
J'attends toujours une réponse.

Wait for *me!*
Attends-moi!

3 *Wait* et *expect* peuvent tous deux être suivis d'une proposition infinitive (voir 197).

I'm ***waiting for Anne to come back****.*
J'attends qu'Anne revienne.

The children can't ***wait for Christmas to come****.*
Les enfants attendent Noël avec impatience.

They didn't ***expect her to win****.*
Ils ne s'attendaient pas à ce qu'elle gagne.

4 Notez que *I can't wait for ... / to ...* correspond souvent à "Vivement que ...!".

I ***can't wait for*** *the holidays.*
Vivement les vacances!

I ***can't wait to*** *see her again.*
Vivement que je la revoie.

Exercice

Traduisez en anglais, en utilisant wait *ou* expect *:*
1. Je ne peux pas attendre plus longtemps (= any longer). 2. J'attends

un coup de téléphone à deux heures. 3. Je t'attendrai jusqu'à onze heures. 4. Je m'attends à ce qu'il nous invite à dîner (= to dinner). 5. Je suppose que l'hôtel sera complet (= full). 6. Vivement mon anniversaire !

---

402 Want

1 Le verbe qui suit *want* est toujours **précédé de *to***.

*She **wants to come**.*
Elle veut venir.

*She **wants me to come**.* (et non ~~*She wants (that) I come*~~.)
Elle veut que je vienne.

▶ Pour les détails, voir 193 et 197.

2 Une réponse courte comme "Non, je ne veux pas." ne peut pas se terminer par *want.* Il faut ajouter ***to*** ou ***me to***, ***her to***, etc. (voir 198).

*"Give me a kiss." "No, I don't **want to**."* (et non ~~*"No, I don't want."*~~)
"Donne-moi un baiser." "Non, je ne veux pas."

*"Why don't you come with us ?" "My parents don't **want me to**."*
(et non ... ~~*my parents don't want.*~~)
"Pourquoi tu ne viens pas avec nous ?" "Mes parents ne veulent pas."

Exercice

Traduisez en anglais :
1. Il veut te parler. 2. Il veut que tu viennes ici. 3. "Tu vas acheter une moto ?" "Non, ma femme ne veut pas." 4. "Dis-moi pourquoi tu es déprimé (= depressed)." "Non, je ne veux pas." 5. "Je peux prendre une bière ?" "Si tu veux." 6. Je veux qu'elle me dise la vérité (= truth).

---

3 "Vouloir" se traduit souvent par *"would like"* (moins direct, donc plus poli que *want* : voir 220). De même "si tu veux" = *if you like* et "comme tu veux" = *as you like.*

4 "Vouloir bien" ne se traduit jamais par *want* (voir 400).

403 Well : adverbe ou adjectif *(bien)*

1 *Well* s'emploie surtout comme adverbe.

*She sings very **well**.*
Elle chante très bien.

*It's **well** built.*
C'est bien construit.

2 *Well* ne peut s'employer comme adjectif que pour parler de la santé.

*"How are you?" "Very **well**, thank you."*
"Comment allez-vous?" "Très bien, merci."

*I don't feel **well** today.*
Je ne me sens pas bien aujourd'hui.

3 Dans les autres cas, l'adjectif "bien" se traduit généralement par *good*, parfois par *fine*, *good-looking* ou un autre mot selon le contexte.

*The actors are very **good**.* (et non ~~*The actors are very well*~~.)
Les acteurs sont très bien.

*He's a **good** teacher.*
Il est bien comme prof.

*His girlfriend is **good-looking**.*
Elle est bien, sa copine.

*I feel **good/fine** here.* (et non ~~*I feel well here*~~.)
Je me sens bien ici.

Exercice

Traduisez en anglais :
1. Vous conduisez bien. 2. C'est très bien comme hôtel. 3. Son dernier livre n'est pas bien. 4. Le film était très bien. 5. C'est très bien écrit. 6. "Comment allez-vous aujourd'hui.?" "Pas très bien."

▶ Pour la traduction de "bien", voir aussi *all right/OK* (23).

404 **What?** *et* **which?**

"Quel?" se traduit généralement par *what?*, mais on emploie *which?* lorsque le choix est nettement limité.
Which? peut aussi correspondre à "lequel?"

*"**What** countries have you been to?" "Germany, Italy and Spain."*
"Dans quels pays es-tu déjà allé?" "L'Allemagne, l'Italie et l'Espagne."

*"**Which** of the three do you prefer?" "Italy."*
"Lequel des trois préfères-tu?" "L'Italie."

Exercice

Mettez what *ou* which *:*
1. ...'s your favourite sort of cake? 2. ... side of the house faces south? 3. ... is my glass – this one or that one? 4. ... writers do you like? 5. ... colour are her eyes? 6. ... colour would you like – green, red, blue or yellow?

405 When + présent ou futur

1 On ne peut pas mettre le futur après *when* dans la plupart des propositions subordonnées (voir 156.1).

***When I"m** old I'll live in the country.* (et non ~~*When I'll be old*~~ ...)
Quand je serai vieux, je vivrai à la campagne.

2 Mais on peut mettre le futur après *when* au discours indirect (après *tell, know, wonder, I'm sure*, etc., voir 104).

*I don't know **when she'll come.***
Je ne sais pas quand elle viendra.
*I wonder **when the rain will stop.***
Je me demande quand la pluie s'arrêtera.

3 On peut aussi mettre le futur après *when* dans une question.

***When will you come** to see us?*
Quand viendras-tu nous voir?

Exercice

Mettez le présent ou le futur selon le cas :
1. Will you still love me when I ... 64? (be) 2. I wonder when I ... you again. (see) 3. When ... you ... your exam results? (know) 4. I'm not sure when this letter ... to you. (get) 5. I'll phone you when I ... in Belfast. (arrive) 6. When you ... ready, let's go and have a drink. (be)

406 Whether

1 Dans les interrogations indirectes (voir 104), on peut employer *whether* à la place de *if.*

*I don't know **whether/if** I'll have time.*
Je ne sais pas si j'aurai le temps.

Avant *or*, on emploie plutôt *whether*, surtout dans un style formel.

*Let me know **whether** you can come **or** not.* (... *if* ... est possible en anglais informel.)
Dites-moi si vous pouvez venir ou non.

2 *Whether ... or* peut aussi correspondre à "que ... ou".

***Whether** you like it **or** not, you'll have to do it.*
Que cela te plaise ou non, il faudra que tu le fasses.

Exercice

Traduisez en anglais :

1. Je ne sais pas si elle va venir. 2. Demande à Annie si elle sort ce soir. 3. J'aimerais savoir si la voiture est prête ou non. 4. Qu'il arrive ou non, nous commencerons à huit heures.

407 **While** et **whereas**

1 *While* a deux sens : "pendant que" (sens temporel) et "alors que" (contraste).

*I don't like you to have fun **while** I'm working.*
Je n'aime pas que tu t'amuses pendant que je travaille.

*She's got a fair complexion, **while** her brother is very dark.*
Elle a le teint clair alors que son frère a la peau foncée.

2 *Whereas* ne s'emploie que pour exprimer un contraste entre deux faits ou deux idées (= "alors que", "tandis que").

*In a town you may pass unnoticed **whereas** in a village it's impossible.*
Dans une ville on peut passer inaperçu, alors que dans un village c'est impossible.

408 **Who?** et **whom?** *(qui?)*

En anglais moderne, *whom?* est rare. On emploie *who?* comme sujet et complément d'objet dans les questions.

***Who** said that?*
Qui a dit ça ?

***Who** did you invite?*
Qui est-ce que tu as invité ?

Notez que *did* ne s'emploie pas dans les questions où *who* est sujet (voir 339.4).

409 **Will** et **would (sens fréquentatif)**

1 On emploie parfois *will* pour parler d'une habitude actuelle ou d'une caractéristique permanente. En français, on a alors le présent.

*She **will** forget things.*
Elle a tendance à oublier les choses.

*Wolves **won't** usually attack people.*
Normalement, les loups n'attaquent pas les gens.

2 Pour parler d'une habitude passée, on emploie parfois *would.* On a alors l'imparfait en français.

When I was a child I ***would*** *spend hours reading alone in my room.*
Quand j'étais petit, je passais des heures à lire tout seul dans ma chambre.

Exercice

Mettez will *ou* would *selon le contexte :*
1. I ... sometimes smoke a cigar when I'm watching TV in the evening. 2. My dog ... not bite if you talk nicely to him. 3. When my father was working, he ... forget everybody. 4. When nobody is looking at her, she ... go into the kitchen and take some biscuits. 5. In my family, when I was young, we ... begin to celebrate Christmas on December 22. 6. A knife ... not cut a diamond (= diamant).

▶ Pour la différence entre *would* et *used to,* voir 394.

410 *Will* et *would* (volonté)

1 *Will* peut exprimer une idée de volonté, surtout lorsqu'il s'agit de **demander** ou de **donner** un accord pour faire quelque chose. Dans certains cas, *will* correspond à "vouloir".

Will *you listen to me for a few minutes?*
Voulez-vous m'écouter pendant quelques minutes?

"Can somebody help me?" "I ***will****."*
Est-ce que quelqu'un peut m'aider?" "Moi, je veux bien."

Please ***will*** *you close the door when you go out?*
Veuillez fermer la porte en sortant.

If you ***will*** *come this way ...*
Si vous voulez bien me suivre ...

On emploie *will you?* comme tag (voir 375) après un impératif.

Stop talking, ***will*** *you?*
Arrête de parler.

2 Pour rendre une demande plus polie, on emploie *would* au lieu de *will.*

Would *you listen to me ...?*
Voudriez-vous m'écouter?

3 Un refus s'exprime par *won't (will not)*; au passé par *wouldn't.*

"Tell me where you've been." "No, I ***won't****."*
"Dis-moi où tu es allé." "Non, je ne veux pas."

*The car **won't** start.*
La voiture ne veut pas démarrer.
*She **wouldn't** tell me her name.*
Elle ne voulait pas me dire son nom.

Exercice

Traduisez en anglais :
1. Voulez-vous me donner votre adresse ? 2. "Est-ce que quelqu'un peut venir avec moi ?" "Moi, je veux bien." 3. Si vous voulez bien attendre quelques minutes ... 4. Voudriez-vous m'attendre dans le salon ? 5. Elle ne veut pas expliquer ce qui s'est passé. (prétérit) 6. La porte ne voulait pas s'ouvrir.

▶ Pour les autres traductions de "vouloir", voir 402 et 220. Pour "vouloir bien", voir 400. Pour *will* comme auxiliaire du futur, voir 149.

411 *(I) wish*

I wish s'emploie pour exprimer des souhaits (souvent irréalisables) ou des regrets. Il est très proche de *if only* (= "si seulement ... !"), et il est généralement suivi des mêmes temps.

1 Pour parler d'un souhait relatif au présent, on emploie le prétérit.

I wish + prétérit

***I wish** I **was** rich.* (Ou, plus formel, *I wish I **were** rich.*)
Ah ! Si j'étais riche !
I wish I understood.
Si seulement je comprenais !

Exercice

Traduisez en anglais :
1. Ah ! Si j'étais jeune ! 2. Si seulement j'avais un frère ! 3. Si seulement tu savais conduire (= drive) ! 4. Si seulement je pouvais rester au lit toute la journée ! 5. Si seulement je te voyais plus souvent ! 6. Si seulement ils n'habitaient pas si loin (= so far away) !

---

2 Pour parler d'un regret concernant le passé, on emploie le pluperfect.

I wish + pluperfect

***I wish I had** never **met** him.*
Si seulement je ne l'avais jamais rencontré !
***I wish I had learnt** Spanish at school.*
Si seulement j'avais appris l'espagnol à l'école.

Exercice

Traduisez en anglais :
1. Si seulement je n'avais rien dit ! 2. Si seulement tu étais venu ! 3. Si seulement je n'avais pas quitté l'école ! 4. Si seulement je t'avais cru ! 5. Si seulement nous n'avions pas acheté cette maison ! 6. Si seulement tu m'avais écouté !

---

3 *I wish ... would* exprime le mécontentement ou l'irritation à propos de ce qui se passe ou ne se passe pas.

I wish ... would

***I wish** she **would stop** playing that stupid music.*
Si seulement elle arrêtait de jouer cette musique idiote !

***I wish** the postman **would come**.*
Je voudrais bien que le facteur arrive.

Notez que la structure avec *would* est impossible à la première personne : on ne dit pas ~~*I wish I would*~~ ...

4 Pour parler de souhaits qui se réaliseront peut-être dans l'avenir, il faut employer ***I hope + will***, et non *I wish*.

I hope ... will

***I hope I'll pass** my exam.* (et non ~~*I wish I'll pass*~~ ...)
Je souhaite réussir mon examen.

***I hope he'll be able** to come.*
Je souhaite / Pourvu qu'il puisse venir !

Exercices

***1.** Transformez les phrases comme dans l'exemple :*
She won't stop singing. → I wish she would stop singing.
1. She won't make an effort. 2. They will never accept. 3. My uncle will never come back. 4. Pete won't look for a job.

***2.** Traduisez en anglais, en utilisant* hope + will / won't *:*
1. Je souhaite te revoir. 2. Je souhaite qu'il ne m'oublie pas. 3. Pourvu qu'elle comprenne ! 4. Pourvu qu'il ne pleuve pas !

---

412 Work

1 *Work* (indénombrable) = "du travail", "le travail".

*I'm looking for **work**.*
Je cherche du travail.

***Work** is tiring.*
Le travail, c'est fatigant.

"Un travail" = *a job*, et non ~~*a work*~~.

*I've found **a job**.*
J'ai trouvé un travail.

2 *A work* (dénombrable) = "une œuvre".

*Her garden is **a work** of art.*
Son jardin est une œuvre d'art.
*the Complete **Works** of Shakespeare*
les Œuvres complètes de Shakespeare

3 Notez également que "une bonne situation" se dit ***a good job*** ou ***a good position*** (plus formel).

*Her mother's got **a good job/position**.* (et non ... ~~*a good situation*~~.)
Sa mère a une bonne situation.

Exercice

Mettez work, works *ou* job *:*
1. Mary's looking for a new ... 2. In the North-East, it's very difficult to find ... 3. They're playing Schubert's complete ... on the radio this month. 4. I've got an interesting ...

---

413 Worth (+ -ing)

1 *To be worth ...-ing* = "valoir la peine de". Cette expression peut se construire de deux manières. Comparez :

***It's worth visiting** Edinburgh.*
*Edinburgh **is worth visiting**.*
Ça vaut la peine de visiter Edimbourg.
***It's not worth reading** the book.*
*The book **isn't worth reading**.*
Ça ne vaut pas la peine de lire le livre.

2 "Ça ne vaut pas la peine", "ce n'est pas la peine" = *it's not worth it, it's not worth the trouble* ou *it's not worth while*.

Exercice

Exprimez la même idée en modifiant la structure, comme dans les exemples :
She's not worth talking to. → It's not worth talking to her.
It's worth seeing Venice. → Venice is worth seeing.
1. His ideas are not worth listening to. 2. It's worth visiting Cornwall. 3. His latest book isn't worth reading. 4. It's not worth arguing with her.

---

414 Would rather

***I would rather* (ou *I'd rather*) + verbe** = "je préférerais", "j'aimerais mieux" ou "je préfère", "j'aime mieux".

1 *I'd rather* + infinitif sans *to.*

***I'd rather go** home.*
J'aimerais mieux rentrer.

***I'd rather not see** her.*
Je préférerais ne pas la voir.

*"**Would you rather stay** here or come with us?" "**I'd rather stay.**"*
"Est-ce que tu préfères rester ici ou venir avec nous?" "Je préfère rester."

Après *rather*, *than* s'emploie pour exprimer l'idée de "(plutôt) que". (*Rather* est un ancien comparatif.)

***I'd rather live** in England **than** in the US.*
J'aimerais mieux vivre en Angleterre qu'aux Etats-Unis.

***I'd rather be** a bird **than** a fish.*
Je préférerais être un oiseau plutôt qu'un poisson.

Exercice

Traduisez en anglais (en utilisant rather*) :*
1. J'aimerais mieux rester chez moi. 2. "Une bière?" "Je préférerais prendre (– have) un jus d'orange. 3. Est-ce que tu préfères voir un film ou aller au théâtre ce soir? 4. Qu'est-ce que tu aimerais mieux faire?

2 *I'd rather* + sujet + prétérit.

***I'd rather you came** tomorrow.*
Je préférerais que tu viennes demain.

***My mother would rather we didn't see** each other any more.*
Ma mère aimerait mieux qu'on ne se voie plus.

*"Shall I open the window?" "**I'd rather you didn't.**"*
"J'ouvre la fenêtre?" "J'aime mieux pas."

Exercice

Traduisez en anglais (en utilisant rather*) :*
1. Je préférerais que tu restes chez toi. 2. Elle préférerait qu'on arrête de jouer. 3. "Je ferme la porte?" "Je préfère pas." 4. J'aimerais mieux que tu ne dises rien.

Remarque : *would sooner* s'emploie comme *would rather* mais est moins courant. *Had rather* (ancienne variante de *would rather*) ne s'emploie plus en anglais moderne.

Z

415 Zero

1 En anglais britannique, le chiffre 0 se dit ***nought***.

*0.25 = **nought** point two five* (= 0,25 – voir 253.3)

Quand on dit un nombre chiffre par chiffre, 0 se prononce souvent /əʊ/ (comme la lettre).

*My telephone number is four three seven **0** six two five.*

2 Dans les mesures, on dit ***zero*** /ˈzɪərəʊ/.

***Zero** degree**s** Fahrenheit = 17.8 degrees below **zero** Centigrade.*
Zéro degré Fahrenheit = – 17,8 degrés Celsius.

Notez le pluriel après *zero*.

3 Dans les sports, "zéro" se traduit généralement par ***nil***.

*Manchester three, Liverpool **nil.***
Manchester trois, Liverpool zéro.

Dans des sports comme le tennis, le ping-pong et le badminton, on dit ***love*** au lieu de *nil.*

*Fifteen-**love**.*
Quinze-zéro.

Exercice

Lisez les phrases suivantes :
1. One pound is 0.454 kilograms. 2. My account number is 3046729. 3. Maximum temperature 17°C ; minimum temperature 0°C. 4. England won the match 3-0.

Remarque : les Américains emploient *zero* à la place de *nought* et *nil.*

Corrigés des exercices

1 1. to talk about a plan 2. to dream about a journey 3. I don't know anything about Shakespeare. (I know nothing about Shakespeare.) 4. a good film about China 5. He's always angry about something. 6. I often think about my holiday(s). 7. What/How about going to the swimming pool? (... going swimming?) 8. What/How about staying at home?

2 1. about five minutes 2. about three days 3. about six months 4. about a (one) year 5. about six o'clock 6. about a (one) hundred francs

3 1. He's about to emigrate. 2. She was about to cry. 3. We are just about to sign the contract. 4. The film is about to start (begin). 5. We were about to give up. 6. He was just about to pay.

4 1. She agreed to help me. 2. Would you agree to work on Saturday morning(s)? 3. I didn't agree to pay for everybody. 4. His girlfriend doesn't let him see other girls.

5 1. According to Suzanne, Eric is going to move. 2. I think it is (it's) a very interesting plan. (In my opinion, it is ...) 3. I think life is marvellous/wonderful. (In my opinion, ...) 4. According to the *Times*, this war can be avoided.

6 1. across 2. through 3. across 4. through 5. through 6. across

7 1. a different opinion 2. (some) high mountains 3. a long dress 4. young people 5. a very famous woman 6. the other cars 7. a very important thing 8. (some) very interesting books 9. the White House 10. They're very rich. 11. the most intelligent child 12. good results

8 1. a small white cat 2. that interesting German film 3. a warm red liquid 4. some beautiful traditional Spanish songs 5. dirty plastic tennis shoes 6. the lovely old village 7. the next three weeks 8. my first two girlfriends

9 1. a small round table 2. a green and black carpet 3. The weather was cold and depressing. 4. a happy confident child 5. Her expression was cold and enigmatic. 6. a metal and plastic chair

11 1. long-haired 2. football-playing 3. stupid-looking 4. orange-brown 5. one-eyed 6. fast-moving 7. interesting-looking 8. grey-black

12 4. the rich 6. the unemployed 8. the Welsh 10. the Chinese

14 **1/** 1. I'm not afraid of the future. 2. Oh! You frightened me! 3. Are you afraid of burglars? 4. the things that frighten us 5. frightened children
2/ 1. I'm afraid I've forgotten to buy the bread. 2. I'm afraid I can't help you. 3. I'm afraid I'll be late for dinner.

15 1. I'm afraid of falling down. 2. Are you afraid of being burgled? 3. I'm not afraid of saying (to say) what I think.

16 **1/** 1. again 2. again 3. back 4. again
2/ 1. He won't play again. 2. I've brought your bicycle (bike) back. (I've brought back your ...) 3. Don't forget to send the books back. (... to send back the books.) 4. I'd like to see the photos again.

17 **1/** 1. How old is your sister? 2. She's 23. / She's 23 years old. 3. You are the same age as my mother. 4. When she was my age...
2/ 1. She's in her thirties (30's). 2. He's in his late forties (40's). 3. I think (that) she's in her mid thirties (30's). 4. They've got (They have) a 17-year-old (seventeen-year-old) girl (daughter).

18 1. a week ago 2. years ago 3. two days ago 4. I saw Robert five minutes ago. 5. She arrived an hour ago. 6. I got up a long time ago.

19 1. She always agrees with everybody. 2. Does he agree with us? 3. "It's very easy." "I don't agree." 4. I don't agree about the present.

20 **1/** 1. All my friends 2. All the family 3. Every family 4. Every woman 5. All the town 6. every year 7. all (the) year 8. every day 9. all (the) afternoon 10. all the time
2/ 1. Not all Americans are cowboys. 2. Not everybody likes the sea. 3. Not everything is ready.

21 1. Everything is perfect. 2. All her (his) work is perfect. 3. I've forgotten everything. 4. I've forgotten all their names. 5. Everything is ready. 6. Tell me everything. 7. I'll tell you all (everything) I know. (... that I know.) 8. I've finished everything.

22 1. all 2. whole 3. a whole 4. whole 5. the whole of 6. all of it

23 1. That's all right. (That's OK.) 2. if it's OK with my mother 3. It's (that's) all right (OK). 4. They're all right (OK). 5. I think it's all right (OK). 6. I'm all right (OK).

25 1. also 2. too (as well) 3. too (as well) 4. also 5. as well

26 1. also 2. so 3. also 4. So 5. so 6. also

27 1. Although (though) 2. though 3. although (though) 4. though 5. though 6. in spite of

28 1. He's always losing his glasses. 2. I'm always forgetting my keys. 3. She's always laughing. 4. We were always losing our way.

29 1. Try and understand. 2. Let's go and see Maurice. 3. Come and have lunch with us tomorrow. 4. I want to go and see a film.

30 1. my friends and family 2. the house and garden 3. in England and Scotland 4. I sing and play the guitar. 5. He's asleep or deaf. 6. Do you want some wine or beer?

33 1. another piece of bread 2. Can (May) I have another? 3. I need another few minutes. 4. It was in another country. 5. Can you stay another two days? 6. Can you give me another glass, please?

34 1. any 2. Anywhere 3. anybody (anyone) 4. anything

35 1. any 2. any 3. any 4. no 5. no 6. any

36 **1/** 1. I'm going to learn the piano. 2. Who taught you to play rugby? 3. Teach me a song. 4. I'll teach you to drive.
2/ 1. I've just heard that they are getting married. 2. I have (I've got) some good news to tell you. 3. I've just heard about the birth of your son.

37 1. afterwards (after that) 2. after 3. after 4. afterwards (after that) 5. then (afterwards/after that) 6. after

38 1. She arrived at five (o'clock). 2. What time did you arrive at the hotel? 3. We'll arrive at Los Angeles tomorrow evening. 4. I can't manage to understand them. 5. Do you know what happened yesterday? 6. "Where's Madeleine?" "She's coming." 7. Do you ever forget your (tele)phone number? 8. What's the matter with them?

39 **1/** 1. a 2. an 3. a 4. a 5. an 6. a 7. a 8. an
2/ a hotel – hotels – an orange – oranges – boys – flowers – another day – an impossible thing

40 1. My brother is (My brother's) a dentist. 2. Don't go out without a coat. 3. What a nice (beautiful / fine / lovely) day! 4. It's such a problem! 5. She writes to me three times a week. 6. He has (He's got) a sense of humour.

41 the orange – the cat – the moon – the university – the American president – the hand – the end

42 1. Ø 2. Ø, Ø 3. Ø, Ø 4. the 5. Ø 6. the 7. Ø 8. the, the 9. Ø 10. the, Ø

43 **1/** 1. the Queen – Queen Elizabeth 2. Folkestone Station 3. Mary's house 4. Do you want (Would you like) to have lunch with me? 5. I don't like football. 6. President Smith will (is to) have tea at Portsmouth Town Hall.
2/ 1. I often go out on Saturday(s). 2. English is a very beautiful (nice) language. 3. He lives in the United States (the USA/the US). 4. We are on holiday this week. 5. She has (She's got) fair (blonde) hair. 6. My grandfather is in hospital.

44 1. She's as intelligent as her sister. 2. I'm not as (so) tired as yesterday. 3. We came as quickly (fast) as possible. 4. It's twice as cold as this morning. 5. I don't work as well as you. 6. I don't go out as often as I used to.

45 1. like 2. as 3. like 4. as 5. as 6. like 7. as 8. as

47 1. He looks as if (though) he's hungry. 2. I feel as if (though) I'm dreaming. 3. She looks (seems) as if (though) she doesn't understand. 4. He looked (seemed) as if (though) he was thinking. 5. You look as if (though) you're cold. (You look cold.) 6. I felt as if (though) I was alone in the world.

48 1. I'll stay in the country as long as it's fine. 2. We'll come this evening as (so) long as (provided/provided that) you invite Maria. 3. You can eat with us as (so) long as (provided/provided that) you help us. 4. As (So) long as I have friends, I'm happy. 5. Until you've (tele)phoned, he won't know anything. 6. You can go (there) provided/provided that you're back at nine (o'clock).

49 1. I haven't got (haven't/don't have/do not have) as (so) much free time as last year. 2. There are as many Chinese restaurants in London as in Paris. 3. You can eat as much as you want (like) for £5. 4. "Have you got many discs (records)?" "Not as (so) many as you." 5. There isn't as (so) much petrol as I thought. 6. I have (I've got) twice as many friends as my sister. 7. I need as much money as possible. 8. I (have) invited as many people as possible.

50 **1/** 1. Ø 2. for 3. for 4. for 5. Ø
2/ 1. Ask Paul. 2. I'll ask Mary to come. 3. Can you ask Dan his (tele)phone number? 4. I asked my neighbour the time. 5. Ask a policeman the way. 6. He asked my father for help.

51 1. I'm sleepy. 2. Are you asleep? 3. I fell asleep at three o'clock. 4. The woman was asleep. 5. a sleeping woman

52 1. at 2. Ø 3. on 4. on 5. at 6. in 7. on 8. in 9. in 10. on

53 1. at 2. in 3. on 4. at 5. in 6. at 7. at 8. on 9. Ø 10. in

54 1. at 2. to 3. to 4. Ø 5. in 6. to 7. at 8. at 9. to 10. in (at)

55 1. At first 2. first 3. First 4. at first 5. first 6. At first

56 1. also 2. so 3. as ... as 4. so 5. also 6. as ... as

57 1. So am I./I am too. 2. So do I./I do too. 3. Neither (Nor) have I./I haven't either. 4. Neither (Nor) do I./I don't either.

58 1. before 2. before 3. first (before that) 4. before that (first) 5. I used to travel a lot. 6. She used to be very shy.

59 **1/** 1. We are (We're) 2. He is not (He isn't/He's not) 3. Are they 4. Aren't you 5. We were 6. I was not (wasn't) 7. You were 8. Will he be 9. I will not (won't) be 10 I would (I'd) be
2/ 1. aren't 2. will be ('ll be) 3. would be ('d be) 4. Were 5. been 6. have ('ve) ... been 7. had ('d) been 8. be 9. being (to be) 10. being

60 1. Tomorrow the President is to open a new hospital in New York. 2. That day I saw for the first time the house where we were to spend ten years of our lives. 3. You are not (You aren't / You're not) to read my letters. 4. You are (You're) to say thank you to Daddy. 5. You are (You're) to take the train at 8.15. 6. The children are not (aren't) to play with my stereo. 7. This syrup is to be taken every evening. 8. The sales are to begin (start) next week.

61 1. She is (She's) American. 2. She has (She's got) two children. 3. Are you thirsty? 4. I have (I've got) too much work. 5. You are (You're) tired. 6. I am (I'm) not afraid of you. 7. You are (You're) wrong. 8. Have you (Have you got / Do you have) my address? 9. The film is (The film's) bad. 10. We have (We've got) friends in Scotland. 11. They are (They're) very nice. 12. My parents are both forty. 13. Are you sure? 14. I have (I've) no idea. 15. My room is (My room's) only two metres wide. 16. I am (I'm) sleepy. 17. He has (He's) left (gone). 18. I had (I'd) fallen. 19. We have (We've) arrived. 20. Why have you come?

62 1. Some people are able to (can) walk on their hands. 2. I've never been able to cook. 3. I'll soon be able to speak English fluently. 4. In a hundred years, people will be able to travel everywhere. 5. It's useful to be able to drive. 6. We are unable to lend you (any) money.

63 1. We're not (We aren't) allowed to choose. 2. You're not (You aren't) allowed to walk on the grass. 3. Are you allowed to go out on weekdays? 4. Parking here is not allowed, madam. (Parking is not allowed here .../You are not allowed to park here...) 5. We don't have the right to judge others (other people).

64 1. were born 2. was born 3. were born 4. were... born 5. are born 6. will be born

65 1. You're not (You aren't) supposed to know. 2. I'm supposed to be in Paris in an hour, I'll never make it.

66 1. because 2. because of 3. because of 4. because 5. because 6. because of

67 1. Both my brothers go to university. (My brothers both go...) 2. Both the windows are broken. (The windows are both broken.) 3. He's both intelligent and sensitive. 4. Both my pockets are torn. (My pockets are both torn.) 5. I play both football and rugby. 6. The two cars aren't the same.

68 1. bring 2. take 3. took 4. brought 5. Take 6. take

70 1. Everybody but Jack was talking. (Everybody was talking but Jack.) 2. She eats nothing but ice-cream(s). 3. Jean lives next door but one. 4. This book was his (her) last but one.

71 1. by eight (o'clock) 2. by Wednesday 3. by ten (o'clock) 4. by Christmas 5. By the time he arrived 6. By the time you receive this letter

72 1. He can wait. 2. She cannot (can't) come. 3. Can you swim? 4. I would (I'd) like to be able to speak German. 5. I will (I'll) be able to pay tomorrow. 6. I have (I've) always been able to get on easily with people. 7. He could not (couldn't) understand. 8. Could you help me for a moment?

73 1. Sorry, I can't. (I'm sorry, .../I'm afraid...) 2. He cannot (can't) dance. 3. I could (already) read when I was three. 4. I could not (couldn't) do anything. (I could do nothing.) 5. Could you show me some pullovers, please? 6. You could tell me the truth for once!

74 1. Can I take a cake? 2. You can stop now. 3. Could I have two pounds of apples, please? 4. Could I ask you something? 5. You can help me if you like. 6. When I was 15, I could go on holiday without my parents.

75 1. Can you hear the rain? 2. What can you see? 3. After the injection, I could not (couldn't) feel anything. 4. I can see Andrée in the street (road). 5. The dog can hear something. 6. I could feel his (her) breath on my face.

76 1. could 2. was able to (managed to) 3. was able to (managed to) 4. could 5. were able to (managed to) 6. could

77 1. Mark can't have taken my car! Who can have taken it? 2. I could have seen you yesterday. 3. You could have helped me! 4. He could have gone faster (more quickly). 5. I could have surprised everybody. 6. I could have died because of you. 7. You could have told me (that) I'd have all this work to do just before Christmas!

78 1. "What are you looking for?" "My glasses." 2. Can you fetch (get) Jacques from the airport at twelve (o'clock) (... at midday)? 3. I'm going to get some cigarettes. 4. We're looking for a small flat. 5. I'll pick you up (I'll come and get/fetch you) tomorrow morning. 6. (Go and) fetch (get) some bread, please.

79 1. at 2. at 3. to 4. Ø 5. in 6. among

80 **1/**finer, finest – fuller, fullest – funnier, funniest – thinner, thinnest – younger, youngest – hotter, hottest – shorter, shortest – sillier, silliest – more beautiful, most beautiful
2/more intelligent than – the most interesting – the longest – sooner than – the funniest – harder than – the hardest – the laziest – lazier than
3/1. more interesting than 2. nicest 3. most important 4. easier than

81 1. harder 2. louder 3. more quickly 4. more easily 5. later 6. more lightly

82 **1/**1. best 2. better 3. worst 4. worse 5. best 6. worst
2/ 1. further 2. eldest 3. farthest (furthest) 4. eldest

83 1. less expensive than 2. less than 3. fewer (less) hours than 4. less money than 5. the least complicated 6. as little time as possible 7. least 8. at least

84 1. much colder 2. even colder 3. much more interesting 4. much better 5. even faster (more quickly) 6. even more expensive

85 1. He's smaller than me./He's smaller than I am. 2. I have (I've got) more friends than her./I have (I've got) more friends than she has. 3. They're happier than us./They're happier than we are. 4. I have more holidays than you (have).

86 1. Life is getting more and more difficult. 2. It's getting warmer and warmer. 3. I have (I've got) more and more work. 4. This exercise is more and more boring. 5. We have (We've got) less and less money. 6. There are fewer and fewer (less and less) open spaces.

87 **1/** 1. The more I sleep, the more tired I feel. 2. The more books I read, the more I forget. 3. The higher you climb, the more dangerous it is. 4. The more discs (records) I buy, the more I want to buy. 5. The more I listen, the less I understand. 6. The less I see her, the less I want to see her.
2/ 1. I was all the more surprised because (as/since) he did not (didn't) say anything. (... he said nothing.) 2. She was all the more embarrassed because (as/since) she did not (didn't) speak a word of French. 3. "I'm very hungry." "All the better!" ("So much the better!")

88 1. the 2. Ø 3. the 4. Ø

89 1. the most beautiful girl in the village 2. the highest mountain in the world 3. the greatest writer of the century 4. the nicest boy in the class 5. the most expensive shop in (the) town 6. the best moment of the film

91 1. we would go 2. we will go 3. she will not have 4. he would have 5. I would come 6. I will come 7. you will speak 8. you would speak 9. I will know 10. I would not know

92 1. I knew (that) he would (he'd) come. 2. She thought (that) I would not (wouldn't) understand. 3. If I had (the) time, I would (I'd) go with you. 4. What would you do if I was not (wasn't/were not/weren't) here? 5. I think (that) you could write to me more often. 6. They should spend less.

93 1. I would (I'd) have asked 2. he would (he'd) have gone 3. my mother would have known 4. nobody would have heard 5. I would (I'd) have forgotten 6. she would not (wouldn't) have fallen

94 1. I'm tired. 2. What's the time? 3. We're happy. 4. You're quite wrong. 5. They're late. 6. I'd forgotten you were coming. 7. I'd like to see you again. 8. I'll ring you. 9. I think it'll rain tonight. 10. I won't tell you. 11. I don't want to. 12. He doesn't know.

96 1. "Ask him where he lives." "I daren't." ("I'm afraid to.") 2. She daren't tell her parents that she's pregnant. (She's afraid to... *ou* She hasn't got the courage to...) 3. I didn't dare to invite Jim to dance. (I was afraid to ... *ou* I didn't have the courage to...) 4. Would you have the courage to sing in front of hundreds of people? 5. She wasn't afraid to ask for a rise. (She had the courage to...)

97 **1/** the thirteenth of April (April the thirteenth) – the ninth of May (May the ninth) – the eighteenth of October (October the eighteenth), nineteen forty-seven – the fourth of July (July the fourth), eighteen eighty-eight – the third of September (September the third), nineteen-forty-two – the sixth of December (December the sixth), nineteen sixty-six
2/ 1. 14 July 1890 (14th July 1890 / July 14 1890 / July 14th 1890 / 14.7.1890)
2. 7 April 1982 (7th April 1982 / April 7 1982 / April 7th 1982/7.4.82)
3. 5 November 1960 (5th November 1960 / November 5 1960 / November 5th 1960 / 5.11.60)
4. 8 January 1994 (8th January 1994 / January 8 1994 / January 8th 1994 / 8.1.94)

98 **1/** 1. died 2. died 3. is dead 4. died 5. are dead 6. (have) died
2/ 1. a dead man 2. The dead 3. Death 4. dead people 5. Some people died (were killed) 6. Five people died (were killed) in the accident.

99 1. "Are you coming, Bob?" "No, I've already eaten." 2. It's already ten (o'clock). 3. Have you ever met my father? 4. Has the post arrived (come) yet? 5. I've seen this film before. 6. I'm already tired. 7. Have you ever been in hospital? 8. Has Patricia (tele)phoned yet? 9. Have you finished already? (You've finished already?) You eat quickly (fast)! 10. What's your address again?

100 **1/** 1. for three weeks 2. for six months 3. since Sunday 4. since the war 5. for a long time 6. since 4(th) September (September 4/4th) 7. since 1980 8. since this morning
2/ 1. for 2. since 3. from 4. since 5. for 6. Since 7. for 8. from

101 in front of 2. before 3. before 4. in front of

102 **1/** 1. I must (tele)phone Catherine. (I have to/I have got to ...) 2. You mustn't leave that door open. 3. I'm going to the cinema with Pierre this evening. (I'm supposed to go...) 4. You shouldn't (One should not) tell all the truth (the whole truth). 5. Seven o'clock: the meat really must be ready now. (... must certainly/certainly must) 6. The President is to leave for Moscow tomorrow.
2/ 1. When I was in the army I had to get up at six o'clock every day. 2. I went to bed early because I was leaving for Japan the next day. 3. He was supposed to help me, but he didn't know anything. (... he knew nothing.)
3/ 1. You should (ought to) stop smoking. 2. If I spent a year in England, I would have to find a job.

103 **1/** 1. will 2. would 3. is 4. were 5. had 6. have
2/ 1. I thought (that) you'd be late. 2. I said (that) I didn't understand. 3. I didn't know (that) they'd bought a house. 4. I said (that) I I'd write. 5. He told me (that) you could come. 6. I thought (that) she'd found a job. 7. She told us (that) she would (she'd) stay until next Sunday.
3/ 1. She said (that) it was cold. 2. I thought (that) it was raining. 3. I knew (that) Peter liked fish. 4. He told me (that) Ann worked in a bank. 5. The radio says (that) it will rain. 6. The radio said (that) it would rain. 7. I think that John has forgotten to phone. 8. I supposed that John had forgotten to phone. 9. I

told her that I hadn't finished the job. 10. I told her to wait for me.

104 1. Tell me where I can find a chemist's. 2. I wonder how much he earns. 3. She asked me what my parents thought about it (of it). 4. Can you tell me where the station is? 5. I'd like to know where this (that) girl lives. 6. I don't know who this (that) mysterious man is.

105 1. she didn't, him 2. the 3. there 4. the next day 5. before, the day before

106 1. I do think (that) you are (you're) wrong. 2. Do take (have) some meat! 3. Do stop talking! 4. "You don't love me!" "I do love you!" 5. It's normally very dry here. It does rain in November, though. 6. I do like this music!

107 1. did 2. does 3. did 4. do 5. did 6. did

108 1. doing 2. does 3. make 4. make 5. made 6. do 7. making 8. make 9. do 10. do

109 1. the film (that) we talked (spoke) about yesterday 2. I have (I've got) a friend whose sister knows the President well. 3. the girl (whom) I am (I'm) in love with 4. an action (which/that) I would not (wouldn't) be capable of 5. Mr Brown, whose wife you already know 6. a man whose name I have (I've) forgotten 7. their friends, most of whom are American 8. my children, the youngest of whom is only two

110 1. "What are you doing?" "I am getting dressed." 2. My sister often wears green. 3. He's always well dressed. 4. Can you dress Tommy, please? 5. Diana was wearing a blue skirt. 6. I never wear jeans. 7. The Queen was dressed in a white satin dress.

111 1. during 2. for 3. for 4. During 5. for 6. during

112 1. during 2. while 3. while 4. during 5. during 6. While

113 1. every 2. Each 3. each 4. every 5. Each 6. Every 7. each 8. each

114 1. They never listen to each other (one another). 2. We saw each other (one another) in Berlin. 3. We often help each other (one another). 4. They asked each other (one another) a lot of questions. 5. We know each other (one another) very well. 6. Do you talk (speak) to each other (one another) in English or in German? (Do you speak English or German to each other/one another?)

115 1. learning 2. cleaned 3. interested 4. changed 5. changing 6. Frightening 7. shocked 8. bored

116 1. "There are two glasses : which (one) shall I take?" "You can have (take) either (of them)." 2. He can take either road. 3. Neither film is interesting. 4. "Do you want wine or beer?" "Neither, thank you (thanks)."

117 1. You can come either tomorrow or Saturday. 2. Neither my father nor my mother speaks English. 3. Either he's asleep or he's deaf. 4. He's either a doctor or a dentist. 5. Neither my brother nor my sister is married. 6. He's always either travelling or on holiday.

118 1. I don't like jazz, and I don't like pop music either. 2. He doesn't speak French, and he doesn't speak English either. 3. "She hasn't written to me." "She hasn't written to me either." 4. The Conservatives don't know what to do, and the Labour Party don't know either. 5. "I don't eat pork." "I don't either." 6. He doesn't drink, and he doesn't smoke either.

119 1. I want to work with somebody (someone) else. 2. "Do you want (Would you like) a beer?" "Have you got anything else?" 3. Let's go somewhere else. 4. "I saw (I've seen) Lucy and Pamela." "Nobody (No one) else?" 5. Look! I've found something else!" 6. "Nothing else?" "No, thank you (thanks)." 7. I've found somebody else's keys in my pocket. (I found...) 8. Take a taxi, otherwise you'll be late.

120 1. When I went (was going) out I forgot to close (shut) the door. 2. "Hello," he said, taking his coat. 3. "How can I help you?" "By listening to me for five minutes." 4. She came in (went in) singing. 5. She ran into the room. 6. As (While) I was closing the window I saw an animal in the garden. (While closing/shutting the window ...) 7. I woke him up by shaking him. 8. On my (the) way to the garage I lost my keys. 9. If you pay attention (are careful) you won't make a mistake (mistakes / any mistakes).

121 1. He's still in London; he's coming back this evening. 2. I haven't paid yet. 3. I have (I've got) three more questions (another three questions) to ask you. 4. Can I (tele)phone again (one more time)? 5. She's even more beautiful than her sister. 6. Two more coffees (Another two coffees), please. 7. "Are you married?" "Not yet." 8. He's still young. 9. It's even colder than yesterday. 10. I'm going to ask again (one more time).

122 1. opposite Georges 2. opposite the school 3. opposite the station 4. in front of the station 5. faced with the problem 6. in the face of

123 1. English is sometimes difficult. 2. She speaks very correct English. 3. The English have (got) three cheeses and six hundred religions. 4. I don't understand English, and I don't understand the English. 5. I met an Englishman yesterday: he was very nice. 6. The English are very different from us.

124 1. I always enjoy myself when I'm with my friends. 2. I don't enjoy reading poetry. 3. They were pleased to see us. 4. The baby enjoys playing with us. 5. We enjoy sailing. 6. Did you enjoy the book?

125 1. boring 2. bored 3. annoying (irritating) 4. bores 5. annoys (irritates) 6. bored

126 1. You're not tall enough. 2. I have (I've got) enough problems. 3. We haven't (haven't got / do not have / don't have) enough time. 4. He's intelligent enough to understand. 5. The soup isn't hot (warm) enough. 6. Have you (got) enough potatoes? 7. I haven't (haven't got/do not have / don't have) enough of these glasses. 8. There's enough white wine.

127 1. My watch is broken. 2. She arrived yesterday. 3. I was lying on the beach. 4. He hasn't come (been) to see us this week. 5. "Can (May) I speak to Helen?" "(I'm) sorry, she's out." / "I'm afraid she's out." (... she's/she has gone out.") 6. My mother left for London yesterday.

128 1. "This isn't very interesting." "I agree." 2. You don't mind if I take the car (do you)? 3. I cannot (can't) work; the doctor won't let me. 4. "Shall we stop?" "All right (OK)."

129 1. It's not (It isn't) even ten o'clock. 2. She's even afraid of cats. 3. He even likes Latin. 4. I haven't even (got) ten francs. (I do not/don't even have...) 5. He even travels to China. 6. I'll go to the cinema even if you aren't coming. 7. I even think (that) you're right. 8. She's even more beautiful than before.

130 **1/** 1. ever 2. never 3. ever 4. ever 5. ever 6. ever 7. ever 8. ever

2/ 1. Do you ever get up before six (o'clock)? 2. Have you ever played rugby? 3. I've never met your brother. 4. It's the most interesting book (that) I've ever read. 5. Have you ever been to Africa? 6. Do you ever have nightmares? 7. I hardly ever drink. 8. Nobody (No one) will ever understand me. 9. He's more stupid than ever. 10. If you ever see Paul, say hello to him from me.

131 1. Whatever 2. However 3. whoever 4. wherever 5. whenever 6. Whichever

132 **1/** 1. What a 2. How 3. What 4. What a 5. What 6. How

2/ 1. How interesting it is! 2. How expensive it is! 3. How well she speaks! 4. What big eyes your brother has! 5. How tall (big) he is! 6. You don't know how sad I am.

133 1. Isn't it warm (hot)! 2. Haven't you changed! 3. Wasn't it funny! 4. Isn't he tall (big)!

134 1. I explained my attitude to them. 2. She explained everything to us. 3. Can you explain to me why you're late? 4. Explain your problem to me.

135 1. Pat does a lot of dancing. 2. I haven't done much (a lot of) acting. 3. I play rugby on Sunday(s). 4. Do you ever go cycling? 5. Who did the shopping yesterday?

136 **1/** 1. I made them work hard. 2. It (That/This) makes me think about my holiday(s). 3. Don't make me laugh. 4. You made (You have made/You've made) me forget my train.

2/ 1. I had (got) the car washed. 2. He had (got) the walls painted. 3. Have (Get) this letter translated, please. 4. I must have (get) my coat cleaned.

138 1. a long way 2. far 3. far 4. a long way 5. by far 6. so far

139 1. My father is very understanding. 2. He isn't (He's not) here now (at present). 3. Don't shout, I'm not deaf. 4. You were very lucky. 5. a large number of children 6. a good price 7. I went to their wedding. 8. She's very sensitive. 9. I like reading. 10. Janet is (Janet's) nice (pleasant). 11. What's your opinion? 12. I'll never manage to understand. 13. Thank you, we've already ordered. 14. We were very disappointed. 15. My mother works for an American company (firm). 16. Have you noticed my new dress? 17. I have (I've got) very bad memories of my last holiday(s). 18. I can't stand (bear / put up with) her. 19. He works in another department now. (He now works...) 20. I bought it in a small (little) bookshop in Cambridge.

140 1. I feel (I'm feeling) tired this evening. 2. How do you feel? (How are you feeling?) 3. It feels like stone. 4. She felt (was feeling) strange. 5. I feel like talking to somebody (someone). 6. I often feel lonely.

141 1. At last! 2. finally 3. finally 4. at last

142 1. for 2. to 3. to 4. for, to

143 **1/** 1. It's unusual for Paul to go to the cinema. 2. It's too late for me to go out. 3. Is it necessary for Robert to come with us? 4. I'm waiting for her to (tele)phone me. 5. I haven't found anything for her to drink.
2/ 1. It's vital for people to relax. 2. It's too difficult for him to remember all that. 3. It's normal for children to make mistakes. 4. It's important for her to have a good education.

144 1. I've forgotten my keys. 2. I've left my keys at home. 3. I've left my scarf on (in) the train. 4. I've left my book at Annie's.

147 1. from ten (o'clock) to eleven (o'clock) 2. He's from Milan. 4. I have (I've got) a letter from Paul. 6. I borrowed (I've borrowed) some money from Luke. 7. He's very different from you. 8. I haven't heard from Joe. 9. I can't see anything from here. (I can see nothing...)

149 **1/** 1. I will (I'll) have it tomorrow. 2. He will (He'll) know soon. 3. He will not (won't) say anything. 4. We will (We shall/We'll) be tired.
2/ 1. 'll (will) go 2. will ... buy 3. will ... know, won't recognise 4. Will ... think 5. won't forget 6. 'll (will) be

150 1. She isn't going to help me. 2. It's going to be cold tomorrow. 3. I was going to make (some) tea. 4. What's going to happen? 5. Where are you going to spend your holiday(s)? 6. You aren't going to believe me.

151 1. What are you doing this evening (tonight)? 2. We're going to the country on Friday. 3. Robert is (Robert's) coming tomorrow. 4. I'm seeing Patricia this weekend. 5. I'm working on Saturday. 6. What time does the plane arrive? 7. What time are you playing tennis today? 8. The film starts (begins) at half past seven.

152 1. "How much is it?" "No, I'll pay." 2. I'll give you the answer on Thursday. 3. I'll have a beer, please. 4. If you talk (speak) to me like that, I'll go home. 5. Will you give me some water? 6. What shall I tell him (her)? (What shall I say to him/her?) 7. "There's somebody (someone) at the door." "I'll go." 8. Shall we stop?

153 1. In a month I will (I'll) have left school. 2. I will not (won't) have done my shopping by Thursday. 3. Will you have finished the washing up soon? (Will you soon have finished...?) 4. She will not (won't) have arrived before ten (o'clock).

154 1. will ('ll) be sitting 2. will ('ll) be doing 3. will ('ll) be living 4. will ('ll) be flying 5. will ('ll) be waiting 6. Will... be working

155 1. I could see that it was going to rain. 2. She said I'd learn very fast. 3. He was pleased because he was changing schools in September. 4. She was to go to Canada in the summer. 5. I didn't think he'd pass the exam. 6. He was saving money because he was going to spend a year in America.

156 **1/** 1. am ('m) 2. goes 3. asks 4. happens 5. 've (have) done 6. 've (have) decided
2/ 1. arrived/had arrived 2. liked 3. needed 4. had finished 5. wanted, wanted 6. had found

157 1. to get a present 2. Get out (of here)! 3. We got to Bristol at midnight. 4. Get into the car. 5. I am getting old. 6. It's getting dark; hurry up. 7. What time are you getting up tomorrow? 8. I got a letter from Paul this morning.

158 1. I got lost in the forest. 2. How did this plate get broken? 3. She got killed in a plane crash. 4. I must (I have to/I have got to/I've got to) get dressed. 5. She got married in March. 6. He got hurt in a football match.

159 1. He got me to pay for everybody. 2. She couldn't get her dog to sit (down). 3. I got him to accept my proposal. 4. We tried to get her to come with us, but she did not (didn't) want to (but she wouldn't).

160 1. been 2. gone 3. been 4. gone 5. gone 6. gone

161 1. She went (She has gone / She's gone) pale. 2. I'm going bald. 3. The meat has gone bad. 4. I don't want to go mad. 5. I'm beginning (starting) to get tired (I'm getting tired).

162 1. I go climbing every year. 2. Can I go riding this afternoon? 3. She never goes dancing. 4. Do you ever go skiing?

163 1. large (big) 2. big (great) 3. great 4. great 5. tall 6. great 7. great 8. large (big)

164 1. You had (You'd) better put on a coat (put a coat on). 2. You had (You'd) better stop smoking. 3. You had (You'd) better not disturb me. 4. I had (I'd) better write to my mother. 5. I'm tired; I had (I'd) better go to bed. 6. You had (You'd) better buy an alarm clock.

165 1. I'd like half of this (that) cheese. 2. half a litre 3. Give me half. 4. Wait (for) half an hour, please. 5. half a dozen 6. We've already drunk a bottle and a half (one and a half bottles).

166 1. What 2. happening 3. what 4. happened 5. happened 6. What's

167 **1/** 1. hard 2. Hardly. 3. hardly 4. hard
2/ 1. He's hardly ever at home. 2. She worked hard last year. 3. He eats hardly anything. (He hardly eats anything.) 4. Hardly anybody (anyone) came (has come) to see me.

169 1. He had (He'd) understood. 2. Look: I've finished. 3. She hadn't come with us. 4. Everybody had worked well (hard). 5. "Where's Ken?" "He's gone to London." 6. Have you eaten?

170 1. They've got a nice (beautiful) flat. 2. I've got three brothers. 3. Have you got five minutes for me? 4. She hasn't got any free time. 5. Have you got a motorbike? 6. We often have guests. 7. She's got blue eyes. 8. He had a very fast car.

171 1. I had a strange dream last night. 2. What time do you usually have dinner? 3. I'm going to have a bath. 4. "Where's Karen?" "She's having a shower." 5. Have a good (nice) time! 6. Do you want to have a swim?

172 1. I have to (I've got to) leave you. 2. I have to (I've got to) write to Sally. 3. Do you have to (Have you got to) work tomorrow? 4. I had to wait for an hour. 5. You don't have to (haven't got to) stay if you don't want to. 6. I will have to go home soon. (I will soon have to go home.)

173 1. Listen, I have (I've got) an idea!... Listen to me! 2. Can you hear a noise? 3. I can hear the train. 4. I don't like to listen to lectures. 5. I listen to the news every morning. 6. He never listens when I speak (talk).

174 1. from 2. about 3. of 4. about 5. of 6. from

175 1. there 2. here 3. there 4. there 5. Here 6. here

176 **1/** (a) quarter past seven; half past ten; ten to seven; nine (o'clock); twenty-five past three; twenty to two
2/ 1. I'll leave at one (o'clock). 2. Fred (tele)phoned me at two (o'clock) in the morning (2 a.m.). 3. "What's the time?" "Ten past twelve." 4. The meeting will start (begin) at 8 p.m.

177 1. I'm on holiday next week. 2. We have (We've got) five days' holiday in May. 3. When are you taking your holiday(s) this year? 4. "Where's Mme Rolland?" "On holiday." 5. We spent our holiday in Morocco. (We went to Morocco for our holiday.)

178 1. house 2. at home 3. home 4. home 5. at home 6. house

179 1. an hour or two 2. what time 3. a good time 4. three hours

180 1. How's your grandmother? 2. How's your work (going)? 3. What's your sister like? 4. What's New Zealand like? 5. How are you? 6. You don't know what I'm like!

182 1. How long have you been ill? 2. How long have you been living together? 3. How long are you staying in Paris? 4. How long have you been married? 5. How long is she on holiday (for)? 6. How long were you (How long did you spend) in London last year?

183 1. How much 2. How much 3. how many 4. How much 5. How many 6. How many

184 1. "How often do you go to the cinema?" "Once or twice a month." 2. "How often are they paid?" "Every week." 3. I often go swimming (go to the swimming pool)." "How often?" 4. "How often do you see your father?" "Every two days."

185 1. How tall is your husband? 2. How high is the Eiffel Tower? 3. How long is the Seine? 4. How far is your house? 5. I don't know how tall Christine is. 6. How wide is the garage?

186 **1/** 1. will 2. would 3. will 4. would 5. would 6. will
2/ 1. knew 2. had 3. would ('d) meet 4. had ('d) married 5. will ('ll) give 6. is ('s) raining (rains) 7. would give up 8. would... do
3/ 1. If I was very rich, I would (I'd) go round the world. (If I were...) 2. I would (I'd) help you

if it was possible. 3. I will (I'll) go to (go and) see Leslie if I have (the) time. 4. If I had (I'd) known their names, I would (I'd) have introduced you. 5. You would (You'd) have been disappointed if you had (you'd) come. 6. I would (I'd) leave school if I could.

188 1. We must (tele)phone Patrick. 2. We must hurry. 3. We'll (We will) need (some) eggs. 4. It takes two hours to go to London. 5. How many people do you need for a game of Monopoly? 6. You must listen to me.

189 1. There's (some) cheese on the table. 2. Is there a garage around here? 3. Keith left five minutes ago. 4. I've been working here for a long time. 5. She got divorced six months ago. 6. There's nobody in the house. (There isn't anybody...) 7. Are there (any) chips today? 8. We've known each other (one another) for years. 9. Some people believe in ghosts. 10. Some children were laughing.

190 1. Come here. 2. Sit down. 3. Don't ask me to come. 4. Do sit down. 5. Always ask the price before buying (before you buy) something. 6. Never come in (go in) without knocking. 7. Do help yourself. 8. Don't move. 9. Don't laugh. 10. Shut the door, please. 11. Go straight ahead for three hundred metres... 12. "I would (I'd) like to sit down." "Do."

191 1. into 2. in 3. onto 4. on 5. in 6. into

192 1. I am going to buy (some) beer, in case Bob comes. 2. I'll take (I'm taking) my swimming costume, in case there's a swimming pool. 3. Give me some money, in case I decide to go to the café. 4. I took my rod, in case I should have a chance to go fishing.

193 1. I want to sleep. 2. It's difficult to read. 3. I don't want to go out. 4. I'm beginning (starting) to understand. 5. He forgot (has forgotten) to pay. 6. Try not to fall. 7. I hope never to forget this moment. 8. She prefers to stay here. 9. I don't know how to switch on the television. (... to switch the television on.) 10. It's important not to fall asleep (go to sleep) during the lessons. 11. He's too shy to talk (speak). 12. She's fast (quick) enough to win.

194 1. I must (I have to/I've got to) work. 2. You'd better go to bed. 3. Why learn Latin? 4. I'd rather go by car. 5. He saw me go out. 6. She helped me (to) do my packing. 7. I can't (cannot) swim. 8. Why not go by train? 9. Let her go. 10. She does nothing but annoy everybody (everyone).

195 **1/** to have gone – to have decided – to have understood – to have taken – to have disturbed

2/ 1. He seems to have understood. 2. I'm glad not to have met them.

3/ to be seen – to be invited – to be heard – to be stopped – to be left

4/ to be writing – to be sitting – to be playing – to be travelling

196 **1/** 1. to be free 2. to find a solution 3. to have money 4. to be able to understand 5. to learn English 6. to travel a lot

2/ 1. She opened the door in order to (so as to) see if her husband was coming. 2. I laugh (I'm laughing) in order not to (so as not to) cry. 3. I took a taxi in order not to (so as not to) lose (waste) time. 4. He went out of the room (left the room) in order not to (so as not to) hear the rest.

197 **1/** 1. I want you to come with us. 2. I'd like Alice to (tele)phone me. 3. I don't want her to be angry. 4. I'd like them to understand me.

2/ 1. I'd prefer you to do it yourself. 2. I need somebody (someone) to love me. 3. He hates us to be late. 4. I'll wait for her to (tele)phone me.

198 1. Please do what I ask you to. 2. ... "Because I want to." 3. ... "I don't think we're allowed to." 4. ... but I expect to. 5. ... "No, but I'd like to." 6. ... "Yes, I'm going to."

199 1. learning a language 2. Smoking cigarettes is bad for your health. 3. Earning money does not (doesn't) interest me. 4. I don't like your (you) lying to me. 5. Do you mind my (me) singing? 6. Bringing up a child is not (isn't) easy.

200 1. It's no good (use) waiting. 2. It's no good (use) trying. 3. Is it worth visiting Manchester? 4. It's not worth inviting Maria: she won't come.

201 1. I don't like running. 2. I can't help laughing. 3. I feel like crying. 4. He's given up drinking. 5. She went on singing. 6. He avoided answering. 7. She spent her time writing to him (her). 8. He keeps (on) taking photos.

202 1. before going out 2. He (has) talked about going to America. 3. without eating 4. instead of sleeping

203 1. I'm looking forward (I look forward) to seeing you. 2. I'm not used to driving in England. 3. I'm looking forward (I look forward) to going to London. 4. I don't mind listening to them. 5. She is looking forward (looks forward) to leaving school. 6. I prefer television to reading.

204 1. after finishing 2. before coming 3. without saying a word 4. after buying the car 5. before eating 6. after falling 7. He went out without seeing me. 8. Thank you (Thanks) for inviting me.

205 1. I saw a woman dancing with her baby. 2. Who is (Who's) the boy over there reading the (news)paper? 3. I like the sound of running water. 4. She caught him stealing her car. 5. I don't like sulking children (children sulking). 6. Do you know the man driving the red car?

206 1. let 2. refused 3. allow 4. told 5. allow 6. let

208 1. I wonder how (the) Eskimos live. 2. I asked them where the toilet was. 3. Here is (Here's) the boat that my uncle built. 4. Have you seen (Did you see) my sister go out? 5. Can you tell me what time the train from Manchester arrives? 6. Perhaps (Maybe) you've forgotten. 7. Listen to what Robert is saying. 8. She made everybody laugh.

210 1. It is (It's) Robert that lives in Nelson Street. 2. It was Mary that invited all those people. 3. It was not (wasn't) me that asked. 4. It is (It's) me that has the car.

211 1. It's time to say goodbye. 2. It's time to go to bed. 3. It's time you went to bed. 4. It's time you washed your jeans.

212 1. My trousers are too long. 2. Where are my pyjamas? 3. I like your shorts. They're unusual. 4. I must buy (some) new jeans (a new pair of jeans).

213 1. until (till/up to) Christmas 2. to (as far as) the station 3. until (till/up to) three (o'clock) 4. up to 35,000 litres 5. as far as Versailles 6. as much as a ton

214 1. She has (She's) just arrived. 2. What have you just said? 3. I have (I've) just understood something. 4. We have (We've) just seen Malcolm. 5. I had just closed the door when Jane arrived. 6. It was one o'clock. We had (We'd) just had lunch.

215 1. I don't know how to repair a watch. 2. Can you draw? 3. Do you know how to make pizza? 4. I can't drive. 5. She can speak German very well. 6. Do you know how to use a compass?

216 1. Let 2. Leave 3. leave 4. leave 5. Let 6. Let

217 1. last 2. the last 3. last 4. last 5. the last 6. the last 7. latest 8. last

219 1. Let's go to Bob's. 2. Let's stop talking. 3. Let's try to find a hotel. 4. Let's not forget them. 5. Let's ask Anne. 6. Come on! Let's dance!

220 1. Do you like oysters? 2. I'd like to listen to (some) jazz. 3. Would you like something to drink? (... to drink something?) 4. I'd like an ice-cream. 5. I like dancing. 6. My mother likes travelling.

221 1. My brother is likely to be surprised. 2. It's likely to happen. 3. There's likely to be a storm tonight. 4. He's likely to pass his exam brilliantly. 5. She's unlikely to come. 6. It's unlikely to rain.

222 **1/** 1. a few 2. a little 3. A little. 4. a few 5. A little 6. a few
2/ 1. We haven't got much money. 2. Not many English people speak good French. 3. There's not much (that) we can do to help you. (There isn't much ...) 4. He didn't meet many people on the road.

223 1. long (a long time) 2. a long time 3. long 4. a long time 5. a long time 6. long (a long time) 7. long 8. long

224 1. I don't look like my mother. 2. He looks young. 3. Do I look tired? 4. The garden looks like a desert. 5. You look surprised. 6. They seem to get on well.

225 1. see 2. look at 3. watch 4. Look 5. looking 6. see

226 1. I'm looking forward to seeing my family. (I look forward...) 2. I'm looking forward to going to London. (I look forward...) 3. I'm looking forward to arriving. (I look forward...) 4. I'm looking forward to having a flat. (I look forward...)

227 1. I dream a lot. 2. He's got a lot (lots) of money. 3. A lot (Lots) of problems are difficult to solve. 4. There are a lot (lots) of birds in the garden. 5. I've got quite a lot of things to do. 6. There are quite a lot of good programmes on television.

228 1. Jean lacks patience. (Jean hasn't got any patience.) 2. I miss you a lot (very much). 3. I've just missed the plane. 4. I'm short of money. (I haven't got/have not enough money. 5. They lack everything. (They haven't got anything.) 6. I miss my family.

229 1. He married an Italian girl (woman) when he was 18. 2. When I'm 30, I'll be married. 3. I'll never get married. 4. More and more couples get divorced every (each) year. 5. He's married to Anne, not to Alice! 6. Alice is his ex-wife. They're divorced.

232 **1/** 1. She may be ill. 2. I may be late tomorrow. 3. If you ask her nicely, she may say yes. 4. If you asked her nicely, she might say yes.
2/ 1. It may snow. 2. I might go to America next year. 3. He may be the next President. 4. I may have your keys. 5. You might ask before taking my things. 6. Look out (Be careful), you might fall.

233 1. She might have asked me. 2. I may have forgotten to post it. 3. He may have taken the train. 4. You might have got drowned. 5. She might have understood. 6. Annie may have gone out with David.

236 1. I met two Americans yesterday evening (last night). 2. "Where did you first meet?" "In London." 3. I'm meeting her at five (o'clock). 4. Shall we meet after dinner? 5. We'll meet at Maxim's. 6. They met in the street.

237 1. Do you mind if I come with a friend? 2. Do you mind if I take off my shoes? 3. "Where do you want to go?" "I don't mind." 4. Would you mind posting this letter? 5. Would you mind waiting for me in the living room, please? 6. You can sleep at my house (place), my mother doesn't mind. 7. Mind your head. 8. She goes out every evening. Mind you, it's normal at her age.

239 **1/** 1. most of 2. Most of 3. Most 4. most 5. Most of 6. most
2/ 1. most of my opinions 2. most of our problems 3. Most Americans speak English. 4. Most shops close on Sundays. 5. most of the discs (records) (that) I have 6. most of the people in our village

242 1. Mrs Villiers 2. Mr Danson 3. Miss Roger 4. Excuse me, have you (got) a light? (... do you have a light?) 5. Good morning. Do you sell tennis shoes? 6. Yes, madam. What size?

243 **1/** 1. much 2. many 3. many 4. much
2/ 1. a lot of 2. a lot of 3. many 4. much 5. many 6. a lot of

244 1. I must go (leave). 2. Tell him that he must (tele)phone me. 3. You must not (mustn't) listen to her (him). 4. "I'm an actor." "That (It) must be interesting." 5. She can't be there: the door is (door's) locked. 6. I had to take the train. 7. You'll have to help me this evening.

245 **1/** 1. must have rained (been raining) 2. must have had 3. must have gone 4. must have got lost
2/ 1. I had to hurry, I was late. 2. He hasn't (tele)phoned me, he must have forgotten. 3. His wife was so ill that he had to call the doctor. 4. She hasn't arrived yet. She must have missed the train.

246 1. really must 2. do you have to 3. have got to go 4. must stop 5. don't have to 6. mustn't

248 **1/** 1. Do you need money? 2. I need more time. 3. Everybody (Everyone) needs love. 4. Do I need to pay in cash? 5. I don't need your advice. 6. She doesn't need to tell us if she doesn't want to. (She needn't tell us...)
2/ 1. My watch needs repairing. 2. I needn't have watered the flowers: it's raining.

249 1. He never drinks. 2. I don't know anything. (I know nothing.) 3. Nobody understands me. 4. She eats neither meat nor fish. 5. He earns hardly anything. (He hardly earns anything.) 6. She has lived all her life without ever going on holiday.

250 1. next 2. the next 3. next 4. the next

251 1. three dozen glasses 2. thousands of times 3. several hundred kilometres 4. five thousand years 5. hundreds of people 6. a few thousand tons

252 fifteenth-twenty-seventh – fifty-first – ninety-second – forty-third – fifty-fifth – fortieth – seventieth – the twenty-first of January – Louis the Fifteenth – Henry the Eighth

253 **1/** a kilometre – (just) one kilometre – three thousand, six hundred and seventy-five – three point six seven five – eight out of ten – nine tenths of the country – My salary is going to rise by two per cent.
2/ four double nine one O three six

254 **1/** coats – kisses – foxes – stories – toys – trees – lamps – journeys – bosses – spies – watches – thieves – roofs – children – mice
2/ /ɪz/ : churches – judges
/s/ : ships – boats – paths
/z/ : shoes – clothes – chairs

255 1. The government do not (don't) want to give their permission. (The government does not/doesn't want to give its permission.) 2. Is this three francs yours? 3. The team are not (aren't) going to win their next match. (The team is not/isn't going to win its next match.) 4. Where are my jeans? 5. I like walking in the mountains. 6. People do not (don't) understand. 7. The police have given up. 8. Physics is very difficult.

256 1. We are having splendid weather. 2. He speaks very bad English. 3. I've lost my luggage (baggage). 4. The news is at ten (o'clock). 5. Carol's hair is very long. 6. Can you give me some advice? (... a piece of advice?) 7. We're going to buy (some) furniture. 8. I need some (a piece of) information. 9. a very expensive piece of furniture 10. The spaghetti is ready.

258 **1/** 1. a shop window 2. a vegetable garden 3. a train ticket 4. an alarm clock
2/ 1. a picture gallery 2. a bookshop 3. a photograph album 4. a three-pound ticket 5. a rose garden 6. a ten-day holiday
3/ road maps – five-pound notes – sports cars – flower shops – dinner plates

260 1. I haven't got any glasses. (I've got no glasses.) 2. He hasn't got any money. (He's got no money.) 3. "Did you ask many questions?" "No, none." 4. I haven't got a sister. 5. There isn't any room for you. (There's no room for you.) 6. There isn't a possibility. (There's no possibility.)

261 1. I didn't say anything. (I said nothing.) 2. Don't give it to anybody. (Give it to nobody.) 3. I didn't understand anything. (I understood nothing.) 4. Nobody spoke. 5. "What do you want?" "Nothing." 6. Who is (Who's) at the door?" "Nobody."

262 1. I don't live with my parents any longer (more). (I no longer live with my parents.) 2. I don't want to play any longer (more). (I no longer want to play.) 3. I don't want to drink any more (any more to drink), thank you (thanks). 4. He couldn't walk any longer (more). (He could no longer walk.) 5. My father doesn't work any longer (more). (My father no longer works.) 6. We haven't got any more bread. (We have/We've got no more bread.)

264 1. Can you take care of (look after) the baby for half an hour? 2. I will (I'll) see to (deal with/look after) the reservations. 3. Mr Parker is in charge of marketing. 4. I can't deal with (take care of) your personal problems.

265 1. enough tomatoes 2. most women 3. most of your friends 4. little (not much) intelligence 5. enough chairs 6. some (a few) of us 7. a little of this wine 8. all our ideas 9. I have not (haven't got) much time. (I don't have...) 10. Both (of) my parents are Italian.

266 1. ... but I will. 2. ... but it didn't. 3. ... but I couldn't. 4. ... but she did. 5. ... "Yes, I am." 6. ... "No, I can't."

267 1. "Are you OK?" "Yes, I'm fine." 2. The weather... 3. Have you been... 4. "Has Mary telephoned?"... 5. I don't want... 6. It's difficult...

268 **1/** 1. You need (one needs) money to travel. 2. You can't (One cannot) live completely alone. 3. You can't (One cannot) change the world. 4. In Japan they (people) drive on the left. 5. We found a very good hotel in London. 6. We haven't seen Patrick for a long time.
2/ 1. I've been invited to the United States (the USA/the US). 2. Are you being served? 3. English is spoken here. 4. Somebody is asking for you on the phone. (You're wanted on the phone.)

269 1. Bob's got a blue one. 2. "A pound of the green ones." 3. I want a bigger one. 4. "This one." 5. ... but I know some good ones. 6. "The ones in the window.

270 1. a 2. one 3. one 4. a 5. One 6. one

271 1. open 2. opened 3. open 4. open 5. opened 6. open

273 1. I saw him last Wednesday. 2. She doesn't speak Italian. 3. It's an English car. 4. I was born in August.

275 **1/** bigger – sadder – warmer – hotter – greater
2/ eating – opening – starting – writing – referring – forgetting – putting
3/ dropped – fitted – offered – occurred – waited – preferred

276 happier – sillier – lazier
tried – hurried – worried – stayed

277 **1/** 1. other 2. others 3. others 4. other
2/ 1. Give me the other glasses. 2. Can you (tele)phone the others? 3. There's a Porsche and two other cars. (There are a...) 4. There are three boxes here, the others are in the kitchen.

278 1. You ought to be nicer to your sister. 2. We ought to think of others (other people). 3. I ought to write to my mother. 4. You ought to do the washing up. 5. People ought not (oughtn't) to smoke in restaurants. 6. She ought not (oughtn't) to go to bed so late.

279 1. I ought to have asked. 2. You ought to have called me. 3. He ought not (oughtn't) to have told you (said it to you). 4. What ought I to have done? 5. She ought to have known. 6. I ought to have paid in cash.

280 1. We talked about our holiday(s). 2. He talked to me (told me) about his holiday(s). 3. I'll talk to you about it. 4. I don't talk to my father much. 5. Did I talk to you about Lucienne yesterday? 6. The article is about unemployment.

281 will be built – had been lost – was hidden – would be left – is written – has been decided – are being paid – was being sold – to be chosen – being taken

282 1. She will be told. 2. He is being questioned. 3. I was interviewed yesterday. 4. He is often invited to give a lecture. 5. My motorbike has been damaged. 6. The child is never left alone. 7. English is spoken in a lot of countries. 8. The ticket prices have been put up.

283 **1/** 1. I was sent the programme last week. 2. He was taught Latin and Greek. 3. They were offered money. 4. I was told to come again.
2/ Paul was given a radio. 2. You'll be shown the letter. 3. They were lent £10,000 last year. 4. Here is the cheque which (that) will be sent to your family.

284 1. I was told to go away. 2. He was asked to wait. 3. You are expected to work on Saturdays. 4. He was not allowed to speak. 5. I was taught to use a computer. 6. I was made to open all my bags.

286 1. How much did you pay for your coat? 2. René gave me (some) flowers yesterday. 3. Who is going to pay for their studies? 4. Did you pay the taxi driver? 5. Come on, I'll buy you a sandwich. 6. Who will (Who'll) pay?

287 1. enables 2. allow 3. made it possible 4. make it possible 5. enable 6. can't afford

288 1. a remarkable person 2. somebody (someone) who (that) talks a lot 3. a taxi for three people 4. I talked to several people. 5. Most people like children. 6. Everybody is (Everybody's) here.

289 1. We slept in a very beautiful (nice) place. 2. (I'm) sorry, there isn't (there's not) enough room for everybody (everyone). (I'm afraid there isn't ...) 3. Come to our table, there's a place for you. 4. It's a wonderful (marvellous) place. 5. There's plenty of room in the car park. 6. We'll all go to my place after the film.

290 1. I never eat fish. 2. We always watch the news on TV. 3. Your ticket is probably in the post. 4. This is certainly a good match. 5. She would probably have been invited. 6. It's really been a great evening. 7. I have often wondered why everything is so complicated. 8. Janet is never at home.

292 1. I like the sea very much. (I very much like the sea.) 2. He speaks German very well. 3. I don't understand maths at all. 4. She plays the piano well. 5. My brother likes dancing very much. (My brother very much likes dancing.) 6. I very much like walking for hours in the rain.

293 1. I went to Manchester last week. 2. Come to my house at ten o'clock. 3. Alex is giving a concert in London on Tuesday. 4. I want to be in Cambridge before lunchtime. 5. I worked hard at Helen's yesterday. 6. Mary went to sleep in class this morning.

294 1. I like Fanny a lot. 2. Do you like me? 3. I didn't like the book at all. 4. Everybody likes this kind of film.

295 1. I didn't know where she had gone. 2. I looked at him. It was the man who had smiled at me in the train. 3. I said that I had not (hadn't) heard anything. (... that I had heard nothing.) 4. She thought that he had never loved her. 5. I had just gone out. 6. He realised that he had not taken the right road.

296 1. We had been walking for hours. 2. It had been snowing since the morning. 3. I had been working since twelve (o'clock) (... since midday). 4. She had been ill for two days.

297 **1/** 1. my 2. his 3. her 4. their 5. your 6. her 7. Its 8. our
2/ 1. It's easy to lose one's (your) way in a strange town. 2. Mary has (Mary's) hurt her arm. 3. I've told them to bring their passports. 4. Are you satisfied with your lives?

298 1. mine 2. hers 3. yours 4. mine, his 5. ours, theirs 6. Mine

299 1. Whose glass is this? / Whose is this glass? 2. Whose car is this? / Whose is this car? 3. Whose house is this? / Whose is this house? 4. I've (I have) found some keys. Whose are they?

300 1. a cousin of Marc's 2. a friend of hers 3. an idea of mine 4. a book of yours

301 **1/** 1. Tom's friends 2. your brother's house 3. my parents' car 4. the President's wife 5. the baby's breakfast 6. the neighbours' dog
2/ 1. Paul and Christiane's friends 2. Paul's and Christiane's friends 3. This coat is Bernard's. 4. We're going to Catherine and Luc's this evening.

302 1. the government's plans 2. the price of the house 3. five minutes' walk 4. the end of the film 5. Italy's economic problems 6. yesterday's paper 7. the roof of the garage (the garage roof) 8. somebody's (someone's) umbrella 9. a James Brown concert 10. a film by Fellini

304 **1/** 1. on 2. for 3. of 4. in 5. from (to) 6. with 7. from 8. with 9. from 10. to 11. to 12. on
2/ 1. Why don't you answer my questions? 2. Don't look at me like that. 3. Wait for us! 4. Do you remember your first love? 5. I play the piano. 6. My brother plays tennis. 7. Listen to the birds. 8. It (That/This) reminds me of a film. 9. How much did you pay for your coat? 10. Ask Daniel to help you.

305 1. in 2. on 3. in 4. on 5. in 6. by 7. on 8. on

306 **1/** 1. Who did you buy it for? 2. What are you thinking about? 3. Who was she smiling at? 4. Where does he come from? 5. Who did you dance with? 6. What did you open it with? 7. What's it made of? 8. What are you laughing at?
2/ 1. The girl I was living with was Scottish. 2. The boy I wrote to never answered. 3. The pictures we looked at were boring. 4. The music we listened to was very good. 5. The people we talked to were nice to us. 6. The train we went on was terribly dirty.
3/ 1. I like to be smiled at. 2. I like to be written to. 3. I like to be thought about. 4. I like to be taken care of.
4/ 1. Mountains are nice to look at (frightening to think about). 2. Death is frightening to think about. 3. Sermons are often boring to listen to. 4. Can you lend me something to write with?

307 **1/** likes – starts – hurries – stays – catches – pushes – reads – buys – sells – fixes – misses – hopes – sends
2/ 1. does he live 2. do you go 3. do you like 4. Does Bob work 5. does she do 6. do you travel

308 1. I often go to the cinema. 2. Does Paul live in London? 3. I don't often travel (travel often). 4. Light takes four years to come from the nearest star. 5. Do you smoke? 6. I don't speak German. 7. I'll come to (come and) see you when I'm in Paris. 8. The train arrives at eight (o'clock).

309 1. I am (I'm) writing. 2. Why are they laughing? 3. We are not going. (We aren't/We're not...) 4. Mary is (Mary's) singing 5. What is (What's) John wearing? 6. You are not eating. (You're not/You aren't...) 7. Are Bob and Janet coming?

310 1. Why are you crying, Susie? 2. Sssh! Somebody's (Someone's) coming. 3. I'm not going to school today. 4. Is your father working this morning? 5. What are you doing tomorrow? 6. What are you writing? 7. Look! She's smoking a cigarette. 8. I can go out. It isn't (It's not) raining.

311 **1/** 1. It's raining. 2. works 3. am making 4. are you writing 5. speaks 6. am looking for
2/ 1. It always rains on Sunday(s). 2. We often go to London. 3. I can't (don't) understand anything, they're speaking Spanish. 4. "What are you reading?" "A letter from Betty." 5. The post usually arrives at 8 (o'clock). 6. Are you waiting for somebody (someone)?

312 1. He has (He's) stolen 2. They have (they've) found 3. I have (I've) lost 4. We have not (We haven't) shown 5. Have you done 6. Has she thought 7. has not (hasn't) come 8. Have you had

313 1. came 2. hated 3. has ('s) drunk 4. has ('s) gone 5. wrote 6. left 7. have ('ve) never met 8. has ('s) had 9. have ('ve) often been 10. have ('ve) travelled

314 **1/** 1. I have (I've) been staying 2. He has (He's) been making 3. have they been watching 4. It has (It's) been snowing 5. Have you been reading 6. We have (We've) been sitting
2/ 1. She has (She's) been living in Paris for three years. 2. I have (I've) been learning the guitar since January. 3. I have (I've) known Fred for a long time. 4. It has (It's) been raining all day. 5. How long have you been working here? 6. We have (We've) been walking all afternoon; let's stop.

315 1. have ('ve) eaten 2. have ('ve) drunk 3. have ('ve) seen 4. have ('ve) eaten 5. had ('d) wanted 6. had ('d) travelled

316 **1/** 1. Where did you go? 2. What time did you get up? 3. Where did they live? 4. Why did you arrive late? 5. Who helped you? 6. Who did you see?
2/ I did not (didn't) stop – we did not (didn't) start – he did not (didn't) ask – they did not (didn't) say – we did not (didn't) try – you did not (didn't) play – he did not (didn't) come – we did not (didn't) go

317 1. He died in 1940. 2. I went shopping (did some shopping) yesterday. 3. Marco Polo spent several years in China. 4. I did not (didn't) go to the cinema. 5. What did you give Tom for Christmas? 6. I played a lot of tennis when I was young. (I played tennis a lot ...) 7. Pat came (went) into the room (entered the room) and looked at Sandy. 8. Last year we met a very interesting family. 9. It (That/This) happened during the holiday(s). 10. Where did you buy your shoes? 11. She left school two years ago. 12. Why didn't you come on Sunday?

318 1. looked, was taking 2. was going, heard 3. was walking, saw 4. phoned. was having 5. left, was wearing 6. was buying, came 7. went 8. met, was talking

320 1. You're as greedy as me (as I am). 2. Paul and I can't come this evening (tonight). 3. His mother and he were both very thin. 4. My favourite composer is Bach. 5. I like flowers very much. (I very much like flowers.) 6. Alice drives faster than him (than he does). 7. I'll pay. 8. Martine and I went to Hyde Park.

321 1. They've forgotten me. 2. Can you pass me the butter, please? 3. I don't know her. 4. Do you often see her? (Do you see her often?) 5. I don't like (love) him. I don't want to see him. 6. Tell them it's true. 7. "Here are your glasses." "Put them on the table." 8. "Where's the (news)paper?" "I've seen it somewhere."

323 1. "What is it?" (What's this/that?) "It's a calculator." 2. He's a very interesting man. 3. A man came in. It was a policeman. 4. The boy looked at me. It was my neighbour. 5. She was a pretty little girl. 6. He's not (He isn't) a very intelligent man.

325 **1/** 1. herself 2. himself 3. ourselves 4. yourself (oneself) 5. themselves 6. myself
2/ He hurt himself. 2. Can you see yourself in the photo? 3. "Give me the bread." "Go and get it yourself." 4. I often talk about myself. 5. She looks at herself for hours. 6. I'm going to buy myself some flowers.

326 1. who 2. Ø (which) 3. which 4. who 5. which 6. Ø (who/whom)

327 1. everything you say. 2. The phone number you gave me 3. films that have happy endings. 4. poetry I can understand. 5. something I ate. 6. Everybody that comes here 7. a lot of things I like 8. things that are cheap enough

328 1. What 2. that 3. what 4. that 5. which 6. that 7. What 8. which 9. what 10. that

329 1. a woman whose husband works with me 2. a woman whose husband I know 3. an artist whose work I like 4. a friend whose father is famous 5. a decision whose importance (the importance of which) you all understand 6. a room whose windows look onto the garden

330 1. the man (who/whom) I work for 2. the group (that/which) I travelled with 3. the woman (who/whom) I'm writing to 4. the chair (that/which) he put his coat on

332 1. Some people don't like music. 2. a sleeping baby 3. A man (tele)phoned. 4. *I* said it! 5. Twelve o'clock already! The train's leaving at one (o'clock)!

337 1. *I* invited her. 2. *Mum (Mummy/Mother)* made the cake. 3. *I* didn't take the money. 4. "I don't suppose you're hungry." ("I suppose you're not hungry.") "I *am* hungry." 5. "He isn't (He's not) 16." "He *is* 16." 6. "You didn't buy the bread." "I *did* buy it."

338 1. I suggest we go and see Cyril. (Let's go.../Why don't we go...?) 2. He suggested that I should help him in his work. (He asked if I'd like to help him...) 3. He offered to help me in my work. 4. She offered to wash the car.

339 **1/** 1. Do his parents know her? 2. Does Alex Benson work here? 3. Are Carol and Deborah coming tomorrow? 4. Did his mother arrive safely? 5. Did anything (nothing) happen? (Didn't anything happen?) 6. Does Robert like music? 7. Can Nick dance well? 8. Will she be pleased?
2/ 1. What time did you get up this morning? 2. Where do your parents live? 3. Has Mrs Smith telephoned? 4. Where does your boyfriend's sister live?
3/ 1. Who came yesterday? 2. Who did you see yesterday? 3. What matters (the) most? 4. What did you buy?

341 1. Why didn't you answer? 2. Isn't your father a doctor? 3. Aren't you tired? 4. Didn't you go to Manchester last week? 5. Can't you swim? 6. Don't you want (any) bread? 7. Have you got a stamp, please? 8. Why didn't you come yesterday?

342 1. quite a difficult rule 2. quite impossible 3. quite correct 4. quite expensive 5. quite a big house 6. quite an important decision 7. I quite like reading. 8. He's got (He has) quite a lot of discs (records).

343 1. It's rather cold. 2. I'm rather worried. 3. I rather like skiing. 4. It's rather an (a rather) interesting film.

344 1. promising 2. to post 3. inviting 4. to invite 5. to wake 6. Seeing 7. to ask 8. to lock

345 1. Do you remember our conversation? 2. I don't remember the exact price. 3. Remind me of your name. 4. Remind me to buy (some) tomatoes. 5. I don't remember. 6. This wine reminds me of my holiday(s) in Italy.

346 1. At what age did you have your first date? (How old were you when you had ...?) 2. I have (I've got) an appointment with the doctor on Tuesday morning. 3. I'm meeting my parents at half past five. 4. Lucy, what time are you meeting Barbara? 5. I told Frank I'd meet him (see him) at the cinema. 6. We agreed to meet at eight (o'clock).

347 1. He succeeds in a lot of things, but not (in) everything. 2. I have succeeded in finding (I have managed to find) a flat (an apartment). 3. I hope (that) I'll be successful in life. 4. Gillian passed in maths, but she failed the other subjects.

348 1. She goes to the same school as my sister. 2. "What would you like (do you want) to drink?" "The same (thing) as yesterday." 3. I'm the same age as you. 4. She can dance and sing at the same time. 5. I'll see you tomorrow at the same time (at the same time tomorrow). 6. "At the same place?" "Yes."

349 1. say 2. told 3. say 4. said 5. told 6. said

350 1. I saw him get on the train. 2. I heard her walking in her room. 3. He didn't see me take the letter. 4. She heard someone open the door. 5. I heard you scream in your sleep. 6. I saw them running away.

351 1. It's my only clean shirt. 2. their only child 3. She felt terribly lonely. 4. I can't go there alone. 5. I've got only one objection. 6. She hasn't written a single letter during the holiday(s).

352 1. will 2. will (shall) 3. Shall 4. shall 5. will 6. Shall 7. will 8. shall

353 1. You should help other people. 2. You should drive more slowly. 3. We should go and see (to see) Granny. 4. People should not (shouldn't) waste water. 5. You should go to bed. 6. Christian should stop smoking. 7. The joint should be ready now: can you look (have a look)? 8. He's rich: he should be able to help us.

354 1. I should have written to Steve last week. 2. She should not (shouldn't) have said that. 3. She should never have married him. 4. They should have thought of (about) it. 5. You should not (shouldn't) have taken my keys. 6. I should not (shouldn't) have tried to repair the car.

356 1. It is important that young people should receive a good education. 2. I was delighted that she should ask me to stay. 3. The general ordered that the prisoners should be executed. 4. I was furious that he should react so stupidly.

358 1. We have (We've) lived (been living) 2. I had (I'd) known him 3. I have (I've) been working 4. I have (I've) had 5. she came 6. she has (she's) lived (she has/she's been living) 7. died 8. he left her

359 1. It's a long time since I had a holiday. 2. It's five years since we saw each other. 3. It's three years since he changed jobs. 4. It's two months since she left.

360 1. little 2. small 3. small 4. little 5. small 6. little

361 1. I think so. 2. I hope so. 3. I hope so. 4. I'm afraid not. 5. I'm afraid so. 6. I hope not.

362 1. so 2. such 3. such 4. so 5. such 6. so

363 1. so many 2. so much 3. so many 4. so much 5. so many 6. so much

365 1. any 2. some 3. any 4. any 5. any 6. some 7. any 8. any

366 1. I've seen you somewhere. 2. Is there somebody (someone)? 3. There's nobody (no one). (There isn't anybody/anyone.) 4. I don't understand anything. (I understand nothing.) 5. "Where do you live?" "Nowhere." 6. Someone (Somebody) (tele)phoned.

368 1. stolen 2. robbed 3. stole... from 4. steal 5. Robbing 6. robbed of

369 1. Is Christine up yet? 2. You are still as beautiful. 3. I'm (I am) not ready to get married yet. 4. He is (He's) still in London. 5. Are you still at university? 6. She still hasn't understood.

370 1. talking 2. smoking 3. to have 4. working

371 1. foreigner 2. foreign 3. strange 4. stranger 5. foreigners 6. foreigners 7. strange 8. foreign

373 1. Can you suggest a good restaurant (to me)? 2. I suggested to Nick that he had taken the wrong road. 3. I suggested to them that they should speak to the manager (boss). 4. I suggest stopping (that we stop) for a few minutes.

375 1. aren't you 2. can you 3. doesn't she 4. have you 5. won't you 6. doesn't it 7. aren't I 8. weren't you 9. shall we 10. will you

376 1. Are you? 2. Is she? 3. Has he? 4. Does she? 5. Don't you? 6. Hasn't she?

377 **1/** 1. I'm not 2. I can 3. I haven't 4. she doesn't 5. it is 6. they didn't 7. she was 8. I do
2/ 1. don't 2. do 3. don't 4. 'm not 5. can 6. have 7. do 8. wasn't

378 1. Neither can I. 2. So am I. 3. So do I. 4. So have I. 5. Neither do I. 6. Neither have I.

379 1. talking 2. speak 3. speak 4. talked

381 1. as 2. that 3. than 4. as 5. that 6. than

383 1. There will be a meeting tomorrow. 2. There wasn't much post. 3. There were a lot of birds in the garden. 4. How many houses are there in the village? 5. There should (ought to) be a message from John. 6. There are three doctors in my family. 7. There used to be a swimming pool here. 8. There must be a key somewhere.

384 1. He thinks about (of) her every day. 2. I've thought of a very good solution. 3. What do you think of the government? 4. She thought she was in York, but in fact she was in Leeds. 5. We are (We're) thinking of spending Christmas in Italy. 6. He thinks (that) he speaks German well.

385 1. these 2. those 3. that 4. this 5. that 6. This 7. this 8. that

387 1. always 2. still 3. still 4. always

388 1. all this week 2. He may arrive at any moment. 3. Any car parked in this street will be removed. 4. I've forgotten everything. 5. He spent a whole night making plans. 6. All my friends are on holiday.

389 1. journey 2. travel 3. make (go on)... trip 4. make (go on)... journey 5. had

390 1. too warm (hot) 2. too much snow 3. too many cats 4. He smokes too much. 5. too slowly 6. too much work 7. It's too expensive. 8. These chocolates are mine, don't take too many (of them).

391 1. to stop 2. using 3. to run 4. listening 5. to find 6. to pass

392 1. I'll be here at eight (o'clock) unless the train is late. 2. Unless you explain the situation to her, she won't understand. 3. I don't go to the cinema unless there's a good western. 4. Let's go to the restaurant, unless you prefer to eat at home.

393 **1/** 1. I used to hate dancing. 2. We used to live in Glasgow. 3. I used to smoke twenty cigarettes a day. 4. I used to be (quite) bad at English.
2/ 1. I used to be fat. 2. My brother used to play the piano. 3. People used to travel very little. 4. I didn't use to like nature.

394 1. When we were children we would fight all the time. 3. My father would take us to the seaside.

395 1. It's difficult to get used to a new car. 2. I'm not used to his (her) accent. 3. I'm used to loneliness. 4. She got used to her new life little by little. 5. I'm used to travelling. 6. I hope that I'll get used to living in the United States (the USA/the US).

396 **1/** 1. I gave my mother all the money. 2. Don't buy Lewis cigarettes, please. 3. He owes his sister a lot of money. 4. I sent my boss a telegram.
2/ 1. Show me your photos. 2. I'm going to write Philip a long letter. 3. Can you describe your ideal house to me? 4. Explain your plan to me.

398 1. I threw them away. 2. She took them off. 3. I'm going to put it on. 4. The supermarket has put them up. 5. We'll have to put it off. 6. Let's ring her up.

400 1. You don't mind if I invite Yves and Dany? 2. "(Some) more cheese?" "Yes, please." 3. I often go on holiday alone, my husband doesn't mind. 4. "Do you want to hear my plans?" "All right (OK)."

401 1. I can't wait any longer. 2. I'm expecting a (tele)phone call at two o'clock. 3. I'll wait for you until eleven (o'clock). 4. I expect (I'm expecting) him to invite us to dinner. 5. I expect the hotel will be full. 6. I can't wait for my birthday.

402 1. He wants to speak (talk) to you. 2. He wants you to come here. 3. "Are you going to buy a motor-bike?" "No, my wife doesn't want me to." 4. "Tell me why you're depressed." "No, I don't want to." 5. "Can I have (take/get) a beer?" "If you like." 6. I want her to tell me the truth.

403 1. You drive well. 2. It's a very good hotel. 3. His latest book isn't good. 4. The film was very good. 5. It's very well written. 6. "How are you today?" "Not very well."

404 1. What 2. Which 3. Which 4. What 5. What 6. Which

405 1. am 2. will ('ll) see 3. will ... know 4. will get 5. arrive 6. are

406 1. I don't know whether (if) she'll come. 2. Ask Annie whether (if) she's going out this evening. 3. I'd like to know if the car is (the car's) ready or not. 4. Whether he arrives or not, we'll start at eight (o'clock).

409 1. will 2. will 3. would 4. will 5. would 6. will

410 1. Will you give me your address? 2. "Can anybody (somebody/anyone/someone) come with me?" "I will." 3. If you will wait (for) a few minutes ... 4. Would you wait for me in the living room? 5. She won't explain what happened. 6. The door wouldn't open.

411 **1/** 1. I wish I was (were) young. 2. I wish I had a brother. 3. I wish you could drive. 4. I wish I could stay in bed all day. 5. I wish I saw you more often. 6. I wish they didn't live so far away.
2/ 1. I wish I hadn't said anything. (I wish I'd said nothing.) 2. I wish you had (you'd) come. 3. I wish I hadn't left school. 4. I wish I had (I'd) believed you. 5. I wish we hadn't bought this house. 6. I wish you had (you'd) listened to me.
3/ I wish she would (she'd) make an effort. 2. I wish they would (they'd) accept. 3. I wish my uncle would come back. 4. I wish Pete would look for a job.
4/ 1. I hope I'll see you again. 2. I hope he won't forget me. 3. I hope she'll understand. 4. I hope it won't rain.

412 1. job 2. work 3. works 4. job

413 1. It's not worth listening to his ideas. 2. Cornwall is worth visiting. 3. It isn't worth reading his latest book. 4. She's not worth arguing with.

414 **1/** 1. I'd rather stay at home. 2. "A beer?" "I'd rather have an orange juice." 3. Would you rather see a film or go to the theatre this evening? 4. What would you rather do?
2/ 1. I'd rather you stayed at home. 2. She'd rather we stopped playing. 3. "Shall I close the door?" "I'd rather you didn't." 4. "I'd rather you didn't say anything (... said nothing).

415 1. ... nought point four five four kilograms. 2. ... three O four six seven two nine. 3. ... seventeen degrees Centigrade (Celsius); ... zero degrees Centigrade (Celsius) 4. England won the match three – nil.

Index

Abréviations utilisées :
R = remarque p. = participe
Les numéros en gras renvoient aux sections, les numéros en maigre aux paragraphes dans les sections.

a

a

b

C

d

e

f

g

h

i

j

k

l

m

n

O

p

q

r

S

U

V

W

yz

Si vous souhaitez "revoir les bases"...

Voici une liste de 125 sections où figurent des points prioritaires.

Be* et *have	59, 61 ; 168, 170-172
Modaux	72-74, 62.1,2 ; 230, 232, 63 ; 244, 246 ; 353
Infinitifs, participes, *-ing*	193, 194, 196.1, 197 ; 115, 202, 220, 370
Impératif	190.1,2 ; 219
Temps présents	307-311
Temps passés	316-318, 397 ; 393 ; 312-314.1,3,4 ; 295 ; 214
Futur et conditionnel	148-151 ; 91, 92
Concordance des temps	103-105 ; 186 *(will/would) ;* 405, 156.1
Passif	281, 282
Phrase : structures de base	339 ; 180, 181, 183 ; 132 ; 362 ; 375 ; 383.1
Articles et démonstratifs	39, 40.1, 41, 42 ; 385
Possessifs	297.1,2, 298, 299 ; 301, 302
Autres déterminants	20 ; 33.1, 277 ; 126 ; 243, 227, 222.1
	365-367, 260, 261 ; 239 ; 390
Noms et adjectifs	254, 288, 256 ; 7, 12 (introduction)
Comparaison	44 ; 80-83
Pronoms	320, 321 ; 325 ; 114 ; 326-328
Adverbes	18 ; 175 ; 387 ; 290-292
Prépositions	52-54 ; 100.1 ; 111 ; 45 ; 304, 305 ; 306.1
Grammaire des mots	19 ; 50 ; 134 ; 166 ; 349 ; 402

Pour les plus avancés

Comment diriez-vous "un Chinois", "un Hongrois", "un Hollandais" ? (247)
Quand emploie-t-on : *and* avec les adjectifs (9) ; le superlatif sans *the* (88) ; *-ing* après *to* (203) ; *will* après *if* (187) ; *they* pour parler d'une seule personne (324) ?
Est-ce qu'on dit *I'm afraid to crash* ou ... *of crashing* ? Pourquoi ? (15)
Connaissez-vous les quatre traductions de "déjà" (99) ; les cinq traductions de "manquer" (228) ; les six façons de traduire "il y a" (189) ; les sept équivalents de "on" (268) ?
Connaissez-vous les structures elliptiques de l'anglais parlé, comme *Car's running well* ou *Saw Andy yesterday* ? (267)
Quelles sont les quatre structures qui se terminent normalement par une préposition ? (306)
The government has decided ou ... *have decided* ? (255)
On peut dire *a history book* mais pas ~~*an Africa book.*~~ Pourquoi ? (259)
Quelles sont les différences entre *all* et *everything* (21) ; entre *than I, than I am* et *than me* (85) ; entre *he fell in the river* et *he fell into the river* (191) ; entre *last, the last* et *the latest* (217) ; entre *may, might, can* et *could* (235) ; entre *travel, journey, trip* et *voyage* (389) ?
"C'est" = *it is* ou *he/she/it is* ? (323) Savez-vous employer le subjonctif anglais ? (372) Connaissez-vous l'emploi des temps après *I wish* ?(411)

A vous de trouver les 200 autres sections ou paragraphes plus avancés !

Imprimé en France par Hérissey, 27000 Évreux – N° 79466
Dépôt légal n° 16599 – Mars 1998